JN016774

EIKEN

Grade Pre-1

the japan times 出版

はじめに

本書は『出る順で最短合格！ 英検®準１級単熟語 EX』の改訂版です。旧版同様、過去問データ（直近 15 年、約 27 万語）を徹底分析して作られています。

準１級の受験者が語彙力を強化すべき理由は２つあります。

１つは、語彙力がリーディング、リスニング、ライティング、スピーキングすべての土台となるからです。単語や熟語を知らなければ、英語を読むことも、聞くことも、書くことも、話すこともできません。これは英検®受験者だけでなく、英語を学習するすべての人に共通する課題です。

そしてもう１つは、筆記大問１で高得点を取るためです。試験の最初に出題される筆記大問１の語彙問題は、リーディング問題の中で大きな割合を占めるばかりでなく、選択肢の意味さえ知っていれば正解することのできる、学習が結果に結びつきやすい問題形式だからです。筆記大問１の選択肢に並ぶ語句は、その他の問題に登場する語句よりもレベルが高めですが、ここで高得点を取れれば、合格に大きく近づくことができます。また、これらの語句は、難関大学の入試問題にも対応できるレベルと言われています。

以上のような理由から、本改訂版では初版に収録されていた chemical, commercial, destination, fund, structure, wage などの比較的やさしい語句の収録を見送る一方、allegation, frailty, intrigued, outsmart, phobia, sober といった筆記大問１の選択肢に複数回登場している高難度の語句を、積極的に採用しました。そして即戦力を高めるため、筆記大問１の選択肢として登場した頻度を掲載順の主要な基準としました。

これらの語句の多くは読解問題やリスニング問題にも登場するため、マスターしておけば準1級全体の対策になります。さらに、Unit 13, 14では、筆記大問1の選択肢になっていない頻出語も取り上げていますので、筆記大問1以外の問題にも完全に対応することができます。

今回の改訂では、初版収録語の訳語や例文も大幅に見直しました。リスニングではイギリス人ナレーターが登場することに鑑み、イギリス発音を併記しています。また、単語を覚える際のきっかけとなるよう、語源情報も取り入れました。

Part 3の「テクニカルターム」には、生物名や病名、経済や歴史などの用語をまとめました。こうした語句は、意味さえ押さえておけば読解問題やリスニング問題に非常に役立ちます。中にはprescription, burglary, tyrant, missionaryといった、筆記大問1の正解になった語も含まれているので、しっかり意味を頭に入れておきましょう。

見出し語句数は2,412、類義語、反意語、派生語などの関連語句を含めた総収録語句数は3,900強です。無料ダウンロード音声には、見出し語句と訳語、例文（英語）が収録されているので、音とセットで覚え、リスニング対策にも活用してください。

皆さんが本書を使って準1級合格に必要な語彙力を身につけ、合格の栄冠を手にされることを心からお祈りしています。

編者

目次

本書の構成

本書は、皆さんが英検®準1級の合格に必要な語彙力をつけることができるよう、過去15年分の過去問題を徹底的に分析して作られています。すべての情報を効果的に活用するために、構成を確認しましょう。

1 PartとUnit

全体を3つのPartに分け、さらに20のUnitに分割しています。Part 1（Unit 1～14）に単語、Part 2（Unit 15～17）に熟語、Part 3（Unit 18～20）にテクニカルターム（主に読解問題に登場する専門用語）を収録しています。

2 見出し項目

過去問データの分析に基づき、準1級合格に必要な2,412語句を紹介しています。特にPart 1と2の掲載順は筆記大問1における出題頻度を主な基準としています。

3 発音記号

発音が米英で異なる場合は、| の後ろに英音を掲載しています。

4 語源情報

ⓘの後ろには、語源情報を掲載しています。

5 訳語

訳語は、過去問の分析で「よく出る」と判断されたものを取り上げています。また必要に応じ、類義語・反意語の情報も載せました。訳語は赤フィルターで隠すことができます。

アイコンの見方

〈 〉… 他動詞の目的語、自動詞・形容詞の主語にあたる訳語であることを表します。

( ) … 訳語の補足説明／省略可能であることを表します。

[ ] … 訳語の注記／言い換え可能であることを表します。

名 … この色のアイコンは見出し項目の品詞を表します。

動 … この色のアイコンは派生語の品詞を表します。

≒ … 類義語を表します。 ⇔ … 反意語を表します。

8

9

Patients are **vulnerable** to infection just after surgery.	患者は手術の直後、感染症にかかりやすくなる。	Track 001
Make sure to **heed** all the warning signs.	すべての警戒標識に気をつけるようにしてください。	
A **bystander** captured the arrest on video.	その場に居合わせた人が逮捕の様子を動画に収めた。	
The bridge eases **congestion** in the area.	その橋は地域の混雑を緩和している。	
She **discarded** all her appliances and replaced them with new ones.	彼女はすべての電化製品を捨て、新しいものに買い換えた。	
The **blaze** was completely out of control and spread quickly.	炎は完全に制御不能で、あっという間に燃え広がった。	
He is a little **clumsy** with a paintbrush.	彼は絵筆を使うのが少し不器用だ。	
We must **eliminate** major sources of pollution quickly.	私たちは主要な汚染源を早急に除去しなければならない。	
The politician **acknowledged** his involvement in the scandal.	その政治家はスキャンダルへの関与を認めた。	
Not all mushrooms are **edible**, so you have to be careful.	すべてのキノコが食べられるわけではないので、注意が必要だ。	00 12
Our people have **cultivated** the land here for centuries.	私たち一族は何世紀にもわたってこの土地を耕してきた。	
She had to pay a fine because her payment was **overdue**.	支払いの期限が過ぎてしまったため、彼女は罰金を支払わなければならなかった。	011

6 注記

語法や関連語句、注意すべき複数形、共通の語源を持つ語など、幅広い情報を紹介しています。

7 派生語情報

見出し語と派生関係にある単語を取り上げています。

8 例文

Part 1と2のすべての見出し項目には、出題される意味や用法に沿ったシンプルで覚えやすい例文がついています。例文ごと覚えれば、語句の使い方も身につきます。

9 音声トラック番号

すべての見出し項目の語句とその日本語訳、例文の英語が収録されています。音で聞き、自分でも発音することで、記憶はよりしっかりと定着し、リスニング力アップにもつながります。音声の再生方法はp. 008を参照してください。

コラム

各Part末に、語根に関するコラムを掲載しています。同じ語根を使う単語をまとめていますので、語根のイメージを身につけ、本文の語源情報の理解を深めてください。

音声のご利用案内

本書の音声は、スマートフォン（アプリ）やパソコンを通じてMP3形式でダウンロードし、ご利用いただくことができます。

スマートフォン

1. ジャパンタイムズ出版の音声アプリ「OTO Navi」をインストール
2. OTO Naviで本書を検索
3. OTO Naviで音声をダウンロードし、再生

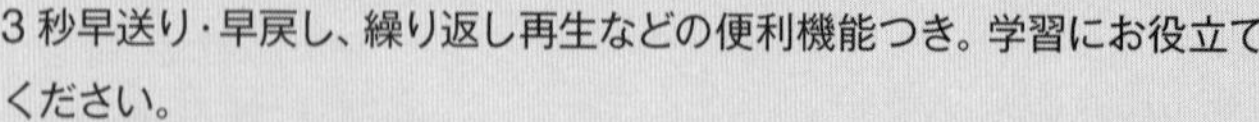

3秒早送り・早戻し、繰り返し再生などの便利機能つき。学習にお役立てください。

パソコン

1. ブラウザからジャパンタイムズ出版のサイト「BOOK CLUB」にアクセス

https://bookclub.japantimes.co.jp/book/b620569.html

2. 「ダウンロード」ボタンをクリック
3. 音声をダウンロードし、iTunesなどに取り込んで再生
   ※ 音声はzipファイルを展開（解凍）してご利用ください。

本書には、次の4種類の音声が付属しています。学習のスタイルや進捗によって使い分け、語彙力アップに役立ててください。

- 見出し語（英語）→ 訳語（日本語）→ 例文（英語）：スタンダードな音声
- 見出し語（英語）→ 例文（英語）：日本語を介さずに学ぶにはお勧め
- 見出し語（英語）のみ：サクサク復習するのに最適
- 訳語（日本語）→ 見出し語（英語）：日本語から英語を類推する負荷の高い「鬼モード」

Part 1

単語

単語は、以下の優先順位を基に配列されています。

①筆記大問１で正解になった語の頻度
②筆記大問１で誤答になった語の頻度
③筆記大問１の選択肢以外で出題された語の頻度

筆記大問１の選択肢として出題された語が長文などで登場するケースも、数多くあります。

試験まで時間がなく、短時間で筆記大問１の対策をしたい場合は、Unit 1から学習してください。時間があり、Unit 1から始めて難しく感じた場合は、Unit 13, 14を先に学習し、そのあとUnit 1から続けるとよいでしょう。

0001 **vulnerable** [vʌ́lnərəbl]
① vulner（傷つける）+ -able（できる）
形 〈人・感情などが〉傷つきやすい、（病気などに）かかりやすい
名 vulnerability 脆弱性

0002 **heed** [híːd]
動 ～に気をつける、～を心に留める
► pay heed to ～（～に注意を払う）という表現も出題される。

0003 **bystander** [báɪstæ̀ndər]
名 傍観者、見物人（≒onlooker）
► stand by（傍観する）という表現も覚えておこう。

0004 **congestion** [kəndʒéstʃən]
① con-（共に）+ gest（運ぶ）+ -ion 名
名 （交通・場所などの）混雑
形 congested 混雑した

0005 **discard** [dɪskáːrd]
① dis-（分離）+ card（カード）
動 〈不用品など〉を捨てる、処分する（≒throw away）

0006 **blaze** [bléɪz]
名 （燃え盛る）炎、火炎

0007 **clumsy** [klʌ́mzi]
形 不器用な、ぎこちない

0008 **eliminate** [ɪlímənèɪt]
① e-（外に）+ limin（境界）+ -ate（～にする）
動 ① ～を取り除く、（候補などから）～を外す（≒exclude）
② 〈対戦相手〉を敗退させる
► ②の意味ではふつう受け身で使う。
名 elimination 除去

0009 **acknowledge** [əknáːlɪdʒ | -nɔ́l-]
① ac-（～に）+ know（知る）+ -ledge（行為）
動 ① ～を認める ②（うなずき・ほほえみなどで）〈人〉に気づいたことを示す ► in acknowledgment of ～（～を認めて、～に感謝して）という表現も出題されている。
名 acknowledgment 承認；感謝すること

0010 **edible** [édəbl]
① ed（食べる）+ -ible（できる）
形 食べられる（⇔inedible）

0011 **cultivate** [kʌ́ltəvèɪt]
① cult（耕す）+ -(iv)ate 動
動 ① 〈土地〉を耕す ② ～を栽培する、育てる
③ 〈技能・品性など〉を養う、高める
名 cultivation 耕作；栽培；育成

0012 **overdue** [òʊvərd(j)úː]
形 ①（支払い・返却の）期限が過ぎて
②（予定より）遅れて ③ もっと早くすべきで
► due は「期限の来た」。

Track 001

Patients are **vulnerable** to infection just after surgery.	患者は手術の直後、感染症にかかりやすくなる。
Make sure to **heed** all the warning signs.	すべての警戒標識に**気をつける**ようにしてください。
A **bystander** captured the arrest on video.	**その場に居合わせた人**が逮捕の様子を動画に収めた。
The bridge eases **congestion** in the area.	その橋は地域の**混雑**を緩和している。
She **discarded** all her appliances and replaced them with new ones.	彼女はすべての電化製品を**捨て**、新しいものに買い換えた。
The **blaze** was completely out of control and spread quickly.	**炎**は完全に制御不能で、あっという間に燃え広がった。
He is a little **clumsy** with a paintbrush.	彼は絵筆を使うのが少し**不器用**だ。
We must **eliminate** major sources of pollution quickly.	私たちは主要な汚染源を早急に**除去し**なければならない。
The politician **acknowledged** his involvement in the scandal.	その政治家はスキャンダルへの関与を**認めた**。
Not all mushrooms are **edible**, so you have to be careful.	すべてのキノコが**食べられる**わけではないので、注意が必要だ。
Our people have **cultivated** the land here for centuries.	私たち一族は何世紀にもわたってこの土地を**耕して**きた。
She had to pay a fine because her payment was **overdue**.	支払いの**期限が過ぎて**しまったため、彼女は罰金を支払わなければならなかった。

0012

0013 **enrollment**
[ɪnróʊlmənt]
① en-（中に）+ roll（名簿）+ -ment 名

名 登録、入学
動 enroll ～を登録させる、入学させる；登録する、入学する

0014 **enlist**
[ɪnlíst]
① en-（中に）+ list（名簿）

動 ①〈援助など〉を得る、求める　② 入隊する

0015 **anarchy**
[ǽnərki] ▲ アクセント注意。
① an-（～のない）+ arch（指導者）+ -y 名

名 ① 無政府状態　② 無秩序

0016 **reluctant**
[rɪlʌ́ktənt]

形 気乗りがしない、しぶしぶの
► be reluctant to *do*（～するのに気乗りがしない）の形でよく出題される。
名 reluctance 気が進まないこと

0017 **fragile**
[frǽdʒəl | -aɪl]
① frag（壊す）+ -ile 形

形 ① 壊れやすい（⇔tough）　②（状態が）不安定な

0018 **evaluate**
[ɪvǽljuèɪt]
① e-（外に）+ valu（価値がある）+ -ate（～にする）

動 ～を評価する（≒assess）
名 evaluation 評価

0019 **resume**
[rɪz(j)úːm]
① re-（再び）+ sume（取る）

動 ～を再開する
► e にアクセント記号のついた résumé は「履歴書」。
名 resumption 再開

0020 **weary**
[wíəri]

形 ① ひどく疲れた（≒tired）　② 飽き飽きして

0021 **custody**
[kʌ́stədi]

名 ①（未成年者の）保護、親権
②（容疑者の）拘置、拘留

0022 **coalition**
[kòʊəlíʃən]
① coali（合体する）+ -tion 名

名（国・政党などの）連立、連合

0023 **tranquil**
[trǽŋkwɪl]
① tran（非常に）+ quil（静かな）

形 静かな、穏やかな

0024 **enforce**
[ɪnfɔ́ːrs]
① en-（～にする）+ force（強い）

動〈法など〉を守らせる、施行する
名 enforcement 施行

Track 002

The university's **enrollment** increases almost every year.	その大学の登録者数はほとんど毎年増えている。
He **enlisted** the help of friends when setting up his business.	彼は会社を立ち上げるときに友人の援助を得た。
Anarchy reigned in the country during the civil war.	内戦中、国は無政府状態になった。
She **was reluctant to** give an answer.	彼女は返事をしたがらなかった。
Our company does not offer a service to ship **fragile** items.	当社では、壊れやすいものの配送サービスは行っておりません。
Your work performance will be **evaluated** twice per year.	業績は、年に２回評価されます。
We will **resume** the class at 3:00 p.m.	午後３時に授業を再開します。
She was **weary** after a day of walking in the city.	彼女は一日中街を歩いて疲れきっていた。
Her grandparents took **custody** of her after the accident.	事故のあと、祖父母が彼女を保護した。
The two parties formed a **coalition** government.	その２つの政党は連立政権を樹立した。
That area has many large, **tranquil** forests.	その地域には、大きくて静かな森がたくさんある。
It is the job of the police to **enforce** the law.	法律を遵守させるのは警察の仕事だ。

00 24

0025 **disguise**
[dɪsgáɪz]
① dis- (変える)+guise (身なり)

動 ～を変装させる、偽装する
名 偽装、変装
► disguise *oneself* で「変装する」という意味。

0026 **surplus**
[sə́ːrplʌs | -pləs]
① sur- (越えて)+ plus (もっと多くの)

名 ① 余剰、余剰分 (⇔deficit)
② 黒字 (⇔deficit)

0027 **petition**
[pətíʃən]
① peti (求める)+ -tion 名

名 嘆願書
動 ～に嘆願する

0028 **habitual**
[həbítʃuəl] ▲ アクセント注意。
① habit (習慣)+ -ual 形

形 常習的な、習慣的な
名 habit 習慣

0029 **vacant**
[véɪkənt]
① vac (からの)+ -ant 形

形 ① 空いている、使われていない ② 欠員の
名 vacancy 空き、欠員
動 vacate ～を明け渡す

0030 **daring**
[déərɪŋ]

形 大胆な (≒bold)
名 大胆さ、勇敢さ

0031 **thrive**
[θráɪv]

動 ① 繁栄する、成功する (≒prosper)
② 〈動植物が〉よく成長する

0032 **compartment**
[kəmpáːrtmənt]
① com- (共に)+ part (分ける)+ -ment 名

名 仕切られた部分 [区画]
► overhead compartment「(飛行機の) 手荷物入れ」の形でも出題される。

0033 **accelerate**
[əksélərèɪt]
① ac- (～に)+ celer (速い)+ -ate (～にする)

動 加速する；～を加速させる
► カタカナ語の「アクセル」は accelerator から。

0034 **descendant**
[dɪséndənt]
① de- (下に)+ scend (登る)+ -ant 名

名 子孫、末裔(まつえい) (⇔ancestor)
名 descent 家系

0035 **decay**
[dɪkéɪ]
① de- (下に)+ cay (落ちる)

動 ① 腐る、朽ちる ② 〈歯が〉虫歯になる
名 ① 腐敗 ② 虫歯

0036 **refine**
[rɪfáɪn]
① re- (再び)+ fine (終える)

動 ～を洗練 [改良] する、〈技術など〉を磨く
名 refinement 洗練

Track 003

The woman **disguised herself** as a man to avoid police.	その女性は警察の目を避けるために男性に変装した。
The school plans to use the **surplus** of funds to update the gymnasium.	その学校は、余剰金を使って体育館を改修する予定だ。
The activists are looking for more people to sign their **petition**.	活動家たちは嘆願書に署名してくれるさらに多くの人を探している。
He is a **habitual** late sleeper and is often late to work.	彼は寝坊の常習犯で、よく仕事に遅刻する。
The building is new, so there are still several **vacant** apartments.	そのビルは新しいので、まだいくつか空き部屋がある。
Critics have praised the author's **daring** use of poetic language.	批評家たちは、その著者の大胆な詩的言葉遣いを称賛している。
The company's business activities are **thriving** in Southeast Asia.	その会社の事業活動は東南アジアで成功している。
She has a large purse divided into several **compartments**.	彼女はいくつかの仕切りに分かれた大きなハンドバッグを持っている。
The growth of the economy continues to **accelerate** rapidly.	経済成長は急速に加速し続けている。
Most people in this neighborhood are **descendants** of Japanese immigrants.	この界隈のほとんどの人は日本からの移民の子孫だ。
The old barn **decayed** until there was nothing left.	古い納屋は朽ち果てて、最後には何も残らなかった。
Our smartphone designs are constantly being **refined** and improved.	当社のスマートフォンのデザインは、絶えず洗練と改良を続けております。

00
36

0037 **swell**
[swél]
動 腫れる

0038 **segment**
[ségmənt]
① seg（切る）+ -ment 名
名 部分、区分

0039 **bribe**
[bráɪb]
名 賄賂
動 ～を買収する
► 金品を指す。bribery（贈収賄（行為））も出題されている。

0040 **obsessed**
[əbsést]
① ob-（～に）+ sess（座る）+ -ed 形
形 心を奪われた、取りつかれた
► be obsessed with ～ で「～に心を奪われている」という意味。
名 obsession 取りつかれていること

0041 **uphold**
[ʌphóʊld]
動 ①〈公約など〉を守る
②〈法・制度・主義など〉を守る

0042 **overthrow**
[òʊvərθróʊ]
動〈政府など〉を転覆させる

0043 **itinerary**
[aɪtínərèri | -nərəri]
① itiner（旅行）+ -ary 名
名 旅程（表）、旅行計画

0044 **faint**
[féɪnt]
形〈光・音などが〉かすかな
動 気絶する（≒pass out）

0045 **explicit**
[ɪksplísɪt]
① ex-（外に）+ plicit（折る）
形 明白な、あからさまな（⇔implicit）

0046 **lenient**
[líːniənt]
① leni（柔らかい）+ -ent 形
形〈人・判決などが〉寛大な、甘い（≒merciful）（⇔strict, harsh, severe）

0047 **contemplate**
[kɑ́ːntəmplèɪt | kɔ́n-]
① con-（強意）+ template（神殿）
動 ～を熟考する（≒consider）
► contemplate *do*ing で「～することを考える」という意味。
名 contemplation 熟考

0048 **presume**
[prɪzúːm | prɪzjúːm]
① pre-（前もって）+ sume（取る）
動 ～と推定する、見なす
名 presumption 推定

Track
004

The bug bites on her legs **swelled** and turned red.	彼女の両脚の虫刺されは、**腫れて**赤くなった。
A large **segment** of the population does not have access to clean water.	人口の大**部分**はきれいな水を手に入れることができない。
Several politicians have been arrested for taking **bribes**.	**賄賂**を受け取ったとして何人かの政治家が逮捕された。
She has **been obsessed with** comic books since she was young.	彼女は幼いころからずっと漫画に**夢中だ**。
The CEO **upheld** his promise to avoid company-wide layoffs.	CEO は、全社的な解雇を回避するという約束を**守った**。
The organization is trying to **overthrow** the government.	その組織は政府を**転覆させ**ようとしている。
He let his wife decide the **itinerary** for their trip to Europe.	彼はヨーロッパ旅行の**計画**を妻に任せた。
We heard a **faint** noise coming from the basement.	地下室から**かすかな**物音が聞こえた。
She left **explicit** instructions regarding how to take care of her dogs.	彼女は犬たちの世話の仕方について**明確な**指示を残した。
His grandmother was always **lenient** when he was a child.	彼が子どものころ、彼の祖母はいつも**甘かった**。
Have you ever **contemplated** quitting and finding a new job?	仕事を辞めて新しい仕事を探すことを**考えた**ことはありますか。
You shall be **presumed** innocent unless you are proven guilty.	有罪と証明されない限り、あなたは無罪と**見なされます**。

00
48

0049 **bulky** [bʌ́lki]

形 かさばった、大きくて扱いにくい
► in bulk（大量に）という表現も覚えておこう。

0050 **concede** [kənsíːd]

① con-（完全に）+ cede（退く）

動 ①〈試合・選挙など〉での敗北を認める
②（譲歩して）～を（正しいと）認める
名 concession 譲歩

0051 **shrug** [ʃrʌ́g]

動〈肩〉をすくめる
►「わからない、どうでもいい」といった意味の仕草。

0052 **reconstruct** [rìːkənstrʌ́kt]

① re-（再び）+ construct（建設する）

動 ①〈状況・事件など〉を再現する　②～を再建する

0053 **barricade** [bérəkèɪd | bæ̀rɪkéɪd]

名 バリケード、障害物
動 ～をバリケードで囲む
► bar は「棒」を意味する語根。

0054 **extravagant** [ɪkstrǽvəgənt]

① extra-（越えて）+ vag（さまよう）+ -ant 形

形 浪費する、〈習慣などが〉ぜいたくな
副 extravagantly 盛大に

0055 **reconcile** [rékənsàɪl]

① re-（再び）+ con-（共に）+ cile（呼ぶ）

動 ～を調和させる、調整する
名 reconciliation 調整；和解

0056 **exempt** [ɪgzémpt]

① ex-（外に）+ empt（取られた）

形 免除された
動 ～を免除する
► be exempt from ～ で「～を免除される」という意味。
名 exemption 免除

0057 **stroll** [stróʊl]

名 散策、そぞろ歩き
動 散策する、そぞろ歩く

0058 **notorious** [noʊtɔ́ːriəs]

① not（注目）+ -orious（満ちた）

形 悪名高い、よく知られた（≒infamous）
名 notoriety 悪評、悪名

0059 **enhance** [ɪnhǽns | -hɑ́ːns]

動〈価値・質・力など〉を高める、向上させる（≒improve）

0060 **signify** [sígnəfàɪ]

① sign（印）+ -ify（～にする）

動 ～を示す、知らせる

Track 005

Bulky bags cannot be used as carry-on luggage.	かさばるバッグは機内持ち込み手荷物としては使用できない。
The candidate **conceded** the election following the court's decision.	その候補者は、裁判所の決定に従って選挙の敗北を認めた。
She **shrugged** her shoulders when her teacher asked her the question.	先生に質問されて、彼女は肩をすくめた。
Investigators worked to **reconstruct** the crime scene.	捜査官たちは犯行現場を再現しようと取り組んだ。
There were many large **barricades** surrounding the demolition site.	解体現場を取り囲む大きなバリケードがたくさんあった。
The couple went to an **extravagant** dinner with the CEO.	その夫婦は CEO と豪華なディナーに行った。
The business partners worked hard to **reconcile** their differences.	ビジネスパートナーたちは相違点を調整するために努力した。
Monthly members **are exempt from** paying the admission fee.	月会員は入場料を免除されます。
She takes a **stroll** around the park every morning.	彼女は毎朝公園をのんびり散歩する。
They are **notorious** for being inflexible in their opinions.	彼らは自分の意見を曲げないことで悪名高い。
We could **enhance** the quality of sound produced by our headphones.	私たちは、ヘッドフォンから出る音の質を高めることができた。
This mark **signifies** that the food was grown organically.	このマークは食品が有機農法で生産されたことを示している。

00
60

0061 **hectic**
[héktɪk]

形 慌ただしい、非常に忙しい

0062 **vivid**
[vívɪd]
① viv (生命) + -id 形

形 生き生きとした、鮮明な (⇔vague)

0063 **intact**
[ɪntǽkt]
① in- (否定) + tact (触る)

形 損なわれていない、無傷で (≒whole, undamaged) (⇔damaged)

0064 **conform**
[kənfɔ́ːrm]
① con- (共に) + form (形)

動 (規則などに) 従う
► conform to [with] ~ で「~に従う」という意味。

0065 **sway**
[swéɪ]

動 ① 揺れる、揺れ動く ② 〈意見などが〉 ぐらつく

0066 **hasty**
[héɪsti]

形 ① 急ぎの、慌ただしい ② 軽率な

0067 **rotate**
[róʊteɪt | rəʊtéɪt]
① rot (車輪) + -ate (~にする)

動 (~を) 交替する、循環する

0068 **decisive**
[dɪsáɪsɪv]
① de- (分離) + cis (切る) + -ive 形

形 ① 決定的な ② 断固とした
名 decision 決定
動 decide ~を決定する

0069 **trivial**
[tríviəl]

形 ささいな、つまらない
► tri (3) + vi (道) + -al (形容詞) → 3つの道が出会う → ありふれた。

0070 **detain**
[dɪtéɪn]
① de- (下に) + tain (保つ)

動 ① ~を引き留める ② 〈容疑者〉を拘留する
名 detention 勾留

0071 **vicious**
[víʃəs]
① vici (悪徳) + -ous (満ちた)

形 どう猛な、凶暴な (≒fierce)

0072 **revolve**
[rɪváːlv | -vɔ́lv]
① re- (元に) + volve (回る)

動 回転する
名 revolution 回転；革命

Track 006

The restaurant always becomes **hectic** during the dinner rush.	混雑する夕食の時間帯、そのレストランはいつも大忙しになる。
He has **vivid** memories of his trip to Paris.	彼にはパリ旅行の鮮やかな記憶がある。
Thankfully, the main structure remained **intact** after the hurricane.	ありがたいことに、ハリケーンのあとも建物の骨組みは無傷のままだった。
Students must **conform to** all school rules.	学生たちはあらゆる校則に従わなければならない。
The bridge **swayed** with the force of the wind.	風が吹いてその橋は揺れた。
The lawyer took a **hasty** lunch before his next appointment.	弁護士は次のアポイントメントの前に慌ただしい昼食を取った。
They **rotate** duties within the team each work shift.	彼らは勤務シフトごとにチーム内で職務を交替している。
Her victory in the gymnastics competition was **decisive**.	体操競技会での彼女の勝利は決定的だった。
You shouldn't get so upset over such a **trivial** error.	そんなささいなミスに、そんなに怒らないでください。
The boss has been **detained** in meetings for hours.	上司はもう何時間も会議に拘束されている。
She was attacked by a **vicious** dog as a small child.	彼女は幼いころ、どう猛な犬に襲われた。
The planets **revolve** around the sun at different speeds.	惑星は太陽の周りをそれぞれ異なる速度で回っている。

00
72

0073 **summon** [sʌ́mən]
動 ～を呼び出す、召喚する
ⓘ sum-（下に）+ mon（警告する）

0074 **corrupt** [kərʌ́pt]
形 堕落した、腐敗した
名 corruption 堕落、腐敗
ⓘ cor-（完全に）+ rupt（壊れた）

0075 **spontaneous** [spɑːntéɪniəs | spɔn-]
形 〈行為などが〉自発的な、自然に生まれる
名 spontaneity 自発性

0076 **stale** [stéɪl]
形 ①〈食べ物が〉新鮮でない、〈パンなどが〉パサパサになった ②陳腐な

0077 **proclaim** [proʊkléɪm | prə-]
動 ～を宣言する、公布する
名 proclamation 宣言、公布
ⓘ pro-（公に）+ claim（叫ぶ）

0078 **cherish** [tʃérɪʃ]
動 ～を大事にする
ⓘ cher（かわいい）+ -ish（～にする）

0079 **fictitious** [fɪktíʃəs]
形 虚構の、架空の（≒fictional）（⇔true）

0080 **rash** [rǽʃ]
形 〈言動などが〉性急な、軽率な（≒hasty）

0081 **serene** [sərí:n]
形 静かな、穏やかな（≒peaceful, tranquil）

0082 **ransom** [rǽnsəm]
名 身代金
動 ～を身代金を払って解放してもらう

0083 **witty** [wíti]
形 機知のある、気の利いた
ⓘ wit（知っている）+ -ty 形

0084 **thaw** [θɔ́:]
動 〈氷・雪などが〉解ける

Track 007

She was **summoned** to the principal's office.	彼女は校長室に呼び出された。
He made it his goal to fight against **corrupt** politicians.	彼は腐敗した政治家と闘うことを目指した。
He said that moving to Hawaii was a **spontaneous** decision.	彼は、ハワイへの移住は**自発的な**判断だと言った。
If you leave that bread out, it will go **stale**.	そのパンを出しっぱなしにしておいたら、**パサパサ**になるよ。
The US **proclaimed** its independence from Great Britain in 1776.	アメリカは 1776 年にイギリスからの独立を**宣言した**。
Cindy **cherishes** her memories of her first love.	シンディーは初恋の思い出を**大事にしている**。
His stories are all set in a **fictitious** world.	彼の物語はすべて**架空の**世界が舞台だ。
He later regretted making such a **rash** decision.	彼はそんなに**軽率な**判断をしたことをあとになって悔やんだ。
The scenery around the lake was quite **serene** and beautiful.	湖の周りの風景はとても**穏やかで**美しかった。
The kidnapper demanded a high **ransom** for his release.	誘拐犯は彼の解放と引き換えに高額の**身代金**を要求した。
He kept making a lot of funny jokes and **witty** remarks.	彼はたくさんの面白い冗談や**気の利いた**文句を言い続けた。
The snow **thawed** in the heat of the sun.	太陽の熱で雪が**解けた**。

0084

0085 **adequate** [ǽdɪkwət]
□□□
ⓘ ad-（～に）+ equ（等しい）+ -ate（～にする）

形 十分な、満足な（⇔inadequate）
副 adequately 十分に

0086 **minor** [máɪnər]
□□□

名 未成年者（⇔adult）
形 ① あまり重要でない（⇔major） ② 深刻でない
名 minority 少数者、少数民族

0087 **obstacle** [ɑ́:bstəkl | ɔ́b-]
□□□
ⓘ ob-（遮るように）+ sta（立つ）+ -cle（指小辞）

名 障害（物）、支障（≒barrier, obstruction）

0088 **mandatory** [mǽndətɔ̀:ri | -təri]
□□□
ⓘ mandat（命令する）+ -ory 形

形 義務的な、強制的な（≒compulsory）

0089 **nutritious** [n(j)u(:)tríʃəs]
□□□
ⓘ nutri（養う）+ -tious 形

形 〈食品が〉栄養のある
名 nutrition 栄養摂取、栄養状態
形 nutritional 栄養に関する
名 nutrient 栄養物、栄養素

0090 **impractical** [ɪmprǽktɪkl]
□□□
ⓘ im-（否定）+ practical（現実的な）

形 現実的でない、実用的でない（⇔practical）

0091 **optimistic** [ɑ̀:ptəmístɪk | ɔ̀p-]
□□□

形 楽観的な、楽天主義の（⇔pessimistic）
名 optimism 楽天主義
名 optimist 楽天家

0092 **perspective** [pərspéktɪv]
□□□
ⓘ per-（通して）+ spect（見る）+ -ive 形

名 観点、見方（≒viewpoint）

0093 **tackle** [tǽkl]
□□□

動 〈問題など〉に取り組む（≒deal with ～）

0094 **merit** [mérət]
□□□

名 ① 実績、功績 ② 長所
► カタカナ語の「メリット」（利点）は英語では advantage と言う。

0095 **halt** [hɔ́:lt | hɔ́lt]
□□□

動 ① 止まる、停止する ② ～を停止する（≒stop）
名 停止

0096 **designate** [dézɪgnèɪt]
□□□
ⓘ de-（下に）+ sign（印をつける）+ -ate 動

動 ～を指定する、指名する
名 designation 指定

Track 008

It looks like the plant has not been getting **adequate** water.	その植物には十分な水が与えられていないようだ。
The sale of alcohol to **minors** is prohibited in most countries.	未成年者へのアルコールの販売は、ほとんどの国で禁止されている。
A lack of funding is a huge **obstacle** to the project.	資金不足はそのプロジェクトにとって大きな障害だ。
A period of military service is **mandatory** in some countries.	一定期間の兵役が義務付けられている国もある。
A **nutritious** breakfast is an important start to the day.	栄養のある朝食は、1日の重要なスタートだ。
Her ideas to improve our products are always **impractical**.	製品を改良するための彼女のアイデアは、いつも非現実的だ。
You are too **optimistic** about the success of this project.	あなたはこのプロジェクトの成功について楽観的すぎる。
People from outside of the company can give us a fresh **perspective** on our products.	社外の人は、当社の製品について新鮮な視点を与えてくれる。
The president promised to **tackle** several tough issues.	大統領はいくつかの難題に取り組むことを約束した。
Scholarships will be awarded based on **merit** and need.	奨学金は、実績と必要性に基づいて与えられる。
Traffic **halted** due to the poor weather conditions.	悪天候のため車の流れが止まった。
Many places have been **designated** as World Heritage Sites in Japan.	日本では多くの場所が世界遺産に指定されている。

0096

0097 **bankrupt** [bǽŋkrʌpt]
① bank (銀行) + rupt (破れた)

形 破産した、倒産した
► go bankrupt「破産する」の形でよく出題される。
名 bankruptcy 破産、倒産

0098 **abundant** [əbʌ́ndənt]
① ab- (離れた) + und (あふれた) + -ant 形

形 豊富な、たくさんの (≒plentiful)
名 abundance 豊富さ
副 abundantly 豊富に
動 abound たくさんある、富む

0099 **exceptional** [ıksépʃənl]
① ex- (外に) + cept (取る) + -ional 形

形 ① 特にすぐれた (≒outstanding)
② 例外的な、特別な
名 exception 例外
副 exceptionally 例外的に、特別に

0100 **integrate** [íntəgrèıt]
① integr (完全な) + -ate (～にする)

動 ～を統合する、まとめる
名 integration 統合

0101 **assess** [əsés]
① as- (～に) + sess (座る)

動 ～を査定する、評価する
名 assessment 査定、評価

0102 **raid** [réıd]

動 〈人・場所〉を急襲する
名 急襲
► air raid で「空襲」という意味。

0103 **betray** [bıtréı]
① be- (強意) + tray (引き渡す)

動 ① ～を裏切る ② 〈秘密など〉を漏らす
名 betrayal 裏切り

0104 **altitude** [ǽltət(j)ù:d]
① alt (高い) + -itude 名

名 高さ、海抜

0105 **offset** [動 ɔ̀(:)fsét 名 ɔ́(:)fsèt]

動 ～を相殺する
名 相殺するもの、埋め合わせ

0106 **discontent** [dìskəntént]
① dis- (否定) + con- (共に) + tent (含まれた)

名 不満、不平 (⇔contentment)

0107 **inefficient** [ìnəfíʃənt]
① in- (否定) + efficient (効率的な)

形 ① 効率の悪い、非効率的な (⇔efficient)
② 役に立たない
名 inefficiency 非効率

0108 **unanimously** [ju(:)nǽnəməsli]
① un (1つ) + anim (心) + -ous 形 + -ly 副

副 満場一致で
形 unanimous 満場一致の

Track 009

If we do not do something, the company will **go bankrupt**.	私たちが何もしなければ、会社は倒産するだろう。
There is an **abundant** supply of fresh water in this forest.	この森は豊富な淡水に恵まれている。
Critics praised her for her **exceptional** performance.	批評家たちは彼女の素晴らしい演技を称賛した。
It is difficult to **integrate** new software into a system this complicated.	こんな複雑なシステムに新しいソフトを統合するのは困難だ。
She hired a mechanic to **assess** the damage to the vehicle.	彼女は車の損傷を査定するために整備士を雇った。
The rebels are **raiding** towns located along the border.	反乱軍は国境沿いの町を襲撃している。
His coworkers felt that he had **betrayed** them by switching companies.	同僚たちは彼が会社を移ったことで裏切られたと感じた。
Airplanes fly at a high **altitude** when flying for long distances.	飛行機は、長距離を飛ぶときには高い高度で飛行する。
They reduced employee hours to **offset** the high costs of labor.	高い人件費を相殺するために、従業員の労働時間が減らされた。
Discontent spread quickly throughout the country after the tax increase.	増税後、瞬く間に不満が国中に広がった。
Our current system for communication between departments is **inefficient**.	現在のわが社の部門間の通信システムは効率が悪い。
All the bills were passed in the Senate **unanimously**.	法案はすべて上院において全会一致で可決された。

01
08

0109 **prestigious**
[prestíːdʒəs | -tídʒəs]

形 有名な、名誉ある
名 prestige 名声、威信

0110 **complication**
[kɑ̀ːmpləkéɪʃən | kɔ̀mplɪ-]
① com-（共に）+ plicat（重ねる）+ -ation 名

名 ① 状況を複雑にする問題、厄介な問題 ② 合併症
動 complicate ～を複雑にする
形 complicated 複雑な

0111 **milestone**
[máɪlstòʊn]

名 画期的な事件［出来事］
►「マイル標石、道しるべ」が元の意味。

0112 **portray**
[pɔːrtréɪ]
① por-（前に）+ tray（描く）

動 ① ～を描写する、言葉で書く ②（舞台などで）～の役を演じる
名 portrayal 描写
名 portrait 肖像画

0113 **fatality**
[feɪtǽləti | fə-]
① fatal（致命的な）+ -ity 名

名 死亡者（数）
形 fatal 致命的な

0114 **tempting**
[témptɪŋ]
① tempt（試みる）+ -ing 形

形 魅力的な、心をそそる
動 tempt ～をそそのかす
名 temptation 誘惑

0115 **inmate**
[ínmèɪt]
① in-（中の）+ mate（仲間）

名（刑務所の）囚人；（精神病棟の）収容者

0116 **detour**
[díːtʊər]
① de-（分離）+ tour（回る）

名 回り道、迂回路
► take [make] a detour で「回り道をする」という意味。

0117 **dedicated**
[dédəkèɪtɪd]
① de-（完全に）+ dicate（言う）+ -(e)d 形

形 献身的な、打ち込んでいる
動 dedicate 〈時間・努力など〉をささげる
名 dedication 献身

0118 **relic**
[rélɪk]
① re-（後に）+ lic(s)（残す）

名（過去の）遺物、遺跡

0119 **compulsory**
[kəmpʌ́lsəri]
① com-（共に）+ puls（駆り立てる）+ -ory 形

形（法律・制度により）義務的な；〈科目が〉必修の（≒mandatory）
名 compulsion 無理強い、強制
動 compel ～に無理に強いる

0120 **dehydration**
[dìːhaɪdréɪʃən]
① de-（分離）+ hydr（水）+ -ation 名

名 脱水（症状）
形 dehydrated 脱水状態の

Track
010

This is her third time winning this **prestigious** award.	彼女がこの**名誉ある**賞を受けるのはこれで３度目だ。
She ran into many **complications** preparing dinner, such as the oven breaking.	オーブンが壊れるなど、彼女は夕食の準備で多くの**困難**に遭遇した。
The opening of the factory was a **milestone** in the town's history.	その工場の開設は、その町の歴史における**画期的な出来事**だった。
The people **portrayed** on that show are all historical figures.	あの番組で**描かれている**人々は、すべて歴史上の人物だ。
Thankfully, there were no **fatalities** in the accident on the highway.	幸いにも、幹線道路での事故で**死者**は出なかった。
The offer was **tempting**, but he decided to keep his current job.	そのオファーは**魅力的**だったが、彼は今の仕事を続けることにした。
Several **inmates** escaped from the prison last week.	先週、数人の**受刑者**が刑務所から脱走した。
He had to **take a detour** because of the road construction.	道路工事のため、彼は**迂回し**なければならなかった。
The professor is **dedicated** to his research.	教授は自身の研究に**打ち込んで**いる。
Many ancient **relics** are kept in the museum.	その博物館には、多くの古代の**遺物**が保管されている。
Education is **compulsory** until the end of junior high school here.	ここでは、中学校卒業まで**義務**教育だ。
You must be careful of **dehydration**, especially in the summer.	特に夏場は**脱水症状**に気をつけなければならない。

01
20

Part 1 Unit 02

主に筆記大問1で一回正解になり、誤答にも登場した語

0121 **liberate**
[líbərèɪt]
① liber（自由な）+ -ate（～にする）

動 ～を自由にする、解放する
形 liberal 自由な
名 liberty 自由

0122 **perilous**
[pérələs]
① peril（危険）+ -ous（満ちた）

形 危険な（≒dangerous）
名 peril 危険

0123 **biographical**
[bàɪəgrǽfɪkl]
① bio（人生）+ graph（書かれたもの）+ -ical 形

形 伝記の
名 biography 伝記

0124 **filthy**
[fílθi]

形 汚い、不潔な

0125 **accord**
[əkɔ́ːrd]
① ac-（～に）+ cord（心）

名 ① 一致、合意（⇔discord）
② （他国との）協定（≒agreement）
名 accordance 一致

0126 **binding**
[báɪndɪŋ]

形 拘束力のある
動 bind ～を縛る

0127 **comply**
[kəmpláɪ]
① com-（共に）+ ply（満たす）

動 （要求・希望などに）従う、応じる
► comply with ～（～に従う）の形で押さえておこう。

0128 **stunned**
[stʌ́nd]

形 あぜんとした
形 stunning 見事な、驚くほど美しい

0129 **invalid**
[ɪnvǽlɪd]
① in-（否定）+ valid（有効な）

形 無効の、効力のない（⇔valid）

0130 **intruder**
[ɪntrúːdər]
① in-（中に）+ trud（突く）+ -er（人）

名 侵入者、乱入者
動 intrude 侵入する

0131 **unveil**
[ʌnvéɪl]
① un-（否定）+ veil（覆う）

動 〈計画・製品など〉を初公開する、発表する
（≒uncover, reveal）

0132 **tedious**
[tíːdiəs]
① tedi（退屈）+ -ous（満ちた）

形 つまらない、退屈な（≒boring）
名 tedium 退屈

Track 011

The army **liberated** the area from enemy forces.	軍隊はその地域を敵軍から**解放した**。
Climbing Mount Everest is considered to be a **perilous** journey.	エベレスト登山は、**危険な**旅だと考えられている。
She won some awards for her **biographical** novels about past scientists.	彼女は、過去の科学者についての**伝記**小説でいくつかの賞を受賞した。
His shoes were **filthy**, so he took them off before getting in the car.	靴が**とても汚れて**いたので、彼は車に乗る前に脱いだ。
It took months for the two parties to reach an **accord**.	両者が**合意**に達するのに何か月もかかった。
The contract you signed with us is **binding**.	あなたが当社と締結した契約には**拘束力があり**ます。
In the case of a disaster, please **comply with** staff instructions.	災害時は係員の指示に**従って**ください。
He was **stunned** that his book got on the bestseller list.	彼は自分の本がベストセラーリストに載って**あぜんとした**。
She let her license expire, so it is now **invalid**.	彼女は免許を失効してしまったので、現在それは**無効**だ。
This security alarm is designed to react if any **intruders** enter.	この警報機は、**侵入者**が入ってきた場合に反応するように設計されている。
The company's new product line was **unveiled** last night.	その会社の新ブランドが昨夜**発表され**た。
The manager gave a **tedious** speech about various rules in the office.	部長は社内のさまざまな規則について**退屈な**話をした。

01
32

0133 **clarify**
[klǽrəfàɪ]
① clar（はっきりした）+ -ify（～にする）

動 〈意味など〉を明らかにする
名 clarity 明快さ

0134 **commend**
[kəménd]

動 ～を称賛する、表彰する（≒praise）
形 commendable 褒めるに足る
名 commendation 称賛

0135 **intrigued**
[ɪntríːgd]

形 興味をそそられた
形 intriguing 興味をそそる

0136 **wither**
[wíðər]

動 しぼむ、枯れる

0137 **escort**
[動 ɪskɔ́ːrt 名 éskɔːrt]

動 ①〈人〉を連行する、護送する
②〈人〉を護衛する、送り届ける
名 護衛

0138 **scarcity**
[skéərsəti]

名（食料・資源などの）不足、欠乏（≒shortage）
形 scarce 乏しい、不十分な

0139 **precision**
[prɪsíʒən]
① pre-（前に）+ cis（切る）+ -ion 名

名 ① 正確さ（≒accuracy） ② 精度
形 precise 正確な
副 precisely 正確に

0140 **gulp**
[gʌ́lp]

動 ～をがつがつ食べる、がぶがぶ飲む
名 がつがつ食べること、がぶがぶ飲むこと

0141 **interrogate**
[ɪntérəgèɪt]
① inter-（間に）+ rog（問う）+ -ate 動

動 ～に質問する、尋問する
名 interrogation 尋問

0142 **composed**
[kəmpóuzd]
① com-（共に）+ pos（置く）+ -ed 形

形 落ち着いた、平静な（≒calm）
► compose は「～を構成する、作曲する」などの意味の動詞。

0143 **vocation**
[voukéɪʃən | vəʊ-]
① voc（呼ぶ）+ -ation 名

名 適職、天職

0144 **correlation**
[kɔ̀ːrəléɪʃən | kɔ̀r-]
① cor-（共に）+ relation（関係）

名 相関関係
動 correlate ～を相互に関連づける
形 correlative 相関関係のある

Track 012

The lecturer **clarified** many points during a question and answer session.	その講師は質疑応答の時間に多くの点を明らかにした。
The organization **commended** the efforts of all of their volunteers.	その団体は、ボランティア全員の努力を称賛した。
He was **intrigued** by the insects in his garden.	彼は庭の昆虫に興味をそそられた。
Without water, most plants will **wither** and slowly die.	水がなければ、ほとんどの植物はしおれ、ゆっくりと枯れていく。
The angry man was **escorted** away by a group of police officers.	その怒った男は警察官の一団によって連行されていった。
The **scarcity** of clean water means that many people may die.	きれいな水の不足は、たくさんの人が死ぬ可能性があることを意味する。
Dr. Puri is known for his **precision** in the operating room.	プリ博士は手術室での正確さで知られている。
She **gulped** her food because she was running late.	彼女は遅刻しそうだったので、食事をかき込んだ。
The police **interrogated** their main suspect for several hours.	警察は数時間にわたって最重要容疑者を尋問した。
He remained **composed**, despite how angry he actually felt.	実際はどれほど怒っていたにせよ、彼は冷静なままでいた。
Not all people are able to find their **vocation**.	すべての人が天職を見つけることができるわけではない。
This study shows a **correlation** between smoking and lung cancer.	この研究は喫煙と肺がんの相関関係を示している。

01
44

0145 **obsolete**
[ɑ̀:bsəlí:t | ɔ́bsəli:t]

形 時代遅れの、廃れた（≒outdated）

0146 **skeptical**
[sképtɪkl]
ⓘ skept（よく考える）+ -ical（特有の）

形 懐疑的な
名 skepticism 懐疑的な態度
名 skeptic 懐疑的な人

0147 **unwittingly**
[ʌnwítɪŋli]
ⓘ un-（否定）+ wit（知っている）+ -ting 形 + -ly 副

副 故意でなく、うっかり（⇔intentionally）

0148 **abridged**
[əbrídʒd]
ⓘ a-（～にする）+ bridg（短い）+ -ed 形

形 短縮された、簡約版の

0149 **irresistible**
[ìrɪzístəbl]
ⓘ ir-（否定）+ resist（抵抗する）+ -ible（できる）

形 抵抗できない、非常に魅力的な（⇔resistible）

0150 **correspondence**
[kɔ̀:rəspɑ́:ndəns | kɔ̀rɪspɔ́nd-]
ⓘ cor-（共に）+ respond（応答する）+ -ence 名

名 文通、通信
名 correspondent 通信員

0151 **destined**
[déstɪnd]
ⓘ de-（下に）+ stine（立つ）+ -(e)d 形

形 ① 運命づけられた ② ～行きの
► be destined to *do* で「～する運命にある」という意味。
名 destiny 運命
名 destination 目的地

0152 **perish**
[pérɪʃ]
ⓘ per-（完全に）+ ish（行く）

動 ①〈人・動物が〉（突然）死ぬ ② 滅びる、消滅する
形 perishable 傷みやすい、腐りやすい

0153 **expire**
[ɪkspáɪər]
ⓘ ex-（外に）+ pire（息をする）

動 有効期限が切れる
名 expiration 終了、満期

0154 **spacious**
[spéɪʃəs]
ⓘ spaci（空間）+ -ous（多い）

形 広々とした
名 space 空間

0155 **transmit**
[trænsmít | trænz-]
ⓘ trans-（越えて）+ mit（送る）

動 ①〈病気〉を伝染させる ② ～を送る、伝送する
名 transmission 伝送、伝達；伝染

0156 **encounter**
[ɪnkáʊntər]

動 ～に遭遇する（≒meet with ～）
名 遭遇

Typewriters became **obsolete** due to the invention of computers.	タイプライターは、コンピュータの発明によって時代遅れになった
The ad claimed that the pill resulted in weight loss, but she was **skeptical**.	広告はその薬を飲むと減量できるとうたっていたが、彼女は懐疑的だった。
Many people **unwittingly** expose their private information on social media.	多くの人が知らず知らずのうちに、ソーシャルメディア上に自分の個人情報をさらしている。
An **abridged** version of the classic novel was published two years ago.	その名作小説の簡約版が２年前に出版された。
Although she was on a diet, the cheesecake was **irresistible**.	彼女はダイエット中だったが、そのチーズケーキには抗いがたかった。
Correspondence is now much easier because of the Internet.	インターネットのおかげで、今や通信ははるかに簡単になった。
She felt that she **was destined to** become a famous actress.	彼女は自分が有名な女優になる運命だと感じていた。
The flowers **perished** due to the lack of water and sunlight.	水と日光不足で花が枯れた。
Her gym membership will **expire** at the end of next month.	彼女のジムの会員権は来月末で有効期限が切れる。
Their home is considered very **spacious** for the neighborhood.	彼らの家はその地区としてはとても広いと考えられている。
The disease is **transmitted** by mosquitoes from pigs to humans.	その病気は、蚊を媒介して豚からヒトに伝染する。
She **encountered** a number of difficulties writing her autobiography.	彼女は自伝を書くのにいくつかの困難にぶつかった。

0157 **conventional**
[kənvénʃənl]
ⓘ con-（共に）+ vent（来る）+ -ional 形

形 従来の（≒traditional）
副 conventionally 従来

0158 **lease**
[líːs]

名 賃貸借契約
動 ～を賃貸しする

0159 **division**
[dɪvíʒən]
ⓘ divis（分ける）+ -ion 名

名 ①（社会・経済的な）分断、分裂 ②（組織などの）部門
►「（細胞の）分裂」も division。
動 divide ～を分ける、分割する

0160 **strain**
[stréɪn]

名 負担、重圧
動 ～を引っ張る

0161 **administer**
[ədmínəstər]
ⓘ ad-（～に）+ minister（仕える）

動 ① ～を行う、施行する ② ～を管理する
名 administration 管理
形 administrative 管理の

0162 **notify**
[nóutəfàɪ]
ⓘ not（印をつける）+ -ify（～にする）

動 ～に通知する、知らせる
名 notification 通知

0163 **transplant**
[動 trænsplǽnt | -plάːnt 名 trǽnsplænt | -plɑːnt]
ⓘ trans-（向こうに）+ plant（植える）

動 ～を移植する
名 移植

0164 **certify**
[sə́ːrtəfàɪ]
ⓘ cert（確かな）+ -ify（～にする）

動 ～を証明する、保証する
名 certification 証明（書）

0165 **assumption**
[əsʌ́mpʃən]
ⓘ as-（～に）+ sumpt（取る）+ -ion 名

名 仮定、推定
動 assume（証拠はないが）～と仮定する

0166 **provoke**
[prəvóuk]
ⓘ pro-（前方に）+ voke（呼ぶ）

動 ① ～を引き起こす、誘発する ② ～を挑発する
名 provocation 挑発、誘発
形 provocative 挑発的な

0167 **literacy**
[lítərəsi]
ⓘ liter（文字）+ -acy 名

名 読み書きの能力（⇔illiteracy）
► media [computer] literacy（メディア［コンピュータ］の活用能力）のような使い方もある。
形 literate 読み書きができる

0168 **retreat**
[rɪtríːt]
ⓘ re-（後ろに）+ treat（引く）

動 撤退する、退却する
名 撤退、退却

Conventional research methods are not useful in this case.	この場合、**従来の**調査方法は役に立たない。
They recently signed a two-year **lease** for a beautiful house.	彼らは最近、美しい家を借りる２年間の**賃貸借契約**を結んだ。
We must work hard to reduce **divisions** in society.	私たちは社会の**分断**を軽減するために努力しなければならない。
The **strain** on your joints is causing your pain.	関節にかかる**負担**があなたの痛みを引き起こしている。
The two projects are **administered** by the same organization.	その２つのプロジェクトは、同じ組織によって**運営されて**いる。
You will be **notified** about your test results via email.	テスト結果はメールで**通知され**ます。
You need to **transplant** the bulbs in spring.	春に球根を**移植する**必要がある。
A document **certifying** your knowledge of French is required for the position.	その職には、フランス語の知識を**証明する**書類が必要です。
Based on the **assumption** that you are right, we must move quickly.	あなたが正しいという**仮定**に基づき、私たちは迅速に行動しなければならない。
Her comments **provoked** a negative reaction from the class.	彼女のコメントは、クラスからの否定的な反応を**引き起こした**。
Rates of **literacy** in the country are over 90 percent.	その国の**識字**率は 90 パーセントを超えている。
The army successfully forced their enemy to **retreat**.	軍は敵を**退却**させることに成功した。

0169 **novelty** [ná:vlti | nɔ́v-]
① nov (新しい) + -el (指小辞) + -ty 名

名 目新しいもの、目新しさ
形 novel 新しい、奇抜な

0170 **exclusive** [ɪksklú:sɪv]
① ex- (外に) + clus (閉じる) + -ive 形

形 ① 排他的な；上流階級専用の ② 独占的な
動 exclude ～を除外する
副 exclusively もっぱら

0171 **mimic** [mímɪk]

動 ～をまねる (≒imitate)

0172 **resent** [rɪzént]
① re- (再び) + sent (感じる)

動 ～に憤慨する
形 resentful 憤慨している

0173 **prejudice** [prédʒədəs]
① pre- (前に) + judice (判断)

名 偏見、先入観 (≒bias)

0174 **seize** [sí:z]

動 ～をつかむ、捕らえる
名 seizure つかむ [捕らえる] こと

0175 **divine** [dɪváɪn]
① div (神) + -ine 形

形 神の
動 ～を予知する
副 divinely 神のように

0176 **incorporate** [ɪnkɔ́:rpərèɪt]
① in- (～に) + corpor (体) + -ate (～にする)

動 ① ～を組み込む ② ～を法人化する

0177 **surpass** [sə:rpǽs | -pá:s]
① sur- (越えて) + pass (通る)

動 ～に勝る、～を超える

0178 **impulse** [ímpʌls]
① im- (～に) + pulse (駆り立てる)

名 ① (突然の) 欲求、衝動 ② 衝撃電流、インパルス
形 impulsive 衝動的な

0179 **biased** [báɪəst]

形 偏見を抱いた、偏った (⇔unbiased)
名 bias 偏見、偏り

0180 **barren** [bǽrən]

形 〈土地が〉 不毛の (⇔fertile)

Track 015

The **novelty** of the new social media platform quickly wore off.	その新しいソーシャルメディアプラットフォームの**目新しさ**はすぐに薄れた。
You can purchase **exclusive** goods from our online shop.	当社のオンラインショップでは**限定**商品を購入することができます。
The girl got in trouble for **mimicking** her teacher's actions.	その女の子は、先生の動作を**まねして**叱られた。
He **resented** the fact that he was not allowed to go out.	彼は外出が許されなかったことに**憤慨した**。
Prejudice toward minority groups continues to be a problem today.	マイノリティに対する**偏見**は、今日でも問題となっている。
She **seized** the opportunity to volunteer in South America.	彼女は南米でボランティアをする機会を**つかんだ**。
The people of ancient Egypt considered their rulers to be **divine**.	古代エジプトの人々は統治者を**神なるもの**と考えていた。
We recommend a healthy diet that **incorporates** lots of fruits and vegetables.	私たちは、多くの果物や野菜を**取り入れた**健康的な食事をお薦めします。
The new movie sales have **surpassed** all expectations.	その新作映画の売上はあらゆる予想を**上回っている**。
Whenever she is bored, she has an **impulse** to go shopping.	彼女は退屈するといつも、買い物に行きたい**衝動**に駆られる。
The group is complaining that the laws are **biased** toward men.	そのグループは、それらの法律が男性に有利なように**偏っている**と抗議している。
Once a huge lake, the area is now a **barren** desert.	かつて巨大な湖だったその地域は、今は**不毛の**砂漠だ。

01
80

0181 **inflict**
[ɪnflíkt]
① in-（～に）+ flict（打つ）

動 〈打撃・損害など〉を与える
► inflict A on B で「B に A を与える」という意味。

0182 **blockade**
[blɑːkéɪd | blɔk-]
① block（封鎖する）+ -ade 名

名 封鎖

0183 **clutch**
[klʌ́tʃ]

動 ～をしっかり握る、つかむ

0184 **refuge**
[réfjuːdʒ]
① re-（後ろに）+ fuge（逃げる）

名 ① 避難所、保護区 ② 避難
名 refugee 難民

0185 **demote**
[dɪmóʊt]
① de-（下に）+ mote（動く）

動 ～を降格する（⇔promote）
名 demotion 降格

0186 **fragrant**
[fréɪgrənt]

形 香りのよい
名 fragrance 香り、芳香

0187 **mingle**
[míŋgl]

動 ① 交際する、（輪に加わって）話をする
② ～を混ぜる

0188 **temperament**
[témpərəmənt]
① tempera（調整する）+ -ment（状態）

名 気質、気性
形 temperamental 気性の激しい

0189 **stubborn**
[stʌ́bərn | -bən]

形 頑固な（≒obstinate）

0190 **unfold**
[ʌnfóʊld]
① un-（否定）+ fold（折りたたむ）

動 〈話などが〉展開する

0191 **formulate**
[fɔ́ːrmjəlèɪt]
① form（形）+ -ul（指小辞）+ -ate（～にする）

動 〈案・計画など〉を策定する

0192 **contemporary**
[kəntémpərèri | -pərəri]
① con-（共に）+ tempor（時間）+ -ary 形

形 ① 現代の、現代的な（≒modern） ② 同時代の

Track 016

The earthquake **inflicted** a lot of damage **on** the region.	地震はその地域に多くの被害を**与えた**。
The government of the country decided to lift the economic **blockade**.	その国の政府は、経済**封鎖**を解除することを決定した。
The woman **clutched** her purse tightly to her chest.	女性はハンドバッグを胸にしっかりと**抱えた**。
A wildlife **refuge** is an area protected for use by animals.	野生動物の**保護区**は、動物が利用するために保護された区域だ。
The man was **demoted** after making several large mistakes at work.	男性は、仕事でいくつか大きなミスをして、**降格**された。
The room was decorated with several bouquets of **fragrant** flowers.	その部屋には、**香りのよい**花の花束がいくつか飾られていた。
I **mingled** with local celebrities at the party.	私はパーティーで地元の名士と**談笑した**。
He has an artistic **temperament**, and it is hard for him to stay focused doing routine work.	彼は芸術家**気質**で、日常的な仕事をしていると集中力が続かない。
She is **stubborn** and refuses to listen to others.	彼女は**頑固**で人の話を聞こうとしない。
People all over the country watched the story **unfold** on the news.	国中の人々が、ニュースで話の**展開**を見守った。
It is time to **formulate** a new policy regarding uniforms.	制服について新しい方針を**策定する**べき時だ。
The museum boasts an extensive **contemporary** art collection.	その美術館は、豊富な**現代**美術のコレクションを誇っている。

01
92

0193 **redundant**
[rɪdʌ́ndənt]

形 ① 冗長な、不必要な
② 余った、余剰の（≒superfluous）
名 redundancy 余剰

0194 **obstruct**
[əbstrʌ́kt]
ⓘ ob-（遮るように）+ struct（建てられた）

動 〈進行・視界など〉を妨げる（≒block）
形 obstructive 妨害的な
名 obstruction 妨害、遮断

0195 **guardian**
[gɑ́ːrdiən]
ⓘ guard（守る）+ -ian（人）

名 保護者

0196 **token**
[tóʊkən]

名 印、証拠

0197 **omit**
[oʊmít]
ⓘ o-（反対に）+ mit（送る）

動 〈人・もの・情報など〉を抜かす、省略する（≒leave out, exclude）
名 omission 省略

0198 **conclusive**
[kənklúːsɪv]
ⓘ con-（共に）+ clus（閉じる）+ -ive 形

形 決定的な、確実な（≒decisive）
動 conclude（〜と）結論を下す
名 conclusion 結論

0199 **obedient**
[oʊbíːdiənt | ə-]
ⓘ ob-（〜に）+ edi（聞く）+ -ent 形

形 従順な、素直な（⇔disobedient）
動 obey 〜に従う
名 obedience 服従、従順

0200 **sacred**
[séɪkrəd]
ⓘ sacr（聖なる）+ -ed 形

形 神聖な（≒holy）

0201 **testify**
[téstəfàɪ]
ⓘ test（証言する）+ -ify（〜にする）

動（〜を）証言する

0202 **affluent**
[ǽfluənt]
ⓘ af-（〜に）+ flu（流れる）+ -ent 形

形 裕福な、（経済的に）豊かな（≒wealthy）

0203 **transparent**
[trænspérənt | -pǽr-]
ⓘ trans-（通って）+ par（現れる）+ -ent 形

形 ① 〈組織・活動などが〉透明性の高い
② 透明な、透き通った（≒clear）（⇔opaque）
名 transparency 透明（性）

0204 **ration**
[rǽʃən]

名 [rations] 食料
動 〜を（一定量に）制限する

Track 017

The writing teacher pointed out several **redundant** phrases in his essay.	作文の教師は、彼の小論文にいくつかの冗長な表現があると指摘した。
The trees **obstructed** his view of the ocean.	木々に遮られて彼は海が見えなかった。
You need permission from a parent or **guardian** to join.	参加するには、親または保護者の許可が必要です。
Please accept this gift as a **token** of my appreciation.	感謝の印として、このプレゼントを受け取ってください。
You may simply **omit** your middle name from your application.	申請書にはミドルネームを省略しても構いません。
The police have **conclusive** evidence tying you to the crime.	警察は、あなたとその犯罪を結びつける決定的な証拠を持っている。
They train their dogs to be **obedient** and relaxed even in public places.	彼らは、公共の場所でも従順で落ち着いているように犬を訓練している。
There are several **sacred** places throughout the city.	市内のあちこちに神聖な場所がいくつかある。
You may be asked to **testify** in front of the jury.	陪審員の前で証言するよう求められることがある。
Our marketing campaign attracted **affluent** customers to the mall.	われわれのマーケティングキャンペーンは、富裕層の顧客をショッピングモールに引き寄せた。
The government should make health care reform more **transparent**.	政府は医療制度改革をもっと透明にするべきだ。
The government handed out **rations** to each family after the disaster.	災害後、政府は各家庭に食料を配った。

02
04

0205 **cozy** [kóʊzi]
形 居心地のよい

0206 **brutal** [brúːtl]
形 残酷な、残忍な

0207 **inventive** [ɪnvéntɪv]
ⓘ in- (～に)+ vent (来る)+ -ive 形
形 創意に富む (≒ingenious)
動 invent ～を発明する
名 invention 発明

0208 **sober** [sóʊbər]
形 酔っていない、しらふの (⇔drunk)
名 sobriety しらふ

0209 **privilege** [prívəlɪʤ]
ⓘ privi (個人)+ lege (法律)
名 ① 特権、特典 ② 名誉
形 privileged 特権的な

0210 **trespass** [tréspəs]
ⓘ tres (越えて)+ pass (通過する)
動 不法侵入する
► trespass on ～ で「～に不法侵入する」という意味。

0211 **procession** [prəséʃən]
ⓘ pro- (前方に)+ cess (行く)+ -ion 名
名 行列

0212 **vain** [véɪn]
形 ① うぬぼれた、自信過剰な ② 無駄な、無益な
► 語源は「中身のない、からの」という意味。
名 vanity うぬぼれ

0213 **confer** [kənfə́ːr]
ⓘ con- (共に)+ fer (運ぶ)
動 ～を与える、授与する
► confer A on B で「B に A を授与する」という意味。

0214 **deceive** [dɪsíːv]
ⓘ de- (～から)+ ceive (取る)
動 〈人〉をだます、欺く
名 deceit だますこと、詐欺
形 deceitful 詐欺の

0215 **allegation** [æləgéɪʃən]
名 (根拠のない) 申し立て
動 allege ～を申し立てる

0216 **affiliate** [動 əfílièɪt 名 əfíliət]
ⓘ af- (～に)+ fili (息子)+ -ate (～にする)
動 ～を提携させる
名 系列組織
► be affiliated with [to] ～ で「～と提携している、～の系列だ」という意味。

Track
018

He created a **cozy** book corner in his living room.	彼は居間に居心地のよいブックコーナーを作った。
Everyone was surprised by the **brutal** murder that took place.	発生した残忍な殺人に誰もが驚いた。
She was considered the most **inventive** composer of her time.	彼女は当時最も独創的な作曲家と見なされていた。
Workers at the beer festival must stay completely **sober**.	ビール祭りで働く人は、完全にしらふでいなければならない。
Access to private childcare services is a **privilege** available to wealthy families.	民間の保育サービスを利用することは、裕福な家庭が利用できる特権だ。
He was arrested for **trespassing on** private property.	彼は私有地への不法侵入で逮捕された。
The police escorted the funeral **procession** to the cemetery.	警察は葬儀の列を墓地まで護衛した。
All his friends think that he is a little **vain**.	友だちは皆、彼が少し自信過剰だと思っている。
The university **conferred** an honorary degree **on** the author.	大学はその作家に名誉学位を授与した。
The girl **deceived** her parents into thinking she was home.	少女は両親をだまして、自分が家にいると思い込ませた。
The CEO worked to fight the **allegations** that he was corrupt.	CEOは、賄賂を受け取ったという疑惑と闘うために力を尽くした。
Our language school **is affiliated with** the local university.	本語学学校は地元の大学と提携している。

12
16

0217 **prolong**
[prəlɔ́ːŋ | prəulɔ́ŋ]
ⓘ pro- (前方に)+ long (長い)

動 ～を引き延ばす、長引かせる

0218 **overhaul**
[名 óuvərhɔ̀ːl 動 òuvərhɔ́ːl]

名 分解修理、オーバーホール
動 ～を分解修理する

0219 **deduct**
[dɪdʌ́kt]
ⓘ de- (下に)+ duct (導く)

動 ～を差し引く、控除する
名 deduction 差し引き (額)、控除 (額)

0220 **feasible**
[fíːzəbl]
ⓘ feas (する)+ -ible (できる)

形 〈計画・方法などが〉実現可能な (≒practical)
名 feasibility 実現可能性

0221 **mercy**
[mə́ːrsi]

名 慈悲、情け
形 merciful 慈悲深い

0222 **oppress**
[əprés]
ⓘ op- (上から)+ press (押す)

動 〈人・集団〉を虐げる、圧迫する
► 派生語の形容詞 oppressive (圧政的な) は「〈天候が〉蒸し暑い」の意味で出題されたことがある。
名 oppression 圧制、圧迫

0223 **entrust**
[ɪntrʌ́st]
ⓘ en= (中に)+ trust (信頼)

動 ～に委ねる、任せる
► entrust A with B / entrust B to A で「AにBを委ねる」という意味。

0224 **sturdy**
[stə́ːrdi]

形 頑丈な、丈夫な (≒strong) (⇔fragile)

0225 **cynical**
[sínɪkl]

形 ① 懐疑的な ② 皮肉な、冷笑的な

0226 **conspire**
[kənspáɪər]
ⓘ con- (共に)+ + spire (息をする)

動 共謀する、企む
名 conspiracy 共謀
名 conspirator 共謀者

0227 **exert**
[ɪgzə́ːrt]
ⓘ ex- (強意)+ ert (結びつける)

動 ① 〈自分〉を奮闘させる
② 〈力など〉を使う、行使する
► exert *oneself* で「奮闘する、努力する」という意味。
名 exertion 骨折り、奮闘

0228 **grumble**
[grʌ́mbl]

動 不平を言う、ぶつぶつ言う (≒complain)

Track 019

It's better to break up with her than to **prolong** an unhealthy relationship.	不健全な関係を長引かせるよりも、彼女と別れたほうがいいよ。
Their plumbing needed a complete **overhaul**.	その家の配管設備は完全なオーバーホールが必要だった。
Repair costs will be **deducted** from your deposit if necessary.	修理代は、必要に応じて敷金から差し引かれます。
Your plan may be **feasible**, but further details are required.	あなたの計画は実現可能かもしれないが、さらなる詳細が必要だ。
The judge showed **mercy** and only gave the man a fine.	裁判官は情けをかけて、その男に罰金を科しただけだった。
Women in the country are **oppressed** by the regime.	この国の女性は政権によって抑圧されている。
He was nervous about **entrusting** his sister **with** his cat for the weekend.	彼は、週末に妹に猫を預けることに不安を感じていた。
The craftsman makes very **sturdy** furniture.	その職人はとても丈夫な家具を作る。
You shouldn't always take such a **cynical** view on everything.	何事に対しても、いつもそんなに懐疑的な見方をするべきではないよ。
The rebel group is **conspiring** to overthrow the current government.	その反政府勢力は、現政府の転覆を企んでいる。
He is a good employee, but sometimes he **exerts himself** too much.	彼はいい社員だが、ときどき頑張りすぎる。
Her husband always **grumbles** about having to go to the supermarket.	彼女の夫はいつもスーパーに行かなければならないことについて不平を言っている。

02
28

0229 **prosecute**
[prɑ́:səkjù:t | prɔ́sɪ-]
① pro-（前方に）+ secute（追跡する）

動 ～を起訴する
名 prosecution 起訴

0230 **delegate**
[動 délɪgèɪt 名 délɪgət]
① de-（分離）+ leg（送る）+ -ate 動

動 ～を任せる、委託する
名 代表者
名 delegation 委任、代表派遣

0231 **tremble**
[trémbl]

動〈人・声などが〉震える
► trem は「震える」を意味する語根。tremendous（ものすごい）も同語源語。
名 tremor 震え；震動

0232 **earnest**
[ə́:rnɪst]

形 熱心な、真剣な
副 earnestly 真剣に

0233 **generate**
[ʤénərèɪt]
① gener（生み出す）+ -ate 動

動 ～を生み出す、発生させる
名 generation 生成；世代

0234 **threaten**
[θrétn]
① threat（脅迫）+ -en（～にする）

動 ① ～を脅す、脅迫する ② ～の脅威になる
名 threat 脅迫；脅威

0235 **boost**
[bú:st]

名 ① 励まし、元気づけ ② 上昇、増加
動 ～を引き上げる、増大させる

0236 **donate**
[dóʊneɪt | dəʊnéɪt]
① don（与える）+ -ate 動

動 ① ～を寄付する ②〈臓器など〉を提供する
名 donation 寄付

0237 **evolve**
[ɪvɑ́:lv | ɪvɔ́lv]
① e-（外に）+ volve（回転する）

動 進化する
名 evolution 進化
形 evolutionary 進化（論）の

0238 **interact**
[ìntərǽkt]
① inter-（相互に）+ act（作用する）

動 ① 交流する ② 相互に作用する
名 interaction 交流；相互作用

0239 **predator**
[prédətər]

名 捕食動物、捕食者（⇔prey）
形 predatory 捕食性の

0240 **capacity**
[kəpǽsəti]
① cap（つかむ）+ -aci（傾向）+ -ty 名

名 ① 能力 ② 収容能力、容量
形 capable 能力のある

Track 020

The woman was **prosecuted** for a theft.	その女性は窃盗で**起訴**された。
The head researcher is in charge of **delegating** tasks to other members.	主任研究員は、ほかのメンバーに仕事を**任せる**役割を担っている。
The poor kitten **trembled** with fear when we approached it.	私たちが近づくと、かわいそうな子猫はおびえて**震えた**。
She is an **earnest** student who always tries her best.	彼女は常に全力を尽くす**真面目な**生徒だ。
Their discussion **generated** several new ideas.	彼らの話し合いはいくつかの新しいアイデアを**生み出した**。
The victim claims that the robber **threatened** her with a knife.	被害者は強盗にナイフで**脅された**と主張している。
It was a **boost** to her confidence when the man mistook her for a native speaker.	その男性からネイティブスピーカーと間違えられたことが、彼女の自信を**深めた**。
The company **donated** several million dollars to charity last year.	その会社は昨年、慈善団体に数百万ドルを**寄付した**。
Many scientists believe that birds **evolved** from dinosaurs.	多くの科学者は鳥は恐竜から**進化した**と考えている。
They were able to **interact** with people from different countries.	彼らはさまざまな国の人々と**交流する**ことができた。
Large wildcats are generally the main **predator** in this area.	通常、この地域では大型のヤマネコが主要な**捕食者**だ。
The factory has the **capacity** to produce thousands of smartphones per month.	この工場は、毎月数千台のスマートフォンを生産する**能力**がある。

02
40

0241 **mainstream**
[méɪnstrìːm]
! main（主な）+ stream（流れ）

形 主流の、普通の
名 主流、本流

0242 **accommodate**
[əkɑ́ːmədèɪt | -kɔ́m-]
! ac-（～に）+ com-（共に）+ modate（測定する）

動 ① ～を収容できる
② ～に配慮する、～のために便宜を図る
名 accommodation 宿泊設備、収容能力

0243 **expertise**
[èkspərtíːz | -pəːtíːz] ▲ 発音注意。
! expert（熟達した）+ -ise 名

名 専門知識

0244 **graze**
[gréɪz]

動 草をはむ

0245 **erupt**
[ɪrʌ́pt]
! e-（外に）+ rupt（壊れた）

動 ①（感情を）爆発させる ② 噴火する
③〈暴動などが〉勃発する
► erupt in [into] ～ で「突然～を始める」という意味。
名 eruption 噴火

0246 **withstand**
[wɪðstǽnd]
! with-（逆らって）+ stand（立つ）

動 ～に耐える、持ちこたえる（≒resist）

0247 **fascination**
[fæ̀sənéɪʃən]

名 魅了されること
► have a fascination with ～ で「～に魅了される」という意味。
形 fascinated 魅了された
形 fascinating 魅力的な

0248 **classify**
[klǽsəfàɪ]
! class（種類）+ -ify（～にする）

動 ～を分類する
► classified「分類された、機密の」の形でも出題されている。
名 classification 分類

0249 **alternate**
[動 ɔ́ːltərnèɪt 形 ɔ́ːltərnət | ɔːltə́ːnət]
! alter（ほかの）+ -ate（～にする）

動 揺れ動く、交替で行われる
形 代わりの
► alternate between ～「～の間で揺れ動く」の形でよく出題される。

0250 **fundamental**
[fʌ̀ndəméntl]
! fund(a)（基礎）+ -ment 名 + -al 形

形 基本的な、根本的な（≒basic）
名 [fundamentals] 基本

0251 **venue**
[vénjuː]

名 開催地、会場

0252 **optional**
[ɑ́ːpʃənl | ɔ́p-]
! opt（選ぶ）+ -ional 形

形 任意の、選択が自由の
動 opt 選ぶ
名 option 選択肢

Track 021

This movie is targeting a **mainstream** audience.	この映画は主流の観客をターゲットにしている。
This concert hall can **accommodate** around 2,000 people.	このコンサートホールは、約2,000人を収容することができる。
She has **expertise** in several different areas of law.	彼女はいくつかの異なる法律分野の専門知識を持っている。
The horses can **graze** freely at this farm.	この牧場では馬が自由に草を食べることができる。
The crowd **erupted into** laughter when the actor made a joke.	俳優が冗談を言うと、観客にどっと笑いが起きた。
The finish on this wood can **withstand** rough weather conditions.	この木材の塗装は、悪天候にも耐えられる。
He has always **had a fascination with** ancient civilizations.	彼はずっと古代文明に魅了されてきた。
All fabric in this store is **classified** by fiber.	この店の生地はすべて、繊維別に分類されている。
She **alternated between** being scared and excited for the roller coaster.	彼女はジェットコースターに乗って、恐怖と興奮の間を行ったり来たりした。
The theory of evolution is **fundamental** to biology.	進化論は生物学にとって根本的なものだ。
There are several **venues** suitable for concerts in the city.	市内にはコンサートに適した会場がいくつかある。
Participation in this training program is **optional**.	この研修プログラムへの参加は任意です。

02
52

0253 **validity** [vəlídəti]

名 ① 妥当性、正当性 ② (法的な) 効力、有効性
► val は「力・価値」を意味する語根。
形 valid 有効な
動 validate ～の正当性を立証する

0254 **leak** [lí:k]

動 ①〈情報〉を漏えいする ②〈液体・容器が〉漏れる

0255 **considerate** [kənsídərət]

① consider (思いやる) + -ate 形

形 思いやりのある (⇔inconsiderate)
名 consideration 考慮 (すべき事柄);思いやり

0256 **outweigh** [àʊtwéɪ]

① out- (勝る) + weigh (重さがある)

動 ～より重要である、～に勝る

0257 **wholesale** [hóʊlsèɪl]

① whole (全体) + sale (売る)

形 ① 卸しの、卸売りの ② 大規模な、大量の
名 wholesaler 卸売業者

0258 **withdraw** [wɪðdrɔ́:]

① with- (離れて) + draw (引く)

動 ① 引き下がる;(競技などへの) 出場を取り消す
② 〈預金〉を引き出す
③ 〈前言〉を撤回する
名 withdrawal 撤退;(預金の) 引き出し

0259 **dock** [dá:k | dɔ́k]

名 埠頭(ふとう)、波止場
動 〈船〉をドックに入れる

0260 **deceased** [dɪsí:st]

① de- (分離) + ceas (行く) + -ed 形

形 死去した
► 最近亡くなった場合に使う。

0261 **recruitment** [rɪkrú:tmənt]

名 (社員などの) 新規採用;人員補充
動 recruit ～を採用する、募集する

0262 **adaptation** [ædæptéɪʃən]

① ad- (～に) + apt (適した) + -ation 名

名 改作、脚色 (作品)
動 adapt ～を脚色する

0263 **prime** [práɪm]

形 ① 最高の、最上の (≒excellent)
② 主要な (≒primary)
► prim は「一番目の」を意味する語根。

0264 **faculty** [fǽkəlti]

名 (大学の) 学部;教職員

Scientists are currently doing research to test the **validity** of the results.	科学者たちは現在、その結果の妥当性を検証するための調査を行っている。
The CEO's illegal activities were **leaked** to the press.	CEO の不正行為はマスコミにリークされた。
She has a reputation for being a very **considerate** person.	彼女はとても思いやりのある人という評判だ。
The need for safety **outweighs** the need to save time.	安全の必要性は、時間を節約する必要性に勝る。
You can purchase automotive parts from our site at **wholesale** prices.	当社のサイトから自動車部品を卸売価格で購入できます。
The technology company **withdrew** from the smartphone market in Japan.	そのテクノロジー企業は日本のスマートフォン市場から撤退した。
The **dock** was destroyed by the strong waves during the storm.	その埠頭は、嵐の強い波で破壊された。
His **deceased** grandmother left all of her money to charity.	亡くなった彼の祖母は、自分のお金をすべて慈善団体に遺贈した。
Recruitment of new staff is left to the people in HR.	新しいスタッフの採用は人事担当者に任されている。
The **adaptations** of that book have all been very successful.	その本の脚色はいずれも大成功を収めている。
The hotel is in a **prime** location near many shops and restaurants.	そのホテルは多くの店やレストランに近い一等地にある。
The head of the **faculty** wants to see you.	学部長があなたに会いたがっています。

0265 **objective**
[əbʤéktɪv]
① ob- (〜に) + ject (投げる) + -ive 形

名 目的、目標
形 客観的な (⇔subjective)
副 objectively 客観的に

0266 **artifact**
[ɑ́ːrtəfæ̀kt]
① arti (技術) + fact (作る)

名 ① 人工遺物 ② 工芸品

0267 **verbal**
[və́ːrbəl]
① verb (言葉) + -al 形

形 口頭の (≒oral, spoken) (⇔written)

0268 **endeavor**
[ɪndévər]
① en- (中に) + deavor (義務)

動 懸命に努力する
名 努力
► endeavor to *do* (〜しようと懸命に努力する) の形で押さえておこう。

0269 **devoted**
[dɪvóʊtɪd]
① de- (完全に) + vot (誓う) + -ed 形

形 献身的な、熱心な
動 devote 〈時間・努力など〉をささげる

0270 **diploma**
[dɪplóʊmə]

名 卒業証書、学位

0271 **dictate**
[díkteɪt | dɪktéɪt]
① dict (言う) + -ate 動

動 ① 〜を命令する、指図する ② 〜を書き取らせる
名 dictator 独裁者
名 dictation 書き取り

0272 **compensate**
[kɑ́ːmpənsèɪt | kɔ́m-]
① con- (共に) + pens (釣り合い) + -ate (〜にする)

動 〜に補償する、埋め合わせをする
名 compensation 補償

0273 **urgency**
[ə́ːrʤənsi]
① urg (駆り立てる) + -ency 名

名 緊急、切迫
形 urgent 緊急の、切迫した

0274 **sneak**
[sníːk]

動 ① こっそり歩く
② 〜をこっそり持ち出す、持ち込む
► カタカナ語の「スニーカー」は sneakers から。

0275 **heap**
[híːp]

名 (雑然と積み上げた) 山、堆積
動 〜を (雑然と) 積み上げる

0276 **ethical**
[éθɪkl]

形 倫理的な、道徳的な (⇔unethical)

Track 023

The **objective** of today's lesson is to learn the principles of good website design.	今日の授業の目的は、すぐれたウェブサイトデザインの原則を学ぶことだ。
Our museum has an extensive collection of **artifacts** from around the world.	当博物館は、世界中の人工遺物を幅広く収蔵しています。
Their partnership was only based on a **verbal** agreement.	彼らの協力関係は単に口頭による合意に基づくものだった。
She always **endeavored to** finish her work on time.	彼女はいつも時間通りに仕事を終えるよう努力した。
Our magazine has **devoted** readers from all over the world.	本誌には、世界中に熱心な読者がいる。
He hung his **diploma** on the wall after he graduated.	卒業後、彼は卒業証書を壁にかけた。
I won't let you **dictate** what I do.	私のすることをあなたに指図される筋合いはない。
The company **compensates** their customers for any lost shipments.	その会社は、紛失した貨物について顧客に補償している。
Good business leaders tend to have a sense of **urgency**.	すぐれたビジネスリーダーは緊迫感を持っていることが多い。
She tried to **sneak** out of the room without waking the baby.	彼女は、赤ちゃんを起こさずに部屋からこっそり出ようとした。
She threw a **heap** of clean laundry onto her bed.	彼女はきれいになった洗濯物の山をベッドに放り投げた。
The organization argues that experimenting on animals is not **ethical**.	その団体は、動物実験は倫理的でないと主張している。

02/76

0277 **consensus**
[kənsénsəs]
① con- (共に) + sensus (感じた)

名 (意見などの) 一致、合意

0278 **sentimental**
[sèntəméntl]
① senti (感じる) + -ment 名 + -al 形

形 感情的な、感傷的な

0279 **apparent**
[əpǽrənt]
① ap- (〜に) + par (現れる) + -ent 形

形 明白な、明瞭な (≒obvious)
副 apparently どうやら〜らしい

0280 **subsidize**
[sʌ́bsədàɪz]
① sub- (下に) + sid (座る) + -ize 動

動 〜に補助金 [助成金] を与える
名 subsidy 助成金

0281 **captive**
[kǽptɪv]
① capt (つかむ) + -ive 形

形 捕らえられた
名 captivity 捕らわれの状態
動名 capture 捕獲 (する)
動 captivate 〜の心をとらえる、〜を魅了する

0282 **applaud**
[əplɔ́ːd]
① ap- (〜に) + plaud (拍手する)

動 ① 〜を称賛する (≒praise) ② 拍手する
名 applause 称賛;拍手

0283 **forthcoming**
[fɔ̀ːrθkʌ́mɪŋ]

形 ① 率直な、協力的な
② 来たるべき、今度の (≒upcoming)

0284 **trigger**
[trígər]

動 〜の引き金になる、〜を誘発する
名 引き金

0285 **deficit**
[défəsɪt]

名 不足 (額)、赤字 (≒shortage) (⇔surplus)
形 deficient 不足した
名 deficiency 不足

0286 **stain**
[stéɪn]

名 しみ、汚れ
動 〜にしみをつける

0287 **oversight**
[óʊvərsàɪt]

名 ① ミス、見落とし (≒mistake)
② 監視、監督 (≒supervision)
動 oversee 〜を監督する

0288 **defendant**
[dɪféndənt]
① de- (分離) + fend (打つ) + -ant (人)

名 被告
►「原告」は plaintiff と言う。

They reached a **consensus** on how to execute their plan.	彼らは計画を実行する方法について意見の一致を見た。
These old toys have **sentimental** value for me.	私はこれらの古いおもちゃに思い入れがある。
It was **apparent** that he was not happy with the decision.	彼がその決定に満足していないことは明らかだった。
These parks are all **subsidized** by the city.	これらの公園はすべて市から補助金を受けている。
She was held **captive** by the enemy for several weeks.	彼女は数週間、敵の捕虜となった。
We **applaud** your efforts to make your app more efficient.	アプリをさらに効率化しようとするご尽力を称賛します。
The minister was not **forthcoming** when questioned about environmental policy.	環境政策について質問された際、大臣は素直に話さなかった。
The demonstration held in the city **triggered** a riot.	市内で行われたデモは暴動の引き金となった。
The government promised to reduce their budget **deficit**.	政府は財政赤字を減らすことを約束した。
If you wash that shirt quickly, it will be easier to remove the **stain**.	そのシャツをすぐに洗えば、汚れは落ちやすくなりますよ。
An **oversight** in the HR department caused a payment problem.	人事部の見落としにより、支払いの問題が起きた。
The **defendant**'s lawyer was highly skilled.	被告についた弁護士は非常に有能だった。

0289 **fragment**
[frǽgmənt]
① frag（壊す）+ -ment 名

名 破片、断片（≒piece）

0290 **disastrous**
[dɪzǽstrəs | -zάːs-]
① dis-（不吉な）+ astr（星）+ -ous（満ちた）

形 破滅を招く、悲惨な
名 disaster 災害、惨事

0291 **invoice**
[ínvɔɪs]

名 送り状、請求明細書

0292 **elevate**
[éləvèɪt]
① e-（外に）+ levate（上げる）

動 ～を上げる、持ち上げる（≒raise）
名 elevation 海抜、高度

0293 **irrigate**
[írəgèɪt]
① ir-（中に）+ rigate（給水する）

動 〈作物〉に水をやる；〈土地〉を灌漑（かんがい）する
名 irrigation 灌漑

0294 **nuisance**
[n(j)úːsəns] ▲ 発音注意。
① nuis（害のある）+ -ance 名

名 迷惑な人［もの］、厄介なこと

0295 **dejected**
[dɪʤéktɪd]
① de-（下に）+ ject（投げる）+ -ed 形

形 意気消沈した、落胆した

0296 **consecutive**
[kənsékjətɪv]
① con-（共に）+ secut（従う）+ -ive 形

形 連続した（≒successive）

0297 **wretched**
[rétʃɪd] ▲ ed の発音に注意。

形 悲惨な、みじめな

0298 **distort**
[dɪstɔ́ːrt]
① dis-（分離）+ tort（ねじる）

動 ～をゆがめる
名 distortion ゆがみ

0299 **verify**
[vérəfàɪ]
① ver（真実の）+ -ify（～にする）

動 ～を確認する、証明する
名 verification 確認、証明

0300 **punctuality**
[pʌ̀ŋktʃuǽləti]
① punct（穴をあける）+ -ual 形 + -ity 名

名 時間厳守
形 punctual 時間を守る；時間通りの

Track
025

The rock broke into small **fragments** in the explosion.	爆発でその岩は小さな破片に砕けた。
We can already see the **disastrous** consequences of climate change.	私たちはすでに、気候変動の悲惨な結果を目にしている。
Please submit payment within seven days of receiving this **invoice**.	この請求書を受け取ってから７日以内にお支払いください。
The city decided to **elevate** the height of the roads.	市は道路の高さを上げることにした。
The drought meant that farmers could not **irrigate** their crops.	干ばつのため、農家は作物に水をやることができなくなった。
Your dog barking every day is a real **nuisance**.	あなたの犬が毎日吠えるのは本当に迷惑です。
She felt **dejected** after losing the chess tournament.	チェスの大会で負けて、彼女は意気消沈した。
He won the best employee award for three **consecutive** years.	彼は３年連続で最優秀社員賞を受賞した。
Stray cats often live in the most **wretched** conditions.	野良猫は、とても悲惨な状況で暮らしていることが多い。
The newspaper was criticized for **distorting** the truth.	その新聞は事実をゆがめたと批判された。
Please **verify** that your name and email address are correct.	名前とメールアドレスが正しいか確認してください。
Punctuality is an essential part of being a good worker.	時間を守ることは、よい労働者であるために不可欠な要素だ。

03
00

0301 **courtesy**
[kə́ːrtəsi]
□□□
① court（宮廷）+ -esy（状態）

名 ① 礼儀正しさ、丁重さ（≒politeness）（⇔rudeness）
② 厚意
形 courteous 礼儀正しい

0302 **foe**
[fóʊ]
□□□

名 敵、（競技などの）相手（≒opponent）

0303 **crooked**
[krúkɪd] ⚠ ed の発音に注意。
□□□

形 曲がっている

0304 **famine**
[fǽmɪn]
□□□

名 飢饉（ききん）

0305 **waver**
[wéɪvər]
□□□

動 動揺する、迷う

0306 **indebted**
[ɪndétəd]
□□□
① in-（中に）+ debt（負った）+ -ed 形

形 恩義がある、借りがある
► be indebted to ～ の形で「～に恩義がある」という意味。

0307 **indifferent**
[ɪndífərənt | -dífrənt]
□□□
① in-（否定）+ dif-（分離）+ fer（運ぶ）+ -ent 形

形 ① 無関心な ② 重要でない
名 indifference 無関心

0308 **gracious**
[gréɪʃəs]
□□□
① graci（心地よい）+ -ous（満ちた）

形 親切な、腰の低い

0309 **unwarranted**
[ʌnwɔ́ːrəntɪd]
□□□

形 根拠のない、不当な（⇔warranted）

0310 **refrain**
[rɪfréɪn]
□□□
① re-（後ろに）+ frain（抑える）

動 控える
► refrain from *do*ing で「～することを控える」という意味。

0311 **foresight**
[fɔ́ːrsàɪt]
□□□
① fore-（前に）+ sight（見ること）

名 先見（の明）
動 foresee ～を予知する

0312 **consolidate**
[kənsáːlədèɪt | -sɔ́lɪ-]
□□□
① con-（共に）+ solid（堅い）+ -ate（～にする）

動 ① ～を強固にする（≒reinforce）
② 〈複数の会社・組織など〉を統合する
名 consolidation 合併、統合

Track 026

We aim to treat all our customers with **courtesy**.	私たちはすべてのお客さまに**礼儀**をもって接することを目指しています。
He finally defeated his **foe** after a long battle.	彼は長い戦いの末、ついに**敵**を倒した。
After the earthquake, all her pictures were **crooked**.	地震のあと、彼女の絵はすべて**傾いて**しまっていた。
Neighboring countries sent food to help those affected by the **famine**.	**飢饉**に見舞われた人々を助けるため、近隣諸国は食料を送った。
The love she felt for her partner never **wavered**.	パートナーに抱いていた彼女の愛情は**揺らぐ**ことはなかった。
We **are indebted to** you for giving us funding.	資金を提供していただいたことに、**感謝**しております。
He has always been **indifferent** to world news.	彼は世界のニュースにこれまでずっと**無関心**だった。
It was very **gracious** of them to give us a place to stay for the weekend.	彼らは非常に**親切**にも、私たちに週末滞在する場所を提供してくれた。
Getting so angry over such a small mistake was **unwarranted**.	こんなささいなミスにそんなに怒るのは**不当**だった。
Please **refrain from** using your smartphone during class.	授業中にスマートフォンを使用するのは**控えて**ください。
She had the **foresight** to check a map before leaving.	彼女には出発前に地図を確認する**先見の明**があった。
The new film **consolidates** his reputation as a great director.	その新作映画は、名監督であるという彼の評価を**確固たるものにしている**。

03
12

0313 **botanical** [bətǽnɪkl]
形 植物の、植物性の
名 botany 植物学

0314 **axis** [ǽksɪs]
名 軸
► 複数形は axes [ǽksi:z]。

0315 **inscription** [ɪnskrípʃən]
① in-（中に）+ script（書く）
名 碑文(ひぶん)、銘

0316 **minute** [maɪn(j)ú:t]
形 微小な、微細な
►「分」の意味の minute と発音が異なるので注意。

0317 **archive** [á:rkaɪv]
名 文書保管所
► ふつう複数形で使う。

0318 **ascent** [əsént]
① a-（～に）+ scent（登る）
名 登ること、上昇（⇔ descent）
動 ascend 昇る、上がる

0319 **abruptly** [əbrʌ́ptli]
① ab-（離れて）+ rupt（破れた）+ -ly 副
副 突然、不意に

0320 **proficient** [prəfíʃənt]
① pro-（前に）+ fici（作る）+ -ent（作る）
形 熟達した、技量のある
名 proficiency 熟達、技量

0321 **dispense** [dɪspéns]
① dis-（分離）+ pense（重さを計る）
動 ① ～を調剤する、調合する　② ～を分配する、配給する；〈機械が〉〈飲料・現金など〉を出す

0322 **eloquent** [éləkwənt]
① e-（外に）+ loqu（話す）+ -ent 形
形 雄弁な、聴衆の心に訴える
名 eloquence 雄弁

0323 **vandalize** [vǽndəlàɪz]
動 〈芸術作品など〉を（故意に）破壊する
名 vandalism 破壊行為

0324 **mediocre** [mì:dióʊkər] ▲ 発音注意。
① medi（中間の）+ ocre（峰）
形 よくも悪くもない、平凡な

Track 027

Our products are only made from **botanical** ingredients.	当社の製品は植物性の成分のみで作られています。
The Earth's **axis** is an imaginary line between the North and South poles.	地軸は北極と南極の間を結ぶ想像上の線だ。
They finally understood the **inscriptions** they had found in the caves.	彼らは洞窟の中で発見した**碑文**をついに理解した。
With computer programs, even a **minute** error can cause major problems.	コンピュータのプログラムでは、わずかな誤りでさえ大きな問題を引き起こすことがある。
The company's film **archives** contain every film they have created since 1964.	その会社の映画保管庫には、1964年以降に制作されたすべての映画が収められている。
The climbers completed their **ascent** of the mountain in two days.	登山者たちはその山の登頂を2日で成し遂げた。
He **abruptly** left the room when his mother walked in.	母親が入ってくると、彼は**突然**部屋を出た。
He is **proficient** in four different languages.	彼は4か国語に**堪能**だ。
You can only get this medication **dispensed** at a pharmacy.	この薬は薬局でしか**調剤**してもらえない。
She was applauded by everyone after her **eloquent** speech.	**雄弁**な演説のあと、彼女は皆から拍手喝采を受けた。
A gang **vandalized** the art in the museum.	犯罪組織が美術館の美術品を**破壊**した。
The food at that restaurant is **mediocre** at best.	そのレストランの料理は、よく言って**凡庸**というところだ。

03 24

0325 **outgoing** [áʊtgòʊɪŋ]
形 ① 社交的な、外交的な（≒sociable）
② （間もなく）退職する、引退する

0326 **plunge** [plʌ́ndʒ]
動 ① 突っ込む、飛び込む
② 〈価値などが〉急落する（⇔soar）

0327 **stern** [stə́ːrn]
形 厳格な、厳しい（≒strict）

0328 **insistent** [ɪnsístənt]
形 しつこい、執拗（しつよう）な
名 insistence こだわり、主張
ⓘ in-（中に）+ sist（立つ）+ -ent 形

0329 **frailty** [fréɪlti]
名 弱さ、虚弱
► fragile（脆弱な）と同語源語。
形 frail 弱い

0330 **outsmart** [àʊtsmáːrt]
動 （知恵・策略を使って）～の裏をかく

0331 **casualty** [kǽʒuəlti]
名 ① 被害者、犠牲者 ② （事故・戦闘などの）死傷者
ⓘ casu（事件）+ -al 形 + -ty 名

0332 **narrative** [nǽrətɪv]
名 物語、語り口
ⓘ narrat（物語る）+ -ive 形

0333 **bewilder** [bɪwíldər]
動 ～を困惑させる、当惑させる
名 bewilderment 困惑

0334 **void** [vɔ́ɪd]
形 ① 〈契約などが〉無効の（≒invalid）
② からの、空虚な（≒empty）
名 ① 真空 ② 喪失感

0335 **hinder** [híndər]
動 〈発展・動きなど〉を妨げる、妨害する（≒obstruct）
名 hindrance 妨害

0336 **perpetual** [pərpétʃuəl | -pétjuəl]
形 ① ひっきりなしの、絶え間ない（≒continual）
② 永続的な、不変の（≒permanent）
ⓘ per-（通って）+ petu（行く）+ -al 形

Track 028

Her mother is very **outgoing** and always busy.	彼女の母親はとても社交的で、いつも忙しくしている。
She ran outside and **plunged** into the swimming pool.	彼女は外に飛び出し、プールに飛び込んだ。
His father has been **stern** his whole life.	彼の父は生まれてからずっと厳格だった。
The **insistent** knocking of the neighbor woke her up.	隣人のしつこいノックの音で彼女は目を覚ました。
The **frailty** of his grandmother made him very worried.	祖母の体の弱さは彼をとても心配させた。
The thief **outsmarted** the police by hiding in the warehouse.	泥棒は倉庫に隠れて警察の裏をかいた。
Older employees were the first **casualties** following the company's declining profits.	会社の収益悪化で最初に犠牲になったのは年配の従業員たちだった。
The **narratives** of her novels are always easy to understand.	彼女の小説の語り口はいつもわかりやすい。
She was **bewildered** by his sudden change of heart.	彼女は、彼の突然の心変わりに戸惑った。
This contract is **void** without a signature.	署名がなければこの契約書は無効だ。
It rained for three weeks, which **hindered** the progress of the construction.	雨が３週間続き、工事の進行が妨げられた。
The company has been in a **perpetual** state of crisis since its founding.	その会社は創業以来、絶えず危機的状況が続いている。

03
36

0337 **phobia** [fóubiə]

名 病的恐怖
► claustrophobia（閉所恐怖症）のように「～恐怖症」を意味する複合要素としても使う。

0338 **sibling** [síblɪŋ]

名 兄弟姉妹（の１人）

0339 **orphan** [ɔ́ːrfən]

動 〈子ども〉を孤児にする
名 孤児
► ふつう受け身で使う。

0340 **elaborate** [形 ɪlǽbərət 動 ɪlǽbərèɪt]

ⓘ e-（強意）+ labor（労働）+ -ate 形

形 ① 凝った、入念な ② 込み入った
動 ～を苦労して作り上げる；〈話〉を詳しく述べる
副 elaborately 精巧に
名 elaboration 精緻化

0341 **autograph** [ɔ́ːtəgræ̀f | ɔ́ːtəgrɑ̀ːf]

ⓘ auto-（自身の）+ graph（書かれたもの）

名 （著名人の）サイン
► 「署名」の意味の「サイン」は signature。

0342 **envelop** [ɪnvéləp]

ⓘ en-（中に）+ velop（包む）

動 ～を包む、覆う
► envelope は「封筒」。

0343 **prevail** [prɪvéɪl]

ⓘ pre-（～より）+ vail（強い）

動 ①（戦い・論争で）勝つ ② 広く行きわたっている
名 prevalence 広く行きわたっていること
形 prevalent 広く行きわたっている

0344 **gratuity** [grət(j)úːəti]

ⓘ gratu（喜びを与える）+ -ity 名

名 心づけ、チップ（≒tip）

0345 **startle** [stɑ́ːrtl]

ⓘ start（突然動く）+ -le（反復）

動 ～をびっくりさせる（≒surprise）

0346 **outcast** [áutkæ̀st]

名 （社会から）追放された人、のけ者
► cast out（～を追放する）からできた語。

0347 **stagger** [stǽgər]

ⓘ stag(g)（押す）+ -er（反復）

動 よろめく、ふらつく

0348 **resolute** [rézəlùːt]

形 意志の固い、固く決心している（⇔irresolute）
動 resolve ～と決心する

Track 029

The man has a severe **phobia** of needles.	その男性は、重度の針**恐怖症**だ。
She has five **siblings**: two sisters and three brothers.	彼女には、2人の姉妹と3人の兄弟の計5人の**きょうだい**がいる。
The boy was **orphaned** when his parents died in a car accident.	その少年は両親が自動車事故で亡くなって**孤児になった**。
The play is famous for its **elaborate** costumes and thrilling story.	その劇は**凝った**衣装とスリリングな話の展開で知られている。
He got the **autograph** of his favorite singer.	彼は大好きな歌手の**サイン**をもらった。
The top of the mountain was **enveloped** in clouds.	山頂は雲に**覆われ**ていた。
They finally **prevailed** after a long and drawn-out war.	長い長い戦争の末、彼らはついに**勝利した**。
Please note that our employees do not accept **gratuities**.	弊社の社員は**お心づけ**を頂戴いたしませんのでご了承ください。
The dog was **startled** by a sudden rumble of thunder.	その犬は突然の雷鳴に**驚いた**。
As a teenager, he was a social **outcast**.	10代のころ、彼は社会の**つまはじき者**だった。
A drunken man was **staggering** along the sidewalk.	酔っ払いが歩道を**よろよろと歩いて**いた。
She remained **resolute** in her desire to move abroad.	海外に移住したいという彼女の**意志は固い**ままだった。

03
48

0349
dread
[dréd]

動 ～を恐れる、ひどく怖がる
形 dreadful とても不快な

0350
fabricate
[fǽbrɪkèɪt]

動 〈話・情報など〉をでっちあげる、捏造(ねつぞう)する（≒make up）
名 fabrication 捏造

0351
compression
[kəmpréʃən]
! con-（共に）+ press（押す）+ -ion 名

名 ① 圧縮 ② 簡潔化、要約
動 compress ～を圧縮する

0352
hysterical
[hɪstérɪkl]

形 感情的になった、ヒステリックな
名 hysteria ヒステリー

0353
buzz
[bʌ́z]

動 （活動・会話などで）ざわめく
名 ざわめき

0354
chatter
[tʃǽtər]

名 無駄話、おしゃべり
動 ぺちゃくちゃしゃべる

0355
dodge
[dɑ́ːdʒ | dɔ́dʒ]

動 ～を（巧みに）かわす
► dodgeball（ドッジボール）はこの語から。

0356
tickle
[tíkl]

動 ～をくすぐる

0357
integral
[íntɪɡrəl]
! in-（否定）+ tegr（触る）+ -al 形

形 なくてはならない、不可欠な
動 integrate ～を統合する、まとめる

0358
adverse
[ædvə́ːrs | ǽdvəːrs]
! ad-（～に）+ verse（曲がる）

形 ①〈天候が〉悪い、〈風向きなどが〉逆の ②〈状況が〉不利な
副 adversely 悪く、反対に

0359
dismal
[dízml]
! dis（日）+ mal（悪い）

形 〈場所・時・状況などが〉陰気な、憂うつな

0360
contagious
[kəntéɪdʒəs]
! con-（共に）+ tagi（触る）+ -ous（満ちた）

形 ①〈病気が〉伝染性の ②〈感情・態度などが〉人にうつりやすい、すぐに広まる
名 contagion 接触感染

Track 030

He **dreaded** going back to work after his vacation.	彼は休暇のあと仕事に戻るのが恐ろしかった。
These stories are all **fabricated** to increase magazine sales.	これらの話はすべて、雑誌の売り上げを伸ばすために捏造されたものだ。
Many people recommend wearing **compression** socks when you fly.	多くの人が、飛行機に乗るときに着圧ソックスを履くことを勧めている。
The teacher could not control the children's **hysterical** laughter.	その教師は子どもたちのヒステリックな笑いを静めることができなかった。
When the singer appeared on the stage, the hall **buzzed** with excitement.	その歌手がステージに現れると、会場は興奮でざわめいた。
He could not concentrate because of the sound of his coworkers' **chatter**.	彼は同僚たちのおしゃべりの声で集中できなかった。
The politician **dodged** the question by changing the subject.	その政治家は話題を変えて質問をかわした。
Her nephew screamed with laughter as she **tickled** him.	彼女がくすぐると、おいはキャーキャーと笑った。
Teamwork will be **integral** to winning this game.	この試合に勝つにはチームワークが不可欠になる。
His flight was canceled because of **adverse** weather conditions.	悪天候のため、彼の乗る便はキャンセルになった。
The conditions in the mines were **dismal** for everyone.	鉱山の中の状況は誰にとっても陰うつだった。
This disease isn't **contagious**, so you don't need to worry.	この病気は伝染性ではないので、心配する必要はありません。

03
60

0361 **fusion** [fjúːʒən]
名 融合（物）
動 fuse 融合する
! fus（溶かす）+ -ion 名

0362 **exile** [égzaɪl]
名 ① 追放者、亡命者 ②（国外）追放、亡命
動 ～を国外追放する

0363 **clerical** [klérɪkl]
形 事務（員）の
名 clerk 事務員

0364 **nurture** [nə́ːrtʃər]
動 〈子ども・植物など〉を育てる、養育する
! nurt（養う）+ -ure 名

0365 **finite** [fáɪnaɪt] ▲ 発音注意。
形 有限の、限りのある（⇔infinite）
! fin（限界）+ -ite 形

0366 **simultaneous** [sàɪməltéɪniəs | sì-]
形 同時の、同時に起こる
副 simultaneously 同時に

0367 **charitable** [tʃérətəbl | tʃǽr-]
形 ① 慈善の ② 慈悲深い
名 charity 慈善（団体）

0368 **strive** [stráɪv]
動 （懸命に）努力する（≒try）

0369 **materialistic** [mətɪ̀əriəlístɪk]
形 物質主義の、実利主義の
名 material 物質
! materi（物質）+ -al 形 + -istic 形

0370 **humidity** [hjuːmídəti]
名 湿気、湿度
形 humid 湿度の高い、多湿の
! humid（湿度の高い）+ -ity（状態）

0371 **touchy** [tʌ́tʃi]
形 神経質な、敏感な

0372 **apprentice** [əpréntɪs]
名 見習い、徒弟
! apprent（学ぶ）+ -ice 名

Track 031

The Italian-Japanese **fusion** food at this restaurant is great.	このレストランのイタリアンと和食を融合させた料理は素晴らしい。
He was forced to flee his home country and now lives as an **exile** in Russia.	彼は母国を追われ、現在は亡命者としてロシアに住んでいる。
She does **clerical** work for a local dental office.	彼女は地元の歯科医院で事務職をしている。
You should **nurture** your children so they grow up well.	立派な大人になるよう子どもたちを養育すべきです。
The challenge of an entrepreneur is to create value using **finite** resources.	起業家の課題は、限りある資源を使って価値を生み出すことだ。
The police force was not prepared to respond to **simultaneous** attacks.	警察は同時攻撃に対応する準備ができていなかった。
She volunteers for several **charitable** organizations in the city.	彼女は、市内のいくつかの慈善団体でボランティアをしている。
He **strives** to get good grades in all of his classes.	彼はすべての授業でよい成績を取れるように努力している。
She is **materialistic**, but she is not interested in fame.	彼女は実利主義者だが、名声には興味がない。
The high **humidity** of Tokyo summers can be unbearable.	東京の夏の高い湿度は耐え難いことがある。
He is very **touchy** about criticism of his artwork.	彼は自分の作品に対する批判にとても敏感だ。
She worked as an **apprentice** to a blacksmith.	彼女は鍛冶屋の見習いとして働いていた。

03
72

0373 eccentric [ɪkséntrɪk]
① ec-（外に）+ centr（中心）+ -ic 形

形 一風変わった、常軌を逸した（≒odd）
副 eccentrically 奇妙に
名 eccentricity 風変わり

0374 reputable [répjətəbl]
① reput（評する）+ -able（できる）

形 評判のよい、信頼のおける
名 reputation 評判、うわさ

0375 pious [páɪəs]
① pi（信心）+ -ous（満ちた）

形 信心深い、敬虔（けいけん）な
名 piety 信心、敬虔

0376 scrub [skrʌ́b]

動 ～をごしごし磨く

0377 shatter [ʃǽtər]

動 ①〈希望・信念など〉を打ち砕く
②〈ガラスなど〉を粉々に割る

0378 detach [dɪtǽtʃ]
① de-（分離）+ tach（触る）

動 ～を切り離す、分離する（⇔attach）
形 detachable 取りはずし可能な

0379 underlying [ʌ̀ndərláɪɪŋ]

形 根底にある、根本的な
動 underlie ～の基礎となる

0380 treacherous [trétʃərəs]
① treacher(y)（裏切り）+ -ous（満ちた）

形 ①（安全に見えて）危険な、油断できない
② 不誠実な、裏切りの（≒deceitful）

0381 instill [ɪnstíl]
① in-（中に）+ still（したたる）

動〈思想など〉を植えつける、教え込む
► instill A in [into] B で「BにAを植えつける」という意味。

0382 growl [gráʊl] ▲ ow の発音に注意。

動〈犬などが〉うなる、吠える

0383 entangle [ɪntǽŋgl]
① en-（～にする）+ tangle（もつれ）

動 ～をもつれさせる、絡ませる
名 entanglement もつれること

0384 convince [kənvíns]
① con-（完全に）+ vince（征服する）

動 ①〈人〉を説得する ②〈人〉を納得させる
► convince A to *do* で「Aを～するように説得する」という意味。
名 conviction 確信

Track 032

Her son's **eccentric** behavior is starting to worry her.	彼女は、息子の**突飛な**行動に悩み始めている。
Are there any **reputable** dentists in this town?	この町に**評判のよい**歯科医はいますか。
He is deeply **pious** and attends church every week.	彼はとても**信心深く**、毎週教会に通っている。
He **scrubbed** the bathtub until it was sparkling.	彼はピカピカになるまで浴槽を**磨いた**。
His dream was **shattered** when his business closed down.	自分の会社がつぶれ、彼の夢は**打ち砕かれた**。
Detach the lower part of the form and mail it.	用紙の下の部分を**切り離し**、郵送してください。
Poor diet can be an **underlying** cause of obesity.	偏った食生活は、肥満の**根本的な**原因となることがある。
The storm made their **treacherous** climb even more dangerous.	嵐のために彼らの**危険な**登山はさらに危ないものになった。
He hoped to **instill** a sense of responsibility **in** his children.	彼は子どもたちに責任感を**植えつける**ことを望んだ。
The lioness **growled** at the zookeeper when she approached.	近づく飼育係に向かって雌ライオンは**うなり声を上げた**。
Sometimes dolphins get **entangled** in the fishing nets.	ときどきイルカが漁の網に**ひっかかる**。
She finally **convinced** her parents **to** get a cat.	彼女はついに両親を**説得して**猫を買ってもらった。

03
84

0385 **habitat**
[hǽbətæ̀t]
□□□
名 （動植物の）生息地、生息場所

0386 **ensure**
[ɪnʃúər | -ʃɔ́ː]
□□□
! en-（～にする）+ sure（確実な）
動 ① ～を確実にする、保証する（≒guarantee）
② ～を確保する

0387 **adopt**
[ədɑ́ːpt | ədɔ́pt]
□□□
! ad-（～に）+ opt（選ぶ）
動 ～を採用する、採択する
名 adoption 採用

0388 **emission**
[ɪmíʃən]
□□□
名 排出（量）
動 emit ～を排出する

0389 **ingredient**
[ɪngríːdiənt]
□□□
! in-（中に）+ gredi（行く）+ -ent 名
名 材料、食材

0390 **excessive**
[ɪksésɪv]
□□□
! ex-（外に）+ cess（行く）+ -ive 形
形 過度の、極端な（⇔moderate）
形 excess 超過した、余分の

0391 **drawback**
[drɔ́ːbæ̀k]
□□□
名 （状況・考えなどの）欠点
（≒disadvantage）（⇔advantage）

0392 **abandon**
[əbǽndən]
□□□
動 ～を捨てる、あきらめる
形 abandoned 見捨てられた
名 abandonment 放棄；断念

0393 **drought**
[dráʊt] ▲ 発音注意。
□□□
名 干ばつ

0394 **remote**
[rɪmóʊt]
□□□
形 ① 辺ぴな、へき地の
② 遠い（≒distant, faraway） ③ 遠隔操作の
► remote control（リモコン）、remote working（在宅勤務）はこの語から。

0395 **inquiry**
[ɪnkwáɪəri]
□□□
! in-（中に）+ quiry（求めること）
名 問い合わせ、質問すること（≒question）
動 inquire 質問する

0396 **endangered**
[ɪndéɪndʒərd]
□□□
! en-（～にする）+ danger（危機）+ -ed 形
形 （絶滅の）危機に瀕した
動 endanger ～を危険にさらす

Track 033

Orangutans have lost their **habitat** because of the palm oil industry.

オランウータンは、パーム油産業のせいで**生息地**を失った。

These rules are to **ensure** the safety of our employees.

これらの規則は、わが社の従業員の安全を**保証する**ためのものだ。

The company **adopted** a new paid holiday system.

その会社は新しい有給休暇制度を**導入した**。

The **emission** of greenhouse gases is a serious problem.

温室効果ガスの**排出**は深刻な問題だ。

The **ingredients** for the cake recipe are very expensive.

そのケーキのレシピの**材料**はとても高価だ。

Excessive consumption of sugary food is bad for your health.

甘い食べ物の**過剰な**摂取は健康に悪い。

The **drawback** of this marketing plan is the high cost.

このマーケティングプランの**欠点**は、コストが高いことだ。

She **abandoned** her full-time job to become an actress.

彼女は女優になるためにフルタイムの仕事を**捨てた**。

The **droughts** in that region are getting longer every year.

その地域の**干ばつ**は年々長くなっている。

He goes camping in a **remote** forest every summer.

彼は毎年夏に**人里離れた**森へキャンプに行く。

Please contact customer support directly for any **inquiries**.

お問い合わせの場合は、カスタマーサポートまで直接ご連絡ください。

The tiger is one of many **endangered** species.

トラは、多くの**絶滅危惧**種のうちの一つだ。

03 ► 96

0397 combat
[名 kɑ́:mbæt | kɔ́m- 動 kəmbǽt]
① com-（共に）+ bat（打つ）

名 戦闘
動 ～と闘う、戦う
形 combative 好戦的な

0398 resistant
[rɪzístənt]
① re-（～に反して）+ sist（立つ）+ -ant 形

形 ① 耐久性のある ② 抵抗力のある
動 resist ～に抵抗する
名 resistance 抵抗

0399 conservation
[kɑ̀:nsərvéɪʃən | kɔ̀n-]
① con-（共に）+ serv（保つ）+ -ation 名

名（動植物・森林などの）保護、保存
動 conserve ～を保護［保全］する
形 conservative 保守的な

0400 infectious
[ɪnfékʃəs]
① in-（中に）+ fect（置く）+ -ious 形

形 ①〈感情などが〉うつりやすい、すぐに伝わる
②〈病気が〉伝染性の、（空気）感染する
名 infection 感染（症）
動 infect〈人・動物など〉に感染する

0401 controversial
[kɑ̀:ntrəvə́:rʃəl | kɔ̀n-]

形 ① 論争を引き起こす ② 論争好きな
名 controversy 物議、論争

0402 resort
[rɪzɔ́:rt]
① re-（何度も）+ sort（出かける）

動（手段に）頼る、訴える
名 リゾート地
► resort to ～ で「（手段）に頼る、訴える」という意味。

0403 transform
[trænsfɔ́:rm]
① trans-（向こうに）+ form（形）

動 ～を変える
名 transformation 変化、変身

0404 brochure
[brouʃúər | bróuʃə]

名 パンフレット、小冊子

0405 subscription
[səbskrípʃən]
① sub-（下に）+ script（書く）+ -ion 名

名（予約）購読
動 subscribe 定期購読する

0406 hazardous
[hǽzərdəs]
① hazard（危険）+ -ous（満ちた）

形 有害な、危険な
名 hazard 危険

0407 inaccurate
[ɪnǽkjərət]
① in-（否定）+ ac-（～に）+ curate（注意した）

形 不正確な、誤った（⇔accurate）

0408 hostile
[hɑ́:stl | hɔ́staɪl]
① host（敵）+ -ile 形

形 ①〈環境などが〉厳しい ② 敵意を持った
名 hostility 敵意、反感

Track 034

Many people died in **combat** against the enemy.

敵との**戦闘**で多くの人が命を落とした。

All new buildings in the area must be **resistant** to earthquakes.

その地域に新しく建てられる建物はすべて**耐震**でなければならない。

Several NGOs specialize in **conservation** of the world's forests.

いくつかの NGO は、世界の森林の**保全**を専門としている。

Her passion for creating eco-friendly artwork is **infectious.**

環境に優しい作品を作ろうとする彼女の情熱は、**人に伝わる**。

The copyright reform proposed by the government was **controversial**.

政府が提案した著作権改革は**物議をかもした**。

She had to **resort to** filing a lawsuit.

彼女は提訴という手段に**訴え**ざるを得なかった。

Fame **transformed** him into a very vain person.

名声は彼をひどいうぬぼれ屋に**変えた**。

There are **brochures** in many different languages available.

さまざまな言語で書かれた**パンフレット**が用意されている。

They have **subscriptions** to five different streaming services.

彼らは 5 種類のストリーミングサービスと**サブスク契約**している。

Hazardous chemicals should be stored in appropriate containers.

有害な化学物質は適切な容器で保管しなければならない。

The scientist's theory turned out to be **inaccurate**.

その科学者の説は**不正確**であると判明した。

This breed of penguin lives in a very **hostile** environment.

この種のペンギンは、非常に**過酷**な環境の中で生息している。

04
08

0409 **frustrated** [frʌ́streɪtɪd]
形 いらいらした、欲求不満の
動 frustrate 〈人〉をいらいらさせる
名 frustration 欲求不満

0410 **underrate** [ʌ̀ndərréɪt]
動 ～を過小評価する、見くびる（⇔overrate）

0411 **merge** [mə́ːrdʒ]
動 ①（～を）統合する、合併する ②～を融合させる
名 merger（企業などの）合併

0412 **distract** [dɪstrǽkt]
! dis-（分離）+ tract（引く）
動 〈注意など〉をそらす、散らす（⇔attract）
► distract A from B で「BからAをそらす」という意味。
名 distraction 気を散らすこと［もの］

0413 **browse** [bráʊz]
動 ①（〈店など〉を）見て回る
②〈ウェブサイト〉をあちこち見る
③〈本など〉を拾い読みする

0414 **circulation** [sə̀ːrkjəléɪʃən | -kju-]
! circul（周り）+ -ation 名
名 ①（印刷物の）発行部数 ②流通、循環
動 circulate 流通する；～を流通させる

0415 **admission** [ədmíʃən]
! ad-（～に）+ miss（送る）+ -ion 名
名 入場許可、入会許可、入学許可
動 admit ～の入場［入会、入学］を認める

0416 **digestion** [daɪdʒéstʃən]
! di-（分離）+ gest（運ぶ）+ -ion 名
名 消化（作用）、消化力
動 digest ～を消化する
形 digestive 消化の

0417 **alteration** [ɔ̀ːltəréɪʃən]
! alter（他の）+ -ation 名
名（小さな）変更、修正（点）
動 alter ～を変える

0418 **violation** [vàɪəléɪʃən]
名（法律・規則などの）違反（≒breach）
動 violate ～に違反する

0419 **suspend** [səspénd]
! sus-（下に）+ pend（つるす）
動 ①～を停職（処分）にする
②～を一時停止する、中止する
名 suspension（一時的な）停止

0420 **transaction** [trænzǽkʃən]
! trans-（貫いて）+ act（行う）+ -tion 名
名 取引、売買

He was so **frustrated** that he started yelling.	彼はいらいらするあまり、怒鳴り始めた。
The company foolishly **underrated** their competitor's ability to quickly create a similar product.	その会社は愚かにも、類似製品をすぐに作れる競合他社の能力を**過小評価し**ていた。
The subsidiaries **merged** to form one large company.	子会社が**合併して**1つの大きな会社になった。
The new game was **distracting** him **from** finishing his homework.	新しいゲームに**気を取られ**て、彼は宿題が終わらなかった。
She **browsed** through the store, searching for spring clothes.	彼女は春物の服を探して、店の中を**見て回った**。
The Waterfall Chronicle has the largest **circulation** of any daily newspaper in the region.	The Waterfall Chronicleは、この地域の日刊紙の中で最大の**発行部数**を誇っている。
College **admission** procedures are somewhat complicated.	大学の**入学**手続きはちょっと煩雑だ。
Certain foods can cause serious problems with **digestion**.	ある種の食品は、**消化**に深刻な問題を引き起こす可能性がある。
There are not many **alterations** to the new version of the book.	その本の新版にはあまり**変更点**はない。
The mayor's action was a clear **violation** of the law.	市長の行為は明らかな法律**違反**だった。
She was **suspended** from work due to her poor behavior.	勤務態度が悪いため、彼女は**停職処分になった**。
This application tracks all of my financial **transactions**.	このアプリは私のすべての金銭**取引**を記録している。

0421 **coverage**
[kʌ́vərɪdʒ]
ⓘ cover（覆う）+ -age（結果）

名（テレビ・新聞などの）報道、取材
動 cover ～を報じる

0422 **incentive**
[ɪnséntɪv]
ⓘ in-（～に）+ cent（歌う）+ -ive 形

名 動機、インセンティブ（≒motive）

0423 **diagnose**
[dáɪəgnòʊs | -nəʊz]
ⓘ dia-（完全に）+ gnose（知る）

動 ～を診断する
名 diagnosis 診断

0424 **hesitant**
[hézətənt]

形 ためらった、ちゅうちょした
► be hesitant to *do*で「～するのをためらう」という意味。
動 hesitate ためらう、ちゅうちょする
名 hesitation ためらい、ちゅうちょ

0425 **downturn**
[dáʊntə̀ːrn]

名（景気・物価などの）下落、沈滞

0426 **evacuate**
[ɪvǽkjuèɪt]
ⓘ e-（外に）+ vacu（からの）+ -ate（～にする）

動 避難する
名 evacuation 避難

0427 **assert**
[əsə́ːrt]
ⓘ as-（～に）+ sert（結ぶ）

動 ～を断言する、…と言い張る
名 assertion 主張、断言
形 assertive 断定的な

0428 **hygiene**
[háɪdʒiːn]

名 衛生（状態）

0429 **breakthrough**
[bréɪkθrùː]

名 飛躍的な進歩、現状突破

0430 **epidemic**
[èpədémɪk]
ⓘ epi（間に）+ dem（人々）+ -ic 形

名 流行、伝染（病）
► pandemic はより広域の「全国的［世界的］流行、感染爆発」を言う。

0431 **accusation**
[æ̀kjəzéɪʃən | æ̀kju-]
ⓘ ac-（～に）+ cus（原因）+ -ation 名

名 告発、非難
動 accuse ～を告発する、非難する

0432 **spoil**
[spɔ́ɪl]

動 ① 〈子どもなど〉を甘やかす
② ～を台なしにする、だめにする
③ ～をぜいたくにもてなす
形 spoiled 〈子どもなどが〉言うことを聞かない

Inflation is receiving a lot of media **coverage** right now.	現在、インフレについて多くのメディアで**報道**されている。
Customers need an **incentive** to upgrade their devices.	顧客がデバイスをアップグレードするには、**動機付け**が必要だ。
The doctor **diagnosed** the patient with kidney stones.	医者はその患者を腎臓結石と**診断し**た。
She **was hesitant to** speak about her struggles to anyone.	彼女は誰に対しても自分の苦労について話すことを**ためらった**。
A **downturn** in the housing market could cause problems.	住宅市場の**低迷**は、問題を引き起こすかもしれない。
Thousands of people **evacuated** before the typhoon reached land.	台風が上陸する前に、何千人もの人が**避難した**。
The suspect continued to **assert** his innocence to the police.	容疑者は警察に無実を**主張し**続けた。
Brushing your teeth is an important part of good **hygiene**.	歯磨きは、良好な**衛生状態**の大切な要素だ。
They had a major **breakthrough** in vaccine research.	彼らはワクチン研究において**大躍進**を遂げた。
The flu **epidemic** killed hundreds of people that year.	その年、インフルエンザの**流行**により何百人もの人が亡くなった。
She denied **accusations** that she stole the money.	彼女はそのお金を盗んだという**容疑**を否認した。
He loves to **spoil** both of his daughters.	彼は娘２人を**甘やかす**のが大好きだ。

0433 **consultation** [kɑ̀:nsəltéɪʃən | kɔ̀n-]
名 相談、協議
動 consult ～に相談する
名 consultancy コンサルタント業務

0434 **immigrate** [ímɪgrèɪt]
① im-（中に）+ migr（移動する）+ -ate 動
動 移住する、入植する
名 immigration 移住
名 immigrant 移住者、移民

0435 **exhaust** [ɪgzɔ́:st]
① ex-（外に）+ haust（汲み出す）
動 ①〈財産・資源など〉を使い尽くす ②〈人〉を疲れ果てさせる ③〈可能性など〉を調べ尽くす

0436 **upbringing** [ʌ́pbrìŋɪŋ]
名（子どもの）しつけ、教育

0437 **neglect** [nɪglékt]
① neg（否定）+ lect（集める）
動 ～を無視する、なおざりにする
名 無視
名 negligence 怠慢、不注意
形 negligent 怠慢な、不注意な

0438 **prescribe** [prɪskráɪb]
① pre-（前もって）+ scribe（書く）
動 ～を処方する
名 prescription 処方（箋）

0439 **informative** [ɪnfɔ́:rmətɪv]
① inform（知らせる）+ -ative 形
形 情報を提供する、有益な
動 inform ～に知らせる
名 informant 情報提供者

0440 **unearth** [ʌnə́:rθ]
① un-（否定）+ earth（埋める）
動 ①（偶然）～を見つける、発見する ② ～を掘り出す、発掘する

0441 **prospect** [prɑ́:spekt | prɔ́s-]
① pro-（前方を）+ spect（見る）
名 見込み、可能性（≒likelihood）
形 prospective 将来の、見込まれる

0442 **stem** [stém]
名 茎、幹
► stem from ～（1762）も参照。

0443 **obligation** [ɑ̀:blɪgéɪʃən | ɔ̀b-]
① ob-（～に）+ lig（結びつける）+ -ation 名
名 ①（法的・道徳的）義務、責務 ②（人への）義理、恩義
動 obligate ～に義務を負わせる
形 obligatory 義務の

0444 **divert** [dəvə́:rt | daɪ-]
① di-（分離）+ vert（曲がる）
動 ① ～の方向を変える ②〈注意など〉をそらす
名 diversion（進路・用途などの）転換

Call today for a free **consultation** with one of our financial advisors.

本日お電話いただくと当社のファイナンシャルアドバイザーによる**無料相談**を受けられます。

His family **immigrated** to the US in 2013.

彼の家族は 2013 年に米国に**移住し**た。

The country will eventually **exhaust** its oil reserves.

その国はいずれ自国の石油埋蔵量を**使い果たす**だろう。

Her grandparents were responsible for most of her **upbringing**.

祖父母は、彼女の**しつけ**の大半を担っていた。

This old house has been **neglected** for years.

この古い家は長年**放置**されてきた。

The doctor **prescribed** medicine to treat his infection.

医者は彼の感染症を治療するため薬を**処方した**。

She found the lecture on the Arctic to be **informative**.

彼女は、北極圏に関するその講義が**有益**だと思った。

They **unearthed** several toys from the 1920s in the shop.

彼らはその店で 1920 年代のおもちゃをいくつか**発見した**。

Our kids are very excited by the **prospect** of moving to a new town.

子どもたちは、新しい町に引っ越す**可能性**にとてもワクワクしている。

The flower's **stem** broke when he accidentally stepped on it.

彼がうっかり踏んで、花の**茎**が折れてしまった。

Employers have an **obligation** to provide a safe work environment.

雇用主には、安全な職場環境を提供する**義務**がある。

The construction workers **diverted** the water away from the site.

建設作業員たちはその用地から川の流れを**そらせた**。

0445 **sustain**
[səstéɪn]
① sus- (下から) + tain (保つ)

動 ～を維持する、持続させる
名 sustenance 維持；食物
形 sustainable 持続可能な
名 sustainability 持続可能性

0446 **residential**
[rèzədénʃəl | rèzɪ-]
① resident (住宅) + -ial 形

形 住宅用の、居住に適した
名 resident 住民
名 residence 住居
名 residency 居住（すること）

0447 **reign**
[réɪn]

名 治世、在位［統治］期間

0448 **dilemma**
[dɪlémə]
① di- (2つ) + lemma (想定)

名 ジレンマ、板ばさみ

0449 **overstate**
[òʊvərstéɪt]

動 ～を大げさに話す、誇張する
(≒exaggerate) (⇔understate)

0450 **irritate**
[írətèɪt]
① irrit (怒らせる) + -ate 動

動 ① ～をいらいらさせる ② 〈体の一部〉をひりひりさせる、～に炎症を起こさせる
名 irritation いら立ち；炎症

0451 **alliance**
[əláɪəns]
① al- (～に) + li (結びつける) + -ance 名

名 （国・政党などの）同盟、（企業などの）提携
動名 ally 同盟する；同盟国
形 allied 同盟している

0452 **compliment**
[動 ká:mpləmènt | kɔ́mplɪ-
名 ká:mpləmənt | kɔ́mplɪ-]
① com- (共に) + pli (満たす) + -ment 名

動 ～を褒める、称賛する (≒praise)
名 賛辞
形 complimentary 称賛の

0453 **narrowly**
[nǽroʊli]

副 ① かろうじて、間一髪で ② 綿密に、入念に ③ 限定して、狭めて

0454 **disrupt**
[dɪsrʌ́pt]
① dis- (分離) + rupt (破る)

動 〈会合・制度・交通など〉を混乱させる、中断させる
名 disruption 混乱、中断
形 disruptive 破壊的な

0455 **prosper**
[prá:spər | prɔ́s-]
① pro- (応じて) + sper (希望)

動 〈人・事業などが〉繁栄する、成功する (≒thrive)
名 prosperity 繁栄
形 prosperous 繁栄した

0456 **irrational**
[ɪrǽʃənl]
① ir- (否定) + ration (計算) + -al 形

形 不合理な、ばかげた (⇔rational)

They **sustained** their relationship of 50 years by communicating effectively.	彼らは効果的なコミュニケーションによって50年にわたる関係を維持した。
The café is close to a **residential** area.	そのカフェは住宅地に近い。
The Tudor's **reign** lasted for roughly 120 years.	チューダー家の治世はおよそ120年間続いた。
Choosing which employee to fire was a major **dilemma** for him.	どちらの社員を解雇するかは彼にとって大きなジレンマだった。
The danger of sharks to humans is largely **overstated**.	人間に対するサメの危険性は、大幅に誇張されている。
He **irritates** everyone by talking loudly on the phone.	彼は電話で大声で話して、皆をいらいらさせる。
The two countries formed an **alliance** to fight their enemy.	両国は敵と戦うために同盟を結んだ。
She **compliments** her students when they do a good job.	彼女は、よくできたときは生徒たちを褒める。
Last night, he **narrowly** avoided getting into a car accident.	昨夜、彼は自動車事故に遭うのをかろうじて回避した。
The typhoon **disrupted** the travel plans of thousands of tourists.	台風は何千人もの観光客の旅行計画を混乱させた。
Her business **prospered** because of the tourism campaign.	観光キャンペーンのおかげで、彼女のビジネスは成功した。
He has an **irrational** fear of most insects.	彼はほとんどの昆虫に対して根拠のない恐れを抱いている。

0457 **devastate**
[dévəstèɪt]
① de-（悪化）+ vast（荒れた）+ -ate（〜にする）

動 〈国・地域など〉を壊滅させる（≒ruin）
名 devastation 破滅させること、荒廃

0458 **virtually**
[və́ːrtʃuəli]

副 実質的には、ほとんど
形 virtual 仮想の

0459 **mobility**
[moubíləti | məʊ-]
① mo（動く）+ -bili（適した）+ -ty 名

名 動きやすさ、可動性
形 mobile 動ける、可動性の

0460 **modify**
[mɑ́ːdəfàɪ | mɔ́dɪ-]
① mod（尺度）+ -ify（〜にする）

動 〜を（部分的に）修正する、変更する
名 modification（部分的な）修正

0461 **quota**
[kwóʊtə]

名 ①（生産・販売などの）分担、ノルマ
② 分け前、取り分

0462 **exotic**
[ɪgzɑ́ːtɪk | -ɔ́t-]
① exot（外部）+ -ic 形

形 外国産の、外来種の（≒foreign）

0463 **preservative**
[prɪzə́ːrvətɪv]
① pre-（前もって）+ serv（保つ）+ -ative 形

名 保存料、防腐剤
動 preserve 〜を保存する

0464 **oversee**
[òʊvərsíː]

動 〜を監督する、監視する（≒supervise）
名 oversight 監督、監視

0465 **disturbance**
[dɪstə́ːrbəns]
① dis-（完全に）+ turb（混乱）+ -ance 名

名 騒ぎ、暴動
動 disturb 〜を邪魔する、妨害する

0466 **competent**
[kɑ́ːmpətənt | kɔ́mpɪ-]
① com-（共に）+ pet（求める）+ -ent 形

形 有能な、力量のある（⇔incompetent）
名 competence 能力

0467 **substitute**
[sʌ́bstət(j)ùːt]
① sub-（下に）+ stit（置く）+ -ute（もの）

名 代わり、代用品
形 代用の
名 substitution 代用

0468 **distinguish**
[dɪstíŋgwɪʃ]
① dis-（分離）+ stingu（突き刺す）+ -ish（〜にする）

動 ① 〜を目立たせる、際立たせる；〜を有名にする
② 〜を区別する
► distinguish *oneself* で「目立つ、有名になる」という意味。

Track 039

The earthquake **devastated** the area.	地震はその地域を壊滅させた。
Virtually every patient is showing the same symptoms.	ほとんどすべての患者が同じ症状を示している。
Her **mobility** was very limited after she broke her leg.	脚を骨折してから、彼女は移動が非常に制限された。
Please **modify** your proposal to include more data.	提案書を修正して、情報を追加してください。
Some of us will lose our jobs if we don't meet our sales **quota**.	売上ノルマを達成できなければ、われわれの何人かが首になるだろう。
Exotic pets are becoming more common in the US.	米国では外来ペットがより一般的になりつつある。
All of our products contain only natural **preservatives**.	当社の製品はすべて、天然の保存料のみを使用しています。
The chief technology officer **oversees** our large team of engineers.	最高技術責任者は、当社の大所帯のエンジニアチームを統括している。
The police received a report of a **disturbance** in town.	警察は、町で騒動があったという報告を受けた。
My doctor has a good reputation for being **competent**.	私の主治医は腕がよいという評判だ。
Soy products are often used as **substitutes** for meat.	大豆製品はしばしば肉の代用品として使われる。
He has already **distinguished himself** as one of the great authors of our time.	彼はすでに現代の偉大な作家の一人として名を上げている。

04
68

0469 **attribute**
[動 ətríbjuːt 名 ǽtrəbjùːt]
! at-（～に）+ tribute（原因を割り当てる）

動 ～のせいにする
名 属性、特性
► attribute A to B で「AをBによるものとする、AをBに帰する」という意味。

0470 **passionate**
[pǽʃənət]
! pass（感情）+ -ion 名 + -ate 形

形 〈人・行為などが〉情熱的な、熱心な
名 passion 情熱

0471 **doom**
[dúːm]

動 ～を（悪く）運命づける
名 運命、破滅
► be doomed to ~ [*do*] で「～の［～する］運命にある」という意味。

0472 **precedent**
[présədənt]
! pre-（前に）+ ced（行く）+ -ent 形

名 前例、先例
動 precede ～に先行する
形 preceding 直前の、前述の

0473 **misleading**
[mìslíːdɪŋ]
! mis（誤って）+ lead（導く）+ -ing 形

形 誤解を招きやすい、人を惑わせる
動 mislead 〈人〉を誤解させる

0474 **literally**
[lítərəli]
! liter（文字）+ -al 形 + -ly 副

副 文字通りに
形 literal 文字通りの

0475 **patent**
[pǽtnt | péɪt-]

名 特許（権）

0476 **fatigue**
[fətíːg]

名 疲労、倦怠（けんたい）感（≒weariness）

0477 **convey**
[kənvéɪ]
! con-（共に）+ vey（道）

動 〈意思・情報など〉を伝える

0478 **intentionally**
[ɪnténʃənəli]
! inten(d)（意図する）+ -tion 名 + -ally 副

副 意図的に、わざと（≒deliberately, on purpose）
名 intention 意図
形 intentional 意図的な

0479 **migration**
[maɪgréɪʃən]
! migr（移動する）+ -at 動 + -ion 名

名 〈人・動物などの〉移動、移住
動 migrate 移住する
名 migrant 移住者

0480 **perch**
[pə́ːrtʃ]

動 〈鳥が〉（止まり木に）止まる

Track 040

The quote is **attributed to** Einstein, but he was not the first to say this.	この引用句はアインシュタインの言葉とされるが、これを最初に言ったのは彼ではない。
She loves music and is a **passionate** concert goer.	彼女は大の音楽好きで、熱烈なコンサート常連客でもある。
The political party **was doomed to** fail from the start.	その政党は最初から失敗する運命にあった。
This decision sets a dangerous **precedent** for the future.	この決定は、将来への危険な前例となる。
The marketing for that product was rather **misleading**.	その製品のマーケティングはかなり誤解を招くものだった。
He sometimes takes his manager's instructions too **literally**.	彼は部長の指示を言葉通りに取りすぎることがある。
She applied for a **patent** for her new invention.	彼女は新しい発明の特許を出願した。
One of the drug's side effects is **fatigue**.	その薬の副作用の一つは倦怠感だ。
She was unable to **convey** her true feelings about the matter.	彼女はその問題についての本当の気持ちを伝えることができなかった。
He **intentionally** did not write his name on the report.	彼は意図的にレポートに名前を書かなかった。
There is a large **migration** of ducks to this area every winter.	毎冬、この一帯にカモの大群が渡ってくる。
Birds often **perch** on the telephone wires outside of my house.	私の家の外の電線によく鳥が止まっている。

0481 **sue**
[s(j)úː]
動 〈人・会社など〉を告訴する
► sue A for B で「B の理由で A を訴える」と言う意味。

0482 **indispensable**
[ìndɪspénsəbl]
ⓘ in-（否定）+ dis-（分離）+ pens（重さを計る）+ -able（できる）
形 不可欠な、欠くことのできない
（≒essential, vital, crucial）
（⇔nonessential, dispensable）

0483 **array**
[əréɪ]
名 [an array of ~] 多数の～、数々の～

0484 **aspire**
[əspáɪər]
ⓘ a-（～に）+ spire（息をする）
動 目指す、熱望する
名 aspiration 強い願望

0485 **invariably**
[ɪnvéəriəbli]
ⓘ in-（否定）+ vari（変化する）+ -abl（できる）+ -ly 副
副 いつも、決まって（≒always, without fail）

0486 **subsequent**
[sʌ́bsɪkwənt]
ⓘ sub-（下に）+ sequ（ついていく）+ -ent 形
形 そのあとの、それに続く
副 subsequently あとで

0487 **furnished**
[fə́ːrnɪʃt]
形 〈部屋・家などが〉家具つきの（⇔unfurnished）
動 furnish 〈家具など〉を備えつける

0488 **boast**
[bóʊst]
動 ① 自慢する、誇る ② ～を誇っている

0489 **privatize**
[práɪvətàɪz]
ⓘ privat（民営の）+ -ize 動
動 ～を民営化する（⇔nationalize）
形 private 民営の
名 privatization 民営化

0490 **dominance**
[dáːmənəns | dɔ́mɪ-]
ⓘ domin（支配する）+ -ance 名
名 支配、優勢（≒domination）
形 dominant 支配的な
動 dominate ～を支配する

0491 **envision**
[ɪnvíʒən]
動 〈将来など〉を想像する

0492 **probability**
[prɑ̀ːbəbíləti | prɔ̀b-]
ⓘ prob（証明）+ abil（できる）+ -ity 名
名 公算、見込み（≒likelihood）
形 probable 起こりそうな、有望な

Track
041

She **sued** her old company **for** failing to send her final paycheck.	彼女は、最後の給料を送らなかったとして以前の会社を**訴えた**。
Smartphones are an **indispensable** part of most people's lives.	スマートフォンは、ほとんどの人の生活に**なくてはならない**ものだ。
Our store offers **a** large **array of** pet foods.	当店ではペットフードを**多数**取りそろえております。
As a boy, he **aspired** to become a professional baseball player.	少年時代、彼はプロ野球選手になることを**夢見ていた**。
He **invariably** spends too much time shopping whenever he goes.	彼は出かけるといつも、**決まって**買い物に時間をかけすぎる。
The poet's work had a deep impact on **subsequent** generations.	その詩人の作品は**続く**世代の人々に大きな影響を与えた。
She decided to rent a fully **furnished** apartment.	彼女は完全**家具つきの**アパートを借りることにした。
He always **boasts** about how good he is at playing basketball.	彼はバスケットボールがうまいといつも**自慢している**。
The national railway was **privatized** many years ago.	国鉄は何年も前に**民営化された**。
The company's **dominance** of the market soon faded.	その会社の市場における**優位**はすぐに弱まった。
It is difficult to **envision** a future without war.	戦争のない未来を**想像する**のは難しい。
There is a low **probability** that it will snow tomorrow.	明日雪が降る**確率**は低い。

0492

0493 **selective**
[səléktɪv]
□□□

形 慎重に選択する
動 select ～を選択する
名 selection 選択

0494 **discouraging**
[dɪskə́ːrɪʤɪŋ]
□□□
ⓘ dis-（分離）+ cour（心）+ -ag 動 + -ing 形

形 がっかりさせるような（≒disappointing）
動 discourage ～をがっかりさせる；～を妨げる

0495 **faulty**
[fɔ́ːlti]
□□□
ⓘ faul（失敗する）+ -(t)y 形

形 欠陥のある、不完全な（≒defective）
名 fault 欠陥；責任

0496 **uproot**
[ʌprúːt]
□□□
ⓘ up-（強意）+ root（根を抜く）

動 ～を（親しんだ場所から）引き離す、追い立てる

0497 **memoir**
[mémwɑːr]
□□□

名 回顧録、回想録
► ふつう複数形で使う。

0498 **initiate**
[ɪníʃièɪt]
□□□
ⓘ in-（中に）+ it（行く）+ iate 動

動 ～を始める
► 目的語には重要な事柄がくることが多い。
形 initial 最初の、当初の

0499 **dent**
[dént]
□□□

名 へこみ、くぼみ

0500 **likeness**
[láɪknəs]
□□□

名 ① 似ていること、類似点（≒resemblance）
② 似顔絵

0501 **idealistic**
[aɪdìːəlístɪk]
□□□

形 理想主義的な
名 idealism 理想主義

0502 **collaborate**
[kəlǽbərèɪt]
□□□
ⓘ col-（共に）+ labor（働く）+ -ate 動

動（科学・文芸などの分野で）協力する、共同で行う
名 collaboration 協力

0503 **erode**
[ɪróʊd]
□□□
ⓘ e-（外に）+ rode（かじる）

動 ①〈関係・自信などが〉損なわれる、失われる
② 浸食される；～を浸食する
名 erosion 浸食

0504 **amicable**
[ǽmɪkəbl]
□□□
ⓘ ami（友）+ -cable（できる）

形 友好的な、円満な

Track 042

That company is very **selective** about who they employ.	あの会社は雇用する人を**厳選している**。
The results of her test were pretty **discouraging**.	彼女のテストの結果はかなり**がっかりするもの**だった。
The **faulty** products cost the company a lot of money.	**欠陥**商品のために、その会社は大きな損失を出した。
Many people were **uprooted** from their homes during the war.	戦争中、多くの人が故郷を**追われた**。
After retiring from politics, he focused on writing his **memoirs**.	政界引退後、彼は**回顧録**の執筆に専念した。
Next week, we will **initiate** the second phase of the plan.	私たちは来週、その計画の第 2 段階を**開始する**。
Hitting the wall left a large **dent** in his car.	壁にぶつかって彼の車には大きな**へこみ**ができた。
There is a strong **likeness** between the two sisters.	2 人の姉妹にはよく**似たところ**がある。
Many people think that world peace is an **idealistic** goal.	世界平和は**理想主義的な**目標だと多くの人が考えている。
We **collaborated** with the engineering team to make the website.	私たちは技術チームと**協力して**、そのウェブサイトを制作した。
Support for the politician **eroded** due to the scandal.	スキャンダルのために、その政治家への支持は**失われた**。
The couple maintained an **amicable** relationship for their children.	その夫婦は子どもたちのために**友好的な**関係を維持した。

05
04

0505 **odor** [óʊdər]
名 （独特の強い）匂い、（嫌な）臭気

0506 **reinforce** [rìːɪnfɔ́ːrs]
① re-（再び）+ in-（～にする）+ force（強い）
動 ～を強化する、強固にする（≒strengthen）
名 reinforcement 強化

0507 **facilitate** [fəsílətèɪt]
① facil（簡単な）+ -itate（～にする）
動 ～を容易にする、促進する（≒ease, promote）
名 facilitator 進行役

0508 **accumulate** [əkjúːmjəlèɪt]
① ac-（～に）+ cuml（集める）+ -ate 動
動 ① たまる、蓄積する、積もる
② ～をためる、蓄積する
名 accumulation 蓄積

0509 **duration** [d(j)uréɪʃən]
① dur（続く）+ -ation 名
名 （継続）期間

0510 **commemorate** [kəmémərèɪt]
① com-（共に）+ memor（覚えている）+ -ate（～にする）
動 ～を記念する、祝う
名 commemoration 記念、追悼
形 commemorative 記念の

0511 **submission** [səbmíʃən]
① sub-（下に）+ miss（送る）+ -ion 名
名 ① 提出物、提示案 ② 提出
動 submit ～を提出する

0512 **observance** [əbzə́ːrvəns]
① ob-（～に）+ serv（保つ）+ -ance 名
名 （行事を）祝うこと；（規則などを）守ること
動 observe ～を観察する；〈規則など〉を守る

0513 **quote** [kwóʊt]
名 ① 見積もり（≒estimate）
② 引用（文）（≒quotation）

0514 **rusty** [rʌ́sti]
① rust（赤）+ -y 形
形 ①〈能力・技術などが〉鈍った、さびついた
② さびた
名 rust さび

0515 **illiterate** [ɪlítərət]
① il-（否定）+ liter（文字）+ -ate 形
形 読み書きのできない（⇔literate）
名 illiteracy 読み書きができないこと

0516 **cite** [sáɪt]
動 （例として）～を挙げる、引用する
名 citation 引用、例証

Track 043

Some people do not like this cheese because of its strong **odor**.	強い**匂い**のためにこのチーズが嫌いな人もいる。
They **reinforced** the building to be stronger against earthquakes.	彼らはその建物を**補強**して地震に強くした。
This software **facilitates** a smoother bookkeeping experience.	このソフトウェアを使えば、より円滑な帳簿作成が**容易になる**。
The snow quickly turned to rain, so it did not **accumulate**.	雪はすぐに雨に変わったので、**積もら**なかった。
Please keep your seatbelts fastened for the **duration** of the ride.	乗車**中**はシートベルトをお締めください。
The city-state will hold a festival to **commemorate** its 100th year of independence.	その都市国家は、独立 100 周年を**記念して**祝祭を催す。
His **submission** to the contest impressed all the judges.	そのコンテストに彼が出した**提出作品**は、すべての審査員に感銘を与えた。
Our offices will be closed on Monday in **observance** of Christmas.	私どもの会社はクリスマスの**お祝い**で、月曜日は休みになります。
Please get a **quote** for how much the new roof will cost.	新しい屋根にいくらかかるか**見積もり**を取ってください。
I have not practiced for a few years, so my German is a bit **rusty**.	何年か練習していないので、私のドイツ語の力は少々**さびついて**いる。
The percentage of **illiterate** people has decreased over the last 100 years.	**読み書きができない**人の割合は、この 100 年間で減少している。
She **cited** several musicians as her inspiration for the album.	彼女は、そのアルバムにインスピレーションをくれた人として何人かのミュージシャンを**挙げた**。

05 ► 16

0517 **assure**
[əʃúər | əʃɔ́ː]
① as- (～に) + sure (確実な)

動 …だと〈人〉に保証する、請け合う
名 assurance 保証
形 assured 自信に満ちた

0518 **testament**
[téstəmənt]
① test(a) (証言する) + -ment 名

名 あかし、証拠
►「(神と人との) 契約」という意味もあり the Old [New] Testament (旧約 [新約] 聖書) のように使われる。

0519 **collide**
[kəláɪd]
① col- (相互に) + lide (打つ)

動 〈乗り物・人などが〉衝突する
名 collision 衝突

0520 **annoyance**
[ənɔ́ɪəns]
① an- (～に) + noy (害のある) + -ance 名

名 悩みの種、いらいらの元
動 annoy ～をいらいらさせる

0521 **inventory**
[ínvəntɔ̀ːri | -təri]
① invent (偶然見つける) + -ory (もの)

名 ① 在庫、(店内の) 全商品 (≒stock) ② 在庫一覧

0522 **spotless**
[spɑ́ːtləs | spɔ́t-]

形 汚れていない、しみひとつない

0523 **kinship**
[kínʃɪp]
① kin (血縁) + -ship (状態)

名 (性質などの) 類似、近似

0524 **chronological**
[krɑ̀ːnəlɑ́ːdʒɪkl | krɔ̀nəlɔ́dʒ-]
① chrono (時間) + logi (言葉) + -ical 形

形 年代順の、日付順の
名 chronology 年代 (学)

0525 **bleak**
[blíːk]

形 〈見通しが〉よくない、暗い (≒dismal)

0526 **calamity**
[kəlǽməti]

名 災難、惨事 (≒disaster)

0527 **clutter**
[klʌ́tər]

名 (乱雑に) 散らかったもの

0528 **coincidence**
[kouínsədəns]
① co- (共に) + in- (～に) + cid (起こる) + -ence 名

名 (好み・出来事などの) 偶然の一致
動 coincide 同時に起きる

Track 044

The doctor **assured** her that she would recover.	医者は治りますよと彼女に請け負った。
The success of the charity is a **testament** to the power of Internet marketing.	その慈善活動の成功はインターネットマーケティングの力のあかしだ。
The truck **collided** with a tree, but luckily the driver survived the crash.	トラックは木に衝突したが、幸運にも運転手の命は助かった。
Filing his taxes is always a major **annoyance** for him.	税金の申告は、彼にとって常に大きな悩みの種だ。
You can check our store's **inventory** on our website.	当店の在庫はウェブサイトでご確認いただけます。
She cleaned her apartment until it was **spotless**.	彼女は自分のアパートをしみひとつない状態になるまで掃除した。
She felt **kinship** with all of her coworkers.	彼女は同僚全員に親近感を抱いていた。
He keeps all of his files in **chronological** order.	彼はすべてのファイルを日付順で管理している。
Many people feel that the future looks rather **bleak**.	多くの人が、未来はかなり暗いと感じている。
The landslide was a major **calamity** for the locals.	その土砂崩れは、地元の人々にとって大きな災難だった。
The **clutter** on her desk keeps her from working effectively.	机の上が散らかっているため、彼女は効率よく仕事ができない。
They had booked the same flight to Paris by complete **coincidence**.	彼らはまったくの偶然でパリ行きの同じ便を予約していた。

05
28

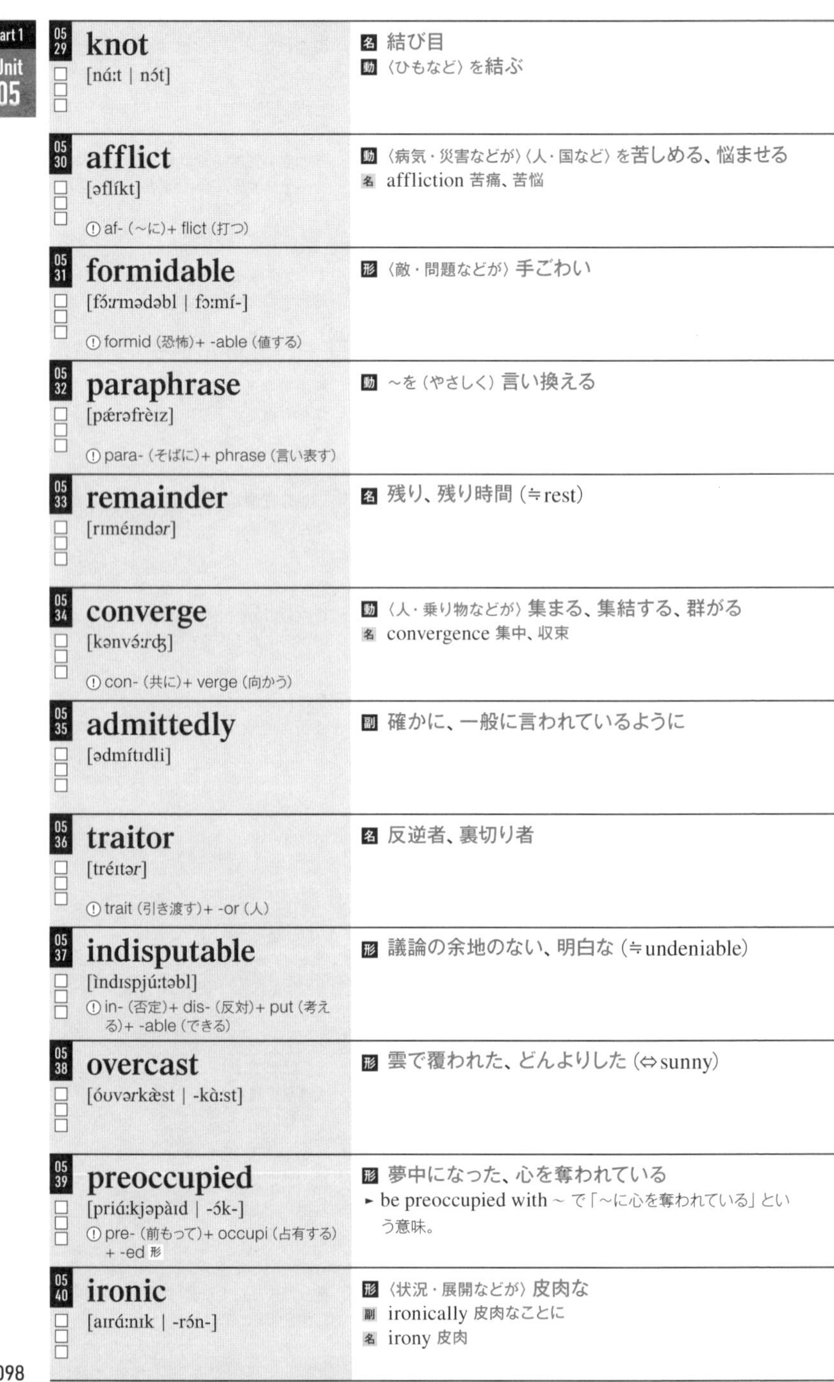

0529 **knot**
[nάːt | nɔ́t]
名 結び目
動 〈ひもなど〉を結ぶ

0530 **afflict**
[əflíkt]
① af-（～に）+ flict（打つ）
動 〈病気・災害などが〉〈人・国など〉を苦しめる、悩ませる
名 affliction 苦痛、苦悩

0531 **formidable**
[fɔ́ːrmədəbl | fɔːmí-]
① formid（恐怖）+ -able（値する）
形 〈敵・問題などが〉手ごわい

0532 **paraphrase**
[pǽrəfrèɪz]
① para-（そばに）+ phrase（言い表す）
動 ～を（やさしく）言い換える

0533 **remainder**
[rɪméɪndər]
名 残り、残り時間（≒rest）

0534 **converge**
[kənvə́ːrdʒ]
① con-（共に）+ verge（向かう）
動 〈人・乗り物などが〉集まる、集結する、群がる
名 convergence 集中、収束

0535 **admittedly**
[ədmítɪdli]
副 確かに、一般に言われているように

0536 **traitor**
[tréɪtər]
① trait（引き渡す）+ -or（人）
名 反逆者、裏切り者

0537 **indisputable**
[ìndɪspjúːtəbl]
① in-（否定）+ dis-（反対）+ put（考える）+ -able（できる）
形 議論の余地のない、明白な（≒undeniable）

0538 **overcast**
[óʊvərkæ̀st | -kὰːst]
形 雲で覆われた、どんよりした（⇔sunny）

0539 **preoccupied**
[priάːkjəpàɪd | -ɔ́k-]
① pre-（前もって）+ occupi（占有する）+ -ed 形
形 夢中になった、心を奪われている
► be preoccupied with ～ で「～に心を奪われている」という意味。

0540 **ironic**
[aɪrάːnɪk | -rɔ́n-]
形 〈状況・展開などが〉皮肉な
副 ironically 皮肉なことに
名 irony 皮肉

Track 045

She learned how to tie different **knots** at summer camp.	彼女はサマーキャンプでさまざまな結び目の作り方を学んだ。
The number of people **afflicted** with influenza is high this year.	今年はインフルエンザにかかった人が多い。
They had a match against a **formidable** opponent.	彼らは手ごわい相手と対戦した。
They learned how to **paraphrase** other people's ideas in class.	彼らは授業で、ほかの人の考えを言い換える仕方を学んだ。
I will be away on business for the **remainder** of the week.	私は今週の残りの日は出張でいません。
Several police cars **converged** on the scene of the crime.	パトカーが何台か犯罪現場に集結した。
Admittedly, my salary is low, but I'm OK with it.	確かに給料は低いが、私はそれで構わない。
She was deemed a **traitor** and sent to prison.	彼女は反逆者と見なされ、刑務所に送られた。
You need **indisputable** evidence to win the case.	訴訟に勝つには、明白な証拠が必要だ。
It was **overcast** this morning, but it is sunny now.	けさはどんよりしていたが、今はよく晴れている。
She **was** too **preoccupied with** work to notice the rain.	彼女は仕事に夢中で、雨に気づかなかった。
It is **ironic** that many farmers cannot feed their families.	多くの農家が家族を食べさせていけないなんて皮肉だ。

05
40

0541 **ingenuity**
[ìndʒən(j)úːəti]
① in- (中に) + genu (生み出す) + -ity 名

名 創意、巧妙さ
形 ingenious 創意に満ちた

0542 **endow**
[ɪndáʊ] ▲ 発音注意。
① en- (～に) + dow (与える)

動 ① ～に (基金などを) 寄付する
② 〈人〉に (才能などを) 授ける
名 endowment 寄付、才能

0543 **intervene**
[ìntərvíːn]
① inter- (間に) + vene (来る)

動 (調停・和平などのために) 介入する
名 intervention 介入

0544 **hospitality**
[hɑ̀ːspətǽləti | hɔ̀s-]
① hospit (客) + -ality 名

名 もてなし、接待
形 hospitable 手厚い、もてなす

0545 **uplifting**
[ʌ̀plíftɪŋ]

形 気持ちを高揚させる、励みとなる

0546 **synchronize**
[síŋkrənàɪz]
① syn- (同時の) + chron (時間) + -ize (～にする)

動 ～を同期させる、〈時計など〉の時間を合わせる

0547 **censor**
[sénsər]
① cens (評価する) + -or (人)

動 ～を検閲する
► カタカナ語の「センサー」は sensor (感知装置) なので注意。
名 censorship 検閲

0548 **burglary**
[bə́ːrgləri]

名 押し込み強盗、住居侵入
名 burglar 強盗、泥棒

0549 **sizzle**
[sízl]

動 ジュージューと音を立てる

0550 **prominence**
[prɑ́ːmənəns | prɔ́mɪ-]
① pro- (前方に) + min (出っ張る) + -ence 名

名 目立つこと、有名
形 prominent 卓越した、有名な

0551 **timid**
[tímɪd]
① tim (恐れる) + -id 形

形 臆病な、小心な
名 timidity 臆病、小心

0552 **disclose**
[dɪsklóʊz]
① dis- (否定) + close (閉じる)

動 〈秘密・情報など〉を明らかにする、公表する
(≒reveal)
名 disclosure 発表、開示

Track 046

Our company has the **ingenuity** required to succeed.	わが社には、成功するために必要な創意工夫がある。
The funds will be used to **endow** the local museum.	基金は地元の美術館への**寄付**に使われる予定だ。
The court had to **intervene** in the dispute between the siblings.	兄弟間の争いに裁判所が**介入**せざるを得なくなった。
The travelers received wonderful **hospitality** everywhere they went.	旅行者たちは行く先々で素晴らしいもてなしを受けた。
This novel is an **uplifting** story about trying your best.	この小説は、精一杯頑張ることについての**元気が出る**話だ。
I use this program to **synchronize** files between my two computers.	私はこのプログラムを使って、2台のコンピュータ間でファイルを**同期させて**いる。
This country's news reports are heavily **censored** by the government.	この国の報道は政府によって厳しく**検閲**されている。
Last week there was a **burglary** in the neighborhood.	先週、近所で**強盗事件**があった。
The fish **sizzled** when she dropped it into the pan.	彼女がフライパンに魚を入れると**ジューッと音が**した。
The philosopher's ideas came to **prominence** only after his death.	その哲学者の考えは、彼の死後になって初めて**注目**を集めるようになった。
The **timid** boy looked at the ground and said nothing.	その**臆病**な少年は、地面を見て何も言わずにいた。
Do not **disclose** any information to the media.	いかなる情報もマスコミには**開示**しないでください。

0553 **authorize**
[ɔ́:θəràɪz]

動 ～に権限を与える、許可する
名 authorization 公認、許可
名 authority 権威、権力

0554 **mock**
[mɑ́:k | mɔ́k]

動 ～をばかにする、からかう (≒laugh at ～)
形 模擬の
► make a mockery of ～ (～をばかにする) も出題されている。
名 mockery あざけり、からかい

0555 **preconceived**
[prì:kənsí:vd]

形 あらかじめ考えた

0556 **devour**
[dɪváʊər]
① de- (十分に)+ vour (食い尽くす)

動 ～をむさぼり食う

0557 **gush**
[gʌ́ʃ]

動 〈液体が〉噴出する；〈液体〉を噴出する

0558 **plague**
[pléɪg]

動 ～を悩ませる、苦しめる
名 疫病

0559 **sob**
[sɑ́:b | sɔ́b]

名 すすり泣き
動 すすり泣く

0560 **unorthodox**
[ʌ̀nɔ́:rθədɑ̀:ks | -dɔ̀ks]
① un- (否定)+ ortho (正しい)+ dox (意見)

形 正統でない、型破りな (≒unconventional) (⇔orthodox)

0561 **malicious**
[məlíʃəs]
① malic(e) (悪意)+ -ious (満ちた)

形 悪意のある、意地の悪い (≒spiteful)
名 malice 悪意

0562 **scrutiny**
[skrú:təni | -tɪ-]

名 監視、綿密な調査
動 scrutinize ～を詳しく調べる

0563 **profess**
[prəfés]
① pro- (前に)+ fess (認める)

動 ～を公言する、明言する

0564 **incomprehensible**
[ɪnkɑ̀:mprɪhénsəbl | ɪnkɔ̀m-]
① in- (否定)+ com- (完全に)+ prehens (つかむ)+ -ible (できる)

形 理解できない、不可解な (⇔comprehensible)

Track
047

His manager **authorized** him to enter the vault.	支店長は、彼が金庫室に入ることを許可した。
Everyone **mocked** him because of his bad haircut.	変な髪形のせいで、彼はみんなからからかわれた。
Most people's **preconceived** ideas about farming are incorrect.	多くの人の農業に対する先入観は間違っている。
They watched the lizard quickly **devour** its prey.	彼らはトカゲが獲物を素早く平らげるのを見た。
Water **gushed** from the manhole during the storm.	嵐の中、マンホールから水が噴き出した。
The mobile app project was **plagued** with problems from the start.	モバイルアプリのプロジェクトは、最初から問題に悩まされた。
He was surprised to hear her **sobs** from the other room.	彼は別の部屋から彼女のすすり泣きが聞こえてきて驚いた。
His teaching method is **unorthodox**, but it is also very effective.	彼の指導法は型破りだが、非常に効果的でもある。
She did not have any **malicious** intent when she talked.	彼女は、話しているときは一切悪意がなかった。
After the scandal, several politicians came under **scrutiny** from the public.	スキャンダル以降、何人かの政治家が大衆からの監視のもとに置かれた。
He **professed** his love for his family to everyone.	彼は家族への愛を皆に公言した。
Her reasons for leaving her job were completely **incomprehensible**.	彼女が仕事を辞めた理由は、まったく理解できないものだった。

0565 **reap**
[ríːp]
動 〈利益・報酬など〉を享受する、手にする

0566 **ample**
[ǽmpl]
形 豊富な、たっぷりの

0567 **miscellaneous**
[mìsəléɪniəs]
形 種々雑多な

0568 **articulate**
[形 ɑːrtíkjələt 動 ɑːrtíkjəlèɪt]
形 ①〈人が〉自分の考えをはっきり述べることができる ②〈言葉・発音などが〉明晰な
動 〈見解など〉をはっきり述べる

0569 **allocate**
[ǽləkèɪt]
! al-（～に）+ loc（場所）+ -ate（～にする）
動 ～を割り当てる、配分する
名 allocation 割り当て、配分

0570 **wag**
[wǽg]
動 〈体の一部〉を振る

0571 **remorseful**
[rɪmɔ́ːrsfl]
! re-（再び）+ mors（噛む）+ -ful（満ちた）
形 深く後悔した
名 remorse 深い後悔

0572 **crave**
[kréɪv]
動 ～を切望する、～が欲しくてたまらない

0573 **amenity**
[əménəti | əmíːn-]
! amen（心地よい）+ -ity 名
名 ①（生活・滞在などを快適にする）施設、設備 ②（場所などの）快適さ

0574 **evaporate**
[ɪvǽpərèɪt]
! e-（外に）+ vapor（蒸気）+ -ate（～にする）
動 蒸発する；～を蒸発させる
名 evaporation 蒸発

0575 **apprehension**
[æ̀prɪhénʃən]
! ap-（～に）+ prehens（とらえる）+ -ion 名
名（将来に関する）不安、心配（≒anxiety）
形 apprehensive 不安で

0576 **dip**
[díp]
名（価格・収入などの）低下、落ち込み
動 ～を（液体に）浸す

Track 048

The company **reaped** significant profits from the investments.

会社はその投資でかなりの利益を出した。

The teacher gave everyone **ample** time to finish their assignment.

その先生は、課題を終えられる**十分**な時間を全員に与えた。

This charity accepts donations of **miscellaneous** items of any size.

この慈善団体は、サイズを問わず**種々雑多な**品物の寄付を受け付けている。

You must be an **articulate** speaker to be a lawyer.

弁護士になるには、**はっきりとものが言え**なければならない。

The city **allocated** funds to upgrade the park this year.

市は今年、公園を改修する資金を**割り当てた**。

His dog **wags** its tail whenever it is happy.

彼の犬は、うれしいときはいつもしっぽを**振る**。

She was **remorseful** about the mistake she had made.

彼女は自分の犯した過ちを**深く後悔し**ていた。

She **craved** pickles and ice cream throughout her whole pregnancy.

彼女は妊娠中ずっとピクルスとアイスクリームを**食べたがった**。

Our rooms come equipped with all basic **amenities**.

客室にはすべての基本的な**設備**がそろっています。

Boil the carrots until most of the water has **evaporated**.

水分がほとんど**蒸発する**までニンジンをゆでます。

The thought of starting her own business filled her with **apprehension**.

自分で事業を始めると考えると、彼女は**不安**でいっぱいになった。

The **dip** in oil prices has decreased the cost of transportation.

原油価格の**下落**により、輸送コストが低下している。

0577 **excerpt** [éksəːrpt]
① ex-（外に）+ cerpt（引き抜く）
名 抜粋、引用

0578 **ordeal** [ɔːrdíːl]
① orde（命令）+ -al 名
名 辛い体験、試練

0579 **mourn** [mɔ́ːrn]
動 〈死・不幸など〉を悲しむ、嘆く
形 mournful 嘆き悲しんだ

0580 **autopsy** [ɔ́ːtɑːpsi | ɔ́ːtɔp-]
① aut（自己）+ opsy（検査）
名 検死（解剖）

0581 **fury** [fjúəri]
名 ①（悪天候などの）猛威 ② 激怒（≒rage）

0582 **abort** [əbɔ́ːrt]
動 ①〈計画など〉を中止する ②〈妊娠〉を中絶する
名 abortion 妊娠中絶

0583 **pretext** [príːtèkst]
① pre-（前に）+ text（織る）
名 口実、言い訳（≒excuse）

0584 **recurrent** [rɪkə́ːrənt | -kʌ́r-]
① re-（後ろに）+ cur(r)（走る）+ -ent 形
形 繰り返し起こる、再発する
動 recur 再発する

0585 **folklore** [fóʊklɔ̀ːr]
① folk（人々）+ lore（伝承）
名 民間伝承、伝説

0586 **installment** [ɪnstɔ́ːlmənt]
名（分割払いの）1回分の支払い
► in [by] installments で「分割払いで」という意味。

0587 **amendment** [əméndmənt]
① a-（離れて）+ mend（欠点）+ -ment 名
名（法律・規則などの）改正、修正
動 amend〈法律・規則など〉を改正する

0588 **conceited** [kənsíːtɪd]
形 うぬぼれた
名 conceit うぬぼれ

Track 049

During his speech, he read an **excerpt** from a well-known novel.	スピーチの中で彼は有名な小説からの引用句を読み上げた。
The loss of their father was a difficult **ordeal** for the children.	その子どもたちにとって父親を失ったことは大きな試練だった。
The country **mourned** the death of their monarch.	その国は君主の死を悼んだ。
They performed an **autopsy** to determine the cause of his death.	彼らは、彼の死因を特定するために検死を行った。
The **fury** of the storm destroyed many buildings in town.	嵐の猛威により、町の多くの建物が破壊された。
The pilot **aborted** the takeoff because of the bad weather.	悪天候のため、パイロットは離陸を中止した。
She went back to his house on the **pretext** that she had forgotten her scarf.	彼女は、スカーフを忘れたという口実で彼の家に戻った。
Issues of equality are a **recurrent** theme in her work.	平等の問題は、彼女の作品に繰り返し現れるテーマだ。
The eagle appears in a large amount of Native American **folklore**.	ワシは多くのアメリカ先住民の民間伝承に登場する。
He pays for his phone **in** monthly **installments**.	彼は電話機の代金を月割で払っている。
Everyone must agree before **amendments** to the contract are made.	契約書の改訂を行う前に、全員が同意する必要がある。
There is no denying that he is a gifted musician, but he is also very **conceited**.	彼が才能ある音楽家であることは間違いないが、同時にとてもうぬぼれている。

05 ▸ 88

0589 **intoxicated**
[ɪntáːksəkèɪtɪd | -tɔ́ks-]
① in- (中に) + toxic (毒) + -ate (～にする) + -(e)d 形

形 酔っ払った (≒drunk)

0590 **supernatural**
[sùːpərnǽtʃərəl]
① super (超えて) + nat (生まれる) + -ural 形

形 超自然の、不可思議な

0591 **deception**
[dɪsépʃən]
① de- (分離) + cept (取る) + -ion 名

名 だますこと、欺くこと
動 deceive ～をだます
形 deceptive 人を欺くような、当てにならない

0592 **drastic**
[drǽstɪk]

形 ①〈変化などが〉急激な
②〈手段などが〉抜本的な、思い切った
副 drastically 抜本的に

0593 **inherent**
[ɪnhíərənt | -hér-]
① in- (中に) + her (くっつく) + -ent 形

形 本来備わっている、生まれつきの
副 inherently 生来的に

0594 **ballot**
[bǽlət]

名 ① (無記名) 投票 ② 投票用紙
►「記名投票」は open [signed] ballot と言う。

0595 **plea**
[plíː]

名 嘆願、請願
動 plead 嘆願する、懇願する

0596 **loathe**
[lóʊð]

動 ～をひどく嫌う (≒dislike)

0597 **secluded**
[sɪklúːdɪd]
① se- (離れて) + clud (閉じる) + -ed 形

形〈場所が〉人目につかない、人里離れた
名 seclusion 隔絶、隠遁

0598 **herald**
[hérəld]

動 ～の先触れをする、到来を告げる

0599 **paranoid**
[pǽrənɔ̀ɪd]

形 被害 [誇大] 妄想の
名 paranoia 被害 [誇大] 妄想

0600 **shortfall**
[ʃɔ́ːrtfɔ̀ːl]

名 不足、未達 (≒shortage)

Track 050

It is against the law to drive while **intoxicated**.	酒に酔った状態で車を運転するのは法律違反だ。
TV shows about **supernatural** powers are very popular.	超自然的な力に関するテレビ番組は非常に人気がある。
The politician used **deception** in order to gather supporters.	その政治家は支持者を集めるためにごまかしをした。
The **drastic** increase in temperature is a serious problem.	急激な気温の上昇は深刻な問題だ。
There are **inherent** risks in this type of investment.	この種の投資にはリスクがつきものだ。
His **ballot** did not count because he filled it out wrong.	間違って記入したため、彼の票はカウントされなかった。
Their **pleas** for the company to stop dumping the chemicals were ignored.	会社に化学物質の投棄をやめることを求める彼らの嘆願は無視された。
She **loathes** the flavor of pumpkins.	彼女はカボチャの風味が大嫌いだ。
He spent a year living in a **secluded** house in the forest.	彼は森の中の人里離れた家に1年間住んでいた。
Clean energy could **herald** a new era for us.	クリーンエネルギーは、私たちに新しい時代の到来を告げるものかもしれない。
She is always **paranoid** that something will go wrong.	彼女はいつも、何かがうまくいかないのではないかと疑心暗鬼になっている。
The museum is having financial problems because of a **shortfall** in donations.	美術館は寄付不足のために財政難に陥っている。

0600

0601 **integrity**
[ɪntégrəti]
① in-（否定）+ tegr（触る）+ -ity 名

名 正直さ、誠実さ（≒honesty）

0602 **fanatical**
[fənǽtɪkl]

形 熱狂的な、狂信的な
名 fanatic 狂信者

0603 **defy**
[dɪfáɪ]
① de-（分離）+ fy（信用）

動 ～に反抗する、従わない
形 defiant 反抗的な
名 defiance 反抗的な態度

0604 **arc**
[ɑ́ːrk]

名 弧、弓形

0605 **debatable**
[dɪbéɪtəbl]

形 議論の余地のある（≒arguable）
名 debate 討論

0606 **rapidity**
[rəpídəti]
① rap（ひったくる）+ -id 形 + -ity 名

名 迅速さ、素早さ
形 rapid 速い

0607 **crumble**
[krʌ́mbl]

動 粉々になる、砕ける

0608 **pending**
[péndɪŋ]
① pend（かける）+ -ing 形

形 保留の、懸案の

0609 **embark**
[ɪmbɑ́ːrk]
① em-（中に）+ bark（小型帆船）

動 ① 始める、乗り出す ② 乗船する、搭乗する
► embark on ～ で「～を始める；～に乗船する」という意味。

0610 **overpower**
[òʊvərpáʊər]

動 ①〈相手〉を（力で）押さえ込む
②〈匂い・感情などが〉〈人〉を圧倒する

0611 **breach**
[bríːtʃ]

名（法律・約束などの）違反（≒violation）
動〈法律・協定など〉を破る

0612 **improper**
[ɪmprɑ́ːpər | -prɔ́pə]
① im-（否定）+ proper（固有の）

形 不適切な、ふさわしくない
（≒inappropriate）（⇔proper）

Track 051

He had the **integrity** to refuse the illegal offer.	彼にはその違法な申し出を拒絶する誠実さがあった。
The movie director has a devoted but **fanatical** following.	その映画監督には、熱心な、しかし狂信的なファンがいる。
He **defied** his parents' wishes by going to art school.	彼は両親の希望に沿わず、美術学校に進学した。
The rocket flew through the air in a large **arc**.	ロケットは大きな弧を描いて空中を飛んでいった。
It is **debatable** whether the drug actually improves sleep quality.	その薬が実際に睡眠の質を向上させるかどうかは議論の余地がある。
Everyone was impressed by the **rapidity** of his success.	彼の成功の速さに誰もが感心した。
The wall has started to **crumble** because of its age.	老朽化のため、壁が崩れ始めている。
The board's final decision on the matter is still **pending**.	この件に関する理事会の最終決定は、まだ保留中だ。
They **embarked on** a journey together to climb Mount Everest.	彼らは一緒に、エベレストに登る旅に出た。
The security guard **overpowered** the intruder and called the police.	警備員は侵入者を取り押さえ、警察に通報した。
Sharing the details of the job with a third party is a **breach** of contract.	仕事の詳細を第三者に伝えることは契約違反だ。
It is **improper** to talk about money with certain people.	お金の話をするのが無作法になる人もいる。

06
12

0613 **superstition** [sù:pərstíʃən]
① super- (上に) + stition (立つこと)

名 迷信
形 superstitious 迷信的な、迷信深い

0614 **entrepreneur** [à:ntrəprənə́:r | ɔ̀ntrəprə-]

名 起業家

0615 **rational** [rǽʃənəl]
① ratio(n) (計算) + -al 形

形 ① 合理的な、筋の通った (⇔irrational)
② 理性的な、分別のある (⇔irrational)

0616 **disposable** [dɪspóuzəbl]
① dis- (分離) + pos (置く) + -able (できる)

形 使い捨ての
熟 dispose of ~ ~を処分する
名 disposal 処分

0617 **intelligible** [ɪntélɪʤəbl]
① intel- (間の) + lig (選ぶ) + -ible (できる)

形 〈文・話などが〉はっきりしている、わかりやすい

0618 **applicable** [ǽplɪkəbl | əplíkəbl]
① ap- (~に) + plic (折り曲げる) + -able (できる)

形 当てはまる、適用できる
動 apply ~を当てはめる

0619 **uproar** [ʌ́prɔ̀:r]
① up- (強意) + roar (ほえ声)

名 大騒ぎ、騒動 (≒commotion)

0620 **humanitarian** [hju:mæ̀nətéəriən]
① humanit(y) (人道主義) + -arian (人)

形 人道的な、博愛主義の
名 人道主義者
名 humanity 人類;人間性

0621 **upside** [ʌ́psàɪd]

名 (悪い状況での) よい面 (⇔downside)

0622 **intricate** [íntrɪkət]
① in- (中に) + tric (困難) + -ate 形

形 〈模様・形などが〉入り組んだ、複雑な (≒complicated) (⇔simple)

0623 **endure** [ɪnd(j)úər]
① en- (中に) + dure (継続する)

動 ~に耐える (≒bear)
名 endurance 忍耐力

0624 **mobilize** [móubəlàɪz]
① mob (動く) + -il (できる) + -ize 動

動 〈軍隊など〉を動員する

Track 052

The belief that shooting stars bring good luck is just a **superstition**.	流れ星が幸運をもたらすという考えは、単なる迷信だ。
It is rare for such a young **entrepreneur** to already have three successful businesses.	このような若い起業家が、すでに3つの事業を成功させているのは珍しい。
Your theory must be **rational** and supported by evidence.	理論は合理的で、証拠によって裏づけられていなければならない。
You should avoid using **disposable** items as much as possible.	使い捨てのものはできるだけ使わないほうがよい。
The announcements on this train are barely **intelligible**.	この電車のアナウンスはほとんど聞き取れない。
Only fill out the information **applicable** to your situation.	ご自分の状況に該当する事項のみご記入ください。
His spending scandal caused an **uproar** all over the country.	彼の出費に関するスキャンダルは、国中に大騒動を引き起こした。
He is well-known for his **humanitarian** efforts in poor countries.	彼は貧しい国における人道的な活動で知られている。
The **upside** to outsourcing production is the decreased cost.	生産を外部委託する利点は、コストの削減だ。
The **intricate** carvings at this temple are famous.	この寺院の複雑な彫刻は有名だ。
She learned to **endure** the crowded commuter trains.	彼女は混雑した通勤電車に耐えられるようになった。
The government rushed to **mobilize** the army following the invasion.	侵攻を受けて政府は軍の動員を急いだ。

06 24

0625 **compatible**
[kəmpǽtəbl]
ⓘ com（共に）+ pat（感情）+ -ible（できる）

形 ①（人と）仲のよい、気が合う
②〈ソフトなどが〉互換性がある

0626 **flattery**
[flǽtəri]

名 お世辞、おべっか
動 flatter お世辞を言う

0627 **concession**
[kənséʃən]
ⓘ con-（共に）+ cess（行く）+ -ion 名

名 譲歩
動 concede〈試合・選挙など〉での敗北を認める

0628 **glare**
[gléər]

名 まぶしい光

0629 **abstain**
[əbstéɪn]
ⓘ abs-（離れて）+ tain（保つ）

動 慎む、控える
► abstain from ～ で「～を控える」という意味。

0630 **scanty**
[skǽnti]

形〈ものが〉（量的に）不十分な、不足した
形 scant 不十分な

0631 **condensation**
[kɑ̀:ndenséɪʃən | kɔ̀n-]
ⓘ con-（共に）+ dens（濃い）+ -ation 名

名（窓の）水滴、結露
動 condense〈気体〉を液化する、凝結させる

0632 **haven**
[héɪvn]

名 避難所、安全な場所
► tax haven は「租税回避地」。

0633 **assorted**
[əsɔ́:rtɪd]
ⓘ as-（～に）+ sort（分かち合う）+ -ed

形 詰め合わせた、雑多な
動 assort ～を分類する、仕分ける
名 assortment 詰め合わせ；分類すること

0634 **preclude**
[prɪklú:d]
ⓘ pre-（前で）+ clude（閉じる）

動 ～を妨げる（≒prevent）
► preclude A from *do*ing で「A が～するのを妨げる」。
名 preclusion 妨害

0635 **tolerable**
[tá:lərəbl | tɔ́lərə-]

形 耐えられる、我慢できる（≒bearable）（⇔intolerable）
動 tolerate ～に耐える；～を大目に見る
形 tolerant 寛容な　名 tolerance 寛容

0636 **yardstick**
[já:rdstìk]

名（判断・比較などの）基準、尺度（≒criterion）
►「1 ヤードの定規」が原義。

Track 053

The couple divorced because they were not **compatible**.	相性がよくなかったため、その夫婦は離婚した。
Flattery won't convince me to give you a better grade.	お世辞を言われても、あなたの成績を上げたりはしませんよ。
During negotiations, the company has refused to make any **concessions**.	交渉の間、その会社は一切の譲歩を拒んだ。
The **glare** of the sun through the window was blinding.	窓から差し込む太陽の光がまぶしかった。
The doctor told her to **abstain from** eating the night before the operation.	医師は彼女に、手術の前の晩は食事を控えるように言った。
They can barely afford to live on their **scanty** wages.	彼らはそのわずかな賃金では生活するのがやっとだ。
Make sure to wipe away the **condensation** to prevent molding.	かびを防ぐために、結露を必ず拭き取ってください。
The goal of this park is to provide a safe **haven** for local wildlife.	この公園の目的は、地域の野生動物に安全な避難場所を提供することだ。
She gets a box of **assorted** chocolates every few weeks.	彼女は何週間かに一度は、箱入りのチョコレートの詰め合わせを買う。
He was **precluded from** becoming a pilot because of his poor eyesight.	彼は視力が悪いため、パイロットになれなかった。
It was painful, but the pain was **tolerable**.	痛かったが、痛みは耐えられるものだった。
Most universities still use the tests as a **yardstick** for measuring a student's ability.	ほとんどの大学は、学生の能力を測る指標として今でもテストを使っている。

06
36

0637
mischievous
[místʃɪvəs]
① mis（悪い）+ chiev（頭）+ -ous（満ちた）
形 〈子どもが〉いたずら好きな
名 mischief いたずら

0638
bid
[bíd]
名 試み、企て
動 （競売・入札で）（もの・工事などに）〈値〉をつける

0639
cease
[sí:s]
動 ① ～（するの）を終える、やめる ② 終わる、やむ
► ceaseless（絶え間ない）という語も覚えておこう。
名 cessation 停止

0640
persistent
[pərsístənt]
① per-（通して）+ sist（耐える）+ -ent 形
形 しつこい、粘り強い
動 persist 固執する
名 persistence 粘り強さ

0641
resignation
[rèzɪgnéɪʃən]
① re-（後ろに）+ sign（印をつける）+ -ation 名
名 辞任、辞職
動 resign 辞任する、辞職する

0642
hypocritical
[hìpəkrítɪkl]
形 偽善的な
名 hypocrisy 偽善
名 hypocrite 偽善者

0643
deserted
[dɪzə́:rtɪd]
形 人通りのない、ひっそりとした
►「砂漠」と同じつづりの動詞 desert（〈場所〉を（捨てて）去る）の過去分詞。

0644
savage
[sǽvɪdʒ]
形 凶暴な、残忍な；〈動物が〉どう猛な

0645
confront
[kənfrʌ́nt]
① con-（共に）+ front（額を突き合わせる）
動 〈困難など〉に直面する（≒face）
名 confrontation 対立；直面

0646
shriek
[ʃrí:k]
名 金切り声、悲鳴
動 金切り声を上げる

0647
patriot
[péɪtriət | pǽtriət]
① patr（父）+ -iot（人）
名 愛国者
形 patriotic 愛国的な
名 patriotism 愛国心

0648
reckless
[rékləs]
① reck（注意）+ -less（ない）
形 むこうみずな、無謀な

Track 054

She is **mischievous** and always getting into trouble.	彼女はいたずら好きで、いつも問題を起こす。
His **bid** to become the country's biggest pop star failed.	国内最大のポップスターになるという彼のもくろみは失敗に終わった。
Please don't move until the boat **ceases** rocking.	ボートの揺れが収まるまで動かないでください。
She was **persistent** in her demands for a raise.	彼女はしつこく昇給を要求した。
The CEO's **resignation** came as a surprise to everyone.	CEO の辞任は、誰にとっても驚きだった。
It is **hypocritical** to expect overtime from employees without working overtime yourself.	自分が残業しないで従業員に残業を求めるのは、偽善的だ。
The shopping center is always **deserted** on weekdays.	そのショッピングセンターは平日はいつも閑散としている。
The victim was lucky to survive the **savage** attack.	被害者は幸運にもこの狂暴な襲撃を生き延びた。
The man finally **confronted** his fear of flying by taking a trip to Italy.	その男性はイタリア旅行をすることで、ついに飛行機恐怖症と向き合った。
They all heard a **shriek** coming from down the street.	彼らは皆、通りの向こうからの悲鳴を耳にした。
She is a true **patriot** who cares about her country.	彼女は自国を思う真の愛国者だ。
Many teenagers die every year because of **reckless** driving.	毎年多くの 10 代の若者が無謀運転で命を落としている。

06
48

0649 **stingy**
[stíndʒi]

形 けちな、しみったれた（⇔generous）

0650 **lament**
[ləmént]

動 ～を嘆く（≒grieve）

0651 **ranger**
[réɪndʒər]

名 森林警備員

0652 **arouse**
[əráuz]
① a-（～に）+ rouse（目覚めさせる）

動 〈注意・感情など〉を喚起する（≒stimulate）

0653 **foil**
[fɔ́ɪl]

動 〈計略など〉を妨げる、失敗させる

0654 **contaminate**
[kəntǽmənèɪt]
① con-（～に）+ taminate（汚す）

動 ～を汚染する
名 contamination 汚染
名 contaminant 汚染物質

0655 **implication**
[ìmpləkéɪʃən]
① im-（中に）+ plic（折る）+ -ation 名

名 ①（予想される）影響、結果 ② 含意、暗示
► ①の意味ではふつう複数形で使う。

0656 **stoically**
[stóuɪkli]

副 平然と、冷静に

0657 **conditional**
[kəndíʃənl]
① con-（共に）+ dit（言う）+ -ional 形

形 条件つきの（⇔unconditional）
► conditional on [upon] ～ で「～の条件つきで」という意味。
名 condition 条件

0658 **archaic**
[ɑːrkéɪɪk]

形 ①〈言葉が〉古風な、古語の
② 時代遅れの、旧式の

0659 **ascertain**
[æ̀sərtéɪn] ▲ 発音注意。
① as-（～に）+ certain（確かな）

動 ～を確かめる、確認する

0660 **observant**
[əbzə́ːrvənt]

形 観察力の鋭い、注意深い
動 observe ～を観察する
名 observation 観察

Track 055

The **stingy** business owner never gives his employees raises.	そのけちな事業主は決して従業員を昇給させない。
He is still **lamenting** what he lost in the fire.	彼は火事で失ったもののことをまだ嘆いている。
His dream was to become a park **ranger** in the forests of Alaska.	彼の夢はアラスカの森林の公園管理人になることだった。
The salesperson seemed nervous, which **aroused** the client's suspicion.	そのセールスマンは緊張気味で、それが顧客の疑念を引き起こした。
The robber's plot was **foiled** by the police.	強盗の企みは警察によって阻止された。
The lettuce was found to be **contaminated** with bacteria.	そのレタスはバクテリアに汚染されていることが判明した。
The opening of the mall had economic **implications** for the entire community.	ショッピングモールのオープンは、地域全体に経済的な影響をもたらした。
She handled all of the difficulties **stoically**.	彼女はあらゆる困難に冷静に対処した。
Her promotion was **conditional on** agreeing to do night shifts.	彼女の昇進は、夜勤を承諾することが条件だった。
The **archaic** language of this text is hard to understand.	この文章の古めかしい言葉はわかりづらい。
Scientists **ascertained** that the asteroid would not hit Earth.	科学者たちは、その小惑星が地球に衝突しないことを確認した。
It was **observant** of you to notice that mistake.	その間違いに気づいたなんて、あなたは注意深いですね。

06/60

0661 **rhetoric** [rétərɪk]
名 美辞麗句、誇張
形 rhetorical 修辞的な

0662 **cramp** [kræmp]
名 ①（激しい）腹痛 ② ひきつり、けいれん
動 ～にけいれんを起こさせる

0663 **audible** [ɔ́ːdəbl]
! aud（聞く）+ -ible（できる）
形 聞こえる、聞き取れる（⇔inaudible）
副 audibly 人に聞こえるように

0664 **resurgence** [rɪsə́ːrdʒəns]
! re-（再び）+ surg(e)（上がる）+ -ence 名
名 再起、再燃、復活

0665 **standstill** [stǽndstìl]
! stand（立つ）+ still（静止して）
名 停止、休止（≒halt）

0666 **immortality** [ìmɔːrtǽləti]
! im-（否定）+ mort（死）+ -al 形 + -ity 名
名 不死、不滅の命（⇔mortality）
形 immortal 不死の

0667 **potent** [póʊtənt]
! pot（力強い）+ -ent 形
形 ①〈薬などが〉強い効果を持つ（≒effective）② 説得力のある、強力な（⇔impotent）
名 potency 影響、効果

0668 **inevitably** [ɪnévətəbli]
! in-（否定）+ evit（避ける）+ -abl（できる）+ -(l)y 副
副 必然的に、必ず（≒unavoidably）
形 inevitable 不可避の

0669 **curfew** [kə́ːrfjuː]
名 ①（子どもの）門限 ②（夜間）外出禁止令

0670 **nominate** [nάːmənèɪt | nɔ́m-]
! nomin（名前）+ -ate（～にする）
動 ～を指名する、推薦する
名 nomination 指名、推薦
名 nominee 指名された人、候補者

0671 **depiction** [dɪpíkʃən]
! de-（強意）+ pict（描く）+ -ion 名
名 描写、叙述（≒representation）
動 depict ～を表現［描写］する

0672 **deliberately** [dɪlíbərətli]
! de-（完全に）+ liber（天秤にかける）+ -ately 副
副 わざと、故意に（≒intentionally, on purpose）（⇔accidentally）
形 deliberate 故意の
名 deliberation 熟考

Track 056

Her campaign promises are all just **rhetoric**.	彼女の選挙公約はすべて美辞麗句にすぎない。
She got a **cramp** in her side while running.	彼女は走っているときに脇腹が痛くなった。
His voice was not **audible** due to the sound of the wind.	彼の声は風の音で聞こえなかった。
The **resurgence** of tourists has surprised the region.	観光客が戻ってきたことにその地域は驚いている。
The show came to a **standstill** when the singer fell.	歌手が倒れて、そのショーは途中で中止された。
Those following this religion believe in the **immortality** of the soul.	この宗教の教えに従う人々は、魂の不死を信じている。
Such **potent** medication is not normally recommended for children.	このように強い薬は通常、子どもには勧められない。
The first day of school is **inevitably** hectic.	学校の初日はどうしても慌ただしくなる。
His parents gave him an 11 o'clock **curfew** in high school.	彼が高校生のころ、両親は彼に 11 時の門限を課していた。
The team's pitcher was **nominated** for player of the year.	そのチームのピッチャーは年間最優秀選手にノミネートされた。
The novel is praised for its **depiction** of rural life.	その小説は、田舎暮らしの描写が高く評価されている。
He **deliberately** threw away his sister's favorite toy.	彼は妹のお気に入りのおもちゃをわざと捨てた。

06/72

0673 **remnant**
[rémnənt]
① re-（後ろに）+ mn（留まる）+ -ant 名

名 名残、面影

0674 **precaution**
[prɪkɔ́:ʃən]
① pre-（前もって）+ caution（注意）

名 用心、予防措置（≒safeguard）

0675 **catastrophe**
[kətǽstrəfi]
① cata-（下に）+ strophe（ひっくり返す）

名 破局、大失敗
形 catastrophic 破滅的な

0676 **intimidate**
[ɪntímədèɪt]
① in-（中に）+ timid（臆病な）+ -ate（～にする）

動 〈人〉を脅迫する、おどす（≒frighten）
名 intimidation 脅迫、威嚇

0677 **sluggish**
[slʌ́gɪʃ]

形 〈経済などが〉停滞した

0678 **mediator**
[mí:dièɪtər]

名 仲介者、調停者
動 mediate ～を仲介する

0679 **moderation**
[mὰ:dəréɪʃən | mɔ̀d-]
① mode（測る）+ -(r)ation 名

名 適度、節度
形 moderate 適度な、並みの

0680 **shrewd**
[ʃrú:d]

形 頭の切れる、やり手の（≒astute）

0681 **loophole**
[lú:phòʊl]

名 （法律・契約などの）抜け穴

0682 **poach**
[póʊtʃ]

動 密猟する、密漁する
名 poacher 密猟者、密漁者
名 poaching 密猟、密漁

0683 **insoluble**
[ɪnsá:ljəbl | -sɔ́l-]

形 ①〈問題などが〉解決できない
②溶けない（⇔soluble）

0684 **anecdote**
[ǽnɪkdòʊt]
① an-（否定）+ ec-（外に）+ dote（与える）

名 逸話、秘話

Track 057

The town contains few **remnants** of the mining days.	その町には炭鉱時代の名残がほとんどない。
They washed their hands as a **precaution** against illness.	彼らは病気の予防策として手を洗った。
Everything at the event went wrong; it was a total **catastrophe**.	そのイベントは何もかもうまくいかず、完全に大失敗だった。
She claims that the police **intimidated** her into confessing.	彼女は、警察が自白するよう脅したと主張している。
The **sluggish** economy is hurting low income people the most.	低迷した経済は、低所得層の人々に最も打撃を与えている。
The two companies hired a **mediator** to help settle the issue.	両社は問題解決を手助けする仲介者を雇った。
You should only eat junk food in **moderation**.	ジャンクフードはほどほどに食べるだけにしてください。
He is a **shrewd** journalist who knows politics well.	彼は政治をよく知るやり手のジャーナリストだ。
Congress passed a new law to close a tax **loophole**.	国会は税の抜け穴をふさぐために新しい法律を成立させた。
It is a ranger's job to stop people from **poaching**.	人々に密猟をやめさせるのがレンジャーの仕事だ。
Unfortunately, there is nothing we can do about this **insoluble** problem.	残念ながら、この解決できない問題について私たちができることはない。
She shared many funny **anecdotes** about her old job.	彼女は以前の仕事について、面白い逸話をたくさん話してくれた。

06
84

0685 **yearn**
[jə́ːrn]

動 ～を切望する、恋しく思う
► yearn to *do* で「～することを切望する」という意味。
名 yearning 切望

0686 **diligent**
[dílɪdʒənt]
ⓘ di-（分離）+ lig（選ぶ）+ -ent 形

形 〈人・態度などが〉勤勉な、熱心な
名 diligence 勤勉

0687 **industrialize**
[ɪndʌ́striəlàɪz]

動 〈国・地域など〉を産業化する、工業化する
形 industrial 産業［工業］の
名 industrialization 産業化、工業化

0688 **generalization**
[dʒènərələzéɪʃən | -laɪ-]

名 ① 一般論 ② 一般化、概括
形 general 一般的な
動 generalize（～を）一般化する

0689 **idle**
[áɪdl]

形 〈人・機械などが〉仕事をしていない、動いていない
動 ～をアイドリングさせる

0690 **forge**
[fɔ́ːrdʒ]

動 ① 〈関係など〉を築く（≒build）
② 〈文書など〉を捏造（ねつぞう）する（≒counterfeit）
名 forgery 偽造（物）

0691 **intermittently**
[ìntərmítntli]

副 断続的に、途切れ途切れに
形 intermittent 断続的な

0692 **constitute**
[kɑ́ːnstət(j)ùːt | kɔ́nstɪ-]
ⓘ con-（共に）+ stit（置く）+ -ute 動

動 ～と見なされる、～に等しい
名 constitution 構成；憲法

0693 **inhospitable**
[ìnhɑːspítəbl | -hɔs-]

形 ① 〈場所が〉住むのに適さない、荒れ果てた（⇔hospitable）
② もてなしの悪い

0694 **lure**
[lúər | ljúə]

動 ～を誘い出す、誘い込む（≒entice）
名 魅力

0695 **traumatic**
[trəmǽtɪk | trɔː-]

形 心的外傷を残す
名 trauma 心的外傷、トラウマ

0696 **discredit**
[dɪskrédət]
ⓘ dis-（否定）+ cred（信じる）+ -it 動

動 ～の信用を傷つける
名 信用の失墜

Track 058

She **yearned to** see her family again.	彼女はもう一度家族に会えることを切に願った。
Our success is all thanks to our **diligent** employees.	わが社の成功はもっぱら勤勉な社員たちのおかげだ。
After the area was **industrialized**, pollution there worsened.	その地域が工業化されてから、そこの公害は悪化した。
It is a gross **generalization** to say all politicians are bad.	政治家がみんな悪いと言うのは、乱暴な一般論だ。
The factory workers were **idle** while waiting for materials.	資材を待つ間、工場労働者は仕事をしていなかった。
Forging new relationships will help us expand our business.	新たな関係を築くことは、わが社のビジネスの拡大に役立つ。
It is only supposed to snow **intermittently** this evening.	今夜は断続的にしか雪が降らないはずだ。
Her actions **constitute** a violation of her contract.	彼女の行動は契約違反と見なされる。
The deep sea is an **inhospitable** environment for most creatures.	深海は、ほとんどの生物にとって住むのに適さない環境だ。
The restaurant handed out coupons to **lure** new customers.	そのレストランは新しい客を呼び込むためにクーポンを配布した。
Surviving a natural disaster can be a **traumatic** experience.	自然災害に遭って生き延びることは、心的外傷を残す経験になる可能性がある。
The purpose of the article was to **discredit** the mayor.	その記事の目的は、市長の信用を傷つけることだった。

06
96

0697 **ambiguous**
[æmbígjuəs]
① amb (周りを) + ig (行く) + -ous (満ちた)

形 あいまいな
名 ambiguity あいまいさ

0698 **autonomy**
[ɔːtɑ́ːnəmi | ɔːtɔ́n-]
① auto (自身の) + nomy (法則)

名 ① 自主性、自由 ② 自治 (権)
形 autonomous 自治の、自治権のある

0699 **autobiography**
[ɔ̀ːtəbaɪɑ́ːgrəfi | -ɔ́g-]
① auto- (自身の) + bio (人生) + graphy (書かれたもの)

名 自叙伝、自伝

0700 **contradictory**
[kɑ̀ːntrədíktəri | kɔ̀n-]
① contra- (反対に) + dict (言う) + -ory 形

形 〈話・考えなどが〉 矛盾している
名 contradiction 矛盾
動 contradict ～と矛盾する

0701 **roster**
[rɑ́ːstər | rɔ́s-]

名 名簿、勤務リスト

0702 **nauseous**
[nɔ́ːʃəs | -siəs]

形 吐き気を催した
名 nausea 吐き気
動 nauseate 〈人〉 に吐き気を催させる

0703 **coherent**
[kouhíərənt]
① co- (共に) + her (付着する) + -ent 形

形 首尾一貫した
名 coherence 一貫性

0704 **quest**
[kwést]

名 探求

0705 **acute**
[əkjúːt]
① a- (～にする) + cute (鋭い)

形 ① 〈痛みなどが〉 鋭く激しい ② 〈病気が〉 急性の ③ 〈状況が〉 深刻な

0706 **exaggeration**
[ɪgzæ̀ʤəréɪʃən]

名 誇張、誇張した表現
動 exaggerate ～を誇張する

0707 **ridicule**
[rídɪkjùːl]

動 ～を嘲笑(ちょうしょう)する、あざける
名 嘲笑、あざけり
形 ridiculous ばかげた、滑稽な

0708 **bashful**
[bǽʃfl]

形 内気な、恥ずかしがり屋の (≒shy)

Track 059

She did not know how to interpret his **ambiguous** words.	彼女は彼のあいまいな言葉をどう解釈していいかわからなかった。
Our school believes in giving students a lot of **autonomy**.	当校は、生徒に高い自主性を与えることを信条としている。
The TV star wrote an **autobiography** after she retired.	そのテレビスターは引退後、自伝を書いた。
Your essays are always full of **contradictory** statements.	あなたの作文はいつも矛盾した記述でいっぱいだ。
She was excited to see her name on the **roster** of players.	彼女は自分の名前が選手名簿にあるのを見て、興奮した。
The winding mountain roads made him **nauseous**.	曲がりくねった山道のせいで、彼は吐き気を催した。
Please present a **coherent** argument that is easy to understand.	わかりやすく首尾一貫した議論をしてください。
The case is closed, but the investigator's **quest** for the truth still continues.	事件は終結したが、捜査官の真相究明はまだ続いている。
He was hospitalized for **acute** pain in his abdomen.	彼は腹部の激しい痛みのため入院した。
It is an **exaggeration** to say you are starving when you are hungry.	おなかが空いたときに飢えていると言うのは誇張だ。
He was **ridiculed** for his mistake for weeks.	彼は何週間も間違いをばかにされた。
She felt **bashful** dancing in front of her parents.	彼女は両親の前で踊るのが恥ずかしかった。

07
08

0709 **familiarize** [fəmíljəràɪz | -iər-]

動 〈人〉を慣れさせる
► familiarize *oneself* with ~ で「~に習熟する」という意味。
形 familiar なじみのある

0710 **prone** [próʊn]

形 (好ましくない) 傾向がある、~しがちな (≒liable)
► be prone to *do* (~する傾向がある) の形で出題されることもある。

0711 **estimation** [èstəméɪʃən]

名 評価、意見、判断
► in *one's* estimation で「~の意見では」という意味。
動名 estimate ~を見積もる；見積もり

0712 **avail** [əvéɪl]

名 利益、効果
► to no avail で「無駄で、無益で」という意味。
形 available 利用［入手］可能な、役に立つ
名 availability 利用［入手］できること

0713 **compel** [kəmpél]

① com- (強意)+ pel (追いやる)

動 ~を強制する、強いる (≒force)
► compel A to *do* で「A に (無理に) ~させる」という意味。
形 compelling 強制的な、やむを得ない；人の心をつかむ

0714 **indicative** [ɪndíkətɪv]

① in- (~に)+ dic (言う)+ -ative 形

形 示して、暗示して
► be indicative of ~ で「~を示す、暗示する」という意味。
動 indicate ~を示す
名 indication 徴候；指示

0715 **receptive** [rɪséptɪv]

形 理解がある、ものわかりのよい
動 receive ~を受け入れる
名 reception 宴会；受付；受容

0716 **immerse** [ɪmə́ːrs]

動 ① ~を没頭させる、熱中させる
② ~を沈める、浸す
► immerse *oneself* in ~ で「~に没頭する」という意味。
名 immersion 浸すこと

0717 **batch** [bǽtʃ]

名 1回に生産［処理］される量
► a batch of ~ で「ひとまとまりの~、(パンなどの) ひと焼き分の~」という意味。

0718 **verge** [və́ːrdʒ]

名 ① 間際、瀬戸際 ② 縁、境界
► on the verge of ~ で「~に瀕して」という意味。

0719 **appreciative** [əpríːʃətɪv | -ʃiə-]

形 ① 〈人が〉感謝して ② 鑑賞力のある
► be appreciative of ~ で「~に感謝している」という意味。
動 appreciate ~に感謝する；~を正しく理解する
名 appreciation 感謝

0720 **conceal** [kənsíːl]

① con- (完全に)+ ceal (隠す)

動 ~を隠す、隠ぺいする (≒hide)
名 concealment 隠ぺい

Track 060

It took her a few weeks to **familiarize herself with** the new software.	彼女が新しいソフトウェアに**習熟する**まで数週間かかった。
He has **been prone to** illness his whole life.	彼は生まれてからずっと病気**がちだ**。
In my estimation, this is the best dictionary around.	私の**意見では**、これが今手に入る辞書としては最高のものだ。
She begged for his forgiveness, but **to no avail**.	彼女は彼に許しを請うたが、**無駄だった**。
His curiosity **compelled** him **to** taste the spicy pepper.	彼は好奇心が旺盛で、辛いコショウを食べて**みずにはいられなかった**。
The rise in inflation **is indicative of** greater economic issues.	インフレの上昇は、より大きな経済問題を**暗示している**。
She has always been **receptive** to new ideas.	彼女は常に新しい考えを**受け入れて**きた。
He **immersed himself in** his studies to pass the bar.	彼は司法試験に合格するために勉強に**没頭した**。
His mother baked **a batch of** cookies before the party.	彼の母はパーティーの前に**ひと焼き分**のクッキーを焼いた。
The country is **on the verge of** economic collapse.	その国は経済崩壊**の瀬戸際**にいる。
We **are appreciative of** your generous donations to our cause.	私たちの目的達成のために多大なる寄付をいただき、**感謝い**たします。
The company tried to **conceal** their wrongdoing, but failed.	その会社は不正を**隠そう**としたが、失敗した。

07
20

0721 **endorse** [ɪndɔ́ːrs]
動 ① 〈意見・提案など〉を承認する、支持する
② 〈商品など〉を推奨する
名 endorsement 支持；推奨

0722 **tragic** [trǽdʒɪk]
形 悲劇的な、悲惨な
名 tragedy 惨事、悲劇的な事態

0723 **harass** [həræ̃s | hǽrəs]
動 ～を（絶えず）困らせる、苦しめる
名 harassment 嫌がらせ

0724 **tender** [téndər]
形 ① 〈肉・野菜などが〉柔らかい（⇔tough）
② 〈人・行為などが〉優しい（≒gentle）
③ 幼い、若い

0725 **feeble** [fíːbl]
形 弱った、衰弱した

0726 **foster** [fɔ́(ː)stər]
動 ① 〈才能など〉を育む、促進する
（≒encourage, promote）
② 〈他人の子ども〉を養育する

0727 **magnify** [mǽgnəfàɪ]
① magn（大きな）+ -ify（～にする）
動 〈レンズなどが〉～を拡大する（≒enlarge）

0728 **testimony** [téstəmòʊni | -tɪməni]
① test(i)（証言する）+ mony（結果）
名 ① 証言 ② 証拠（≒proof）

0729 **soak** [sóʊk]
動 ～を浸す
► get soaking wet（びしょぬれになる）という表現も覚えておこう。

0730 **grant** [grǽnt | grɑ́ːnt]
動 〈許可など〉を与える、認める
名 助成金、補助金

0731 **boundary** [báʊndəri]
① bound（境界）+ -ary（場所）
名 境界（線）

0732 **scatter** [skǽtər]
動 ① ～をまき散らす ② ～を散り散りにさせる

Track 061

The board **endorsed** the CEO's decision to resign.	理事会は CEO の辞任の決断を承認した。
Most people cry when listening to her **tragic** story.	ほとんどの人が彼女の悲劇的な話を聞くと涙する。
The woman was charged with **harassing** her neighbors.	その女性は隣人への嫌がらせの罪で起訴された。
Filet mignon is a very **tender** cut of steak.	フィレミニョンは、とても柔らかいステーキ肉の部位だ。
Her grandmother is now too **feeble** to walk.	彼女の祖母はもう弱って歩くことができない。
The afterschool program aims to **foster** creativity in youth.	その放課後プログラムは、青少年の創造性を育むことを目的としている。
If you **magnify** the image, you'll notice there is a woman in the background.	画像を拡大すると、背景に女性がいることがわかります。
The **testimony** of the witness was later found to be false.	証人の証言はあとになって偽りであることがわかった。
She **soaked** the rice in cold water before cooking it.	彼女はご飯を炊く前に米を冷水に浸した。
He was **granted** permission to enter the lab.	彼は研究室に入る許可を与えられた。
This mountain marks the **boundary** between Nepal and China.	この山は、ネパールと中国の境界を成している。
A sudden wind **scattered** the pile of papers on the table.	突然の風がテーブルの上に積まれた書類をまき散らした。

07
32

0733 **overload**
[òʊvərlóʊd]
動 ～に荷を積みすぎる、過重な負担をかける

0734 **confine**
[動 kənfáɪn 名 kɑ́:nfaɪn | kɔ́n-]
① con-（共に）+ fine（限界）
動 ～を限定する、限る（≒restrict）
名 [confines] 限界

0735 **litter**
[lítər]
動 〈場所〉を（ごみなどで）散らかす
名 散らかったもの、ごみ

0736 **dispatch**
[dɪspǽtʃ]
動 ①〈部隊・使者など〉を派遣する（≒send）
②〈手紙・小包など〉を急送する

0737 **arrogant**
[ǽrəgənt]
① ar-（～に）+ rog（請う）+ -ant 形
形 横柄な、尊大な
名 arrogance 横柄さ

0738 **awkward**
[ɔ́:kwərd]
形 ①〈人・動作などが〉不器用な、ぎこちない（≒clumsy）
②〈瞬間・沈黙などが〉決まりの悪い、気まずい
副 awkwardly 不器用に

0739 **tame**
[téɪm]
形 〈動物が〉飼い慣らされた（≒tamed）（⇔wild）
動 〈動物〉を飼い慣らす

0740 **penetrate**
[pénətrèɪt]
動 ① 貫通する；侵入する ② ～を貫く
名 penetration 貫通

0741 **suppress**
[səprés]
① sup-（下に）+ press（押す）
動 ① ～を制圧する、鎮圧する
②〈事実など〉を隠す、もみ消す
③〈感情など〉を押し殺す
名 suppression 制圧

0742 **rigid**
[rídʒɪd]
形 ①〈考えなどが〉固い、硬直した（≒inflexible）（⇔flexible）
②〈規則などが〉厳しい、厳密な（≒strict）
名 rigidity 硬直；厳格

0743 **disgrace**
[dɪsgréɪs]
① dis-（否定）+ grace（好意）
動 ～の面目を失わせる
名 不名誉

0744 **restrain**
[rɪstréɪn]
① re-（後ろに）+ strain（縛る）
動 ①〈人など〉を拘束する
②〈感情など〉を抑える（≒control）

Track 062

They had **overloaded** the old truck with rocks, and it struggled to climb the hill.	彼らは古いトラックに岩を積みすぎて、丘を登るのに苦労した。
Let's **confine** our discussion to marketing for now.	さしあたり、議論をマーケティングに限定しましょう。
The floor was **littered** with dirty clothes and dishes.	床には汚れた服や食器が散らばっていた。
Even their neighboring countries **dispatched** rescue workers to the area.	近隣諸国までもが、その地域に救助隊を派遣した。
He is so **arrogant**; he thinks he knows everything.	彼はとても傲慢で、自分が何でも知っていると思っている。
The way she talks can be **awkward** at times.	彼女の話し方は時にぎこちないことがある。
This raccoon is **tame** because he was raised indoors.	このアライグマは屋内で育てられたので、人に慣れている。
The military **penetrated** deep into enemy territory.	軍隊は敵の領土の奥深くまで侵入した。
The uprising was successfully **suppressed** by the government.	暴動は政府によって無事に鎮圧された。
His **rigid** way of thinking sometimes leads to conflict.	彼の頑固なものの考え方は、時に摩擦を引き起こす。
He **disgraced** his family with his illegal activities.	彼は不法行為で家名を汚した。
Sometimes it is necessary to **restrain** patients that are in extreme pain.	時には痛みの激しい患者を拘束しなければならないこともある。

07
44

0745 **abolish**
[əbάːlɪʃ | -bɔ́l-]
ⓘ abol（破壊する）+ -ish（〜にする）

動 〜を廃止する（≒do away with 〜）
名 abolition 廃止

0746 **friction**
[fríkʃən]

名 摩擦

0747 **coarse**
[kɔ́ːrs]

形 〈生地・肌などが〉きめの粗い、ざらざらした（⇔smooth, fine）

0748 **cowardly**
[káʊərdli]

形 〈行動・人などが〉臆病な、卑怯な（⇔brave, courageous）
► ly で終わるが、形容詞である点に注意。
名 coward 臆病者、卑怯者　名 cowardice 臆病（な行為）

0749 **petty**
[péti]

形 ささいな、つまらない（≒trivial）

0750 **detention**
[dɪténʃən]
ⓘ de-（下に）+ tent（保つ）+ -ion 名

名 （判決前の）勾留、留置
動 detain 〜を勾留する

0751 **blunt**
[blʌ́nt]

形 〈ナイフなどが〉切れない、鈍い（≒dull）（⇔sharp）

0752 **vigorous**
[vígərəs]
ⓘ vigor（元気）+ -ous（満ちた）

形 活力にあふれた（≒energetic）
名 vigor 活力、精力

0753 **pierce**
[píərs]

動 〜を突き通す
► カタカナ語の「ピアス」は pierced earrings から。

0754 **revolt**
[rɪvóʊlt]

名 反乱、暴動（≒rebellion）

0755 **twist**
[twíst]

動 ①〈ふた・つまみなど〉を回す
②〜をねじる、曲げる
③〈体の一部〉をねんざする

0756 **shelter**
[ʃéltər]

名 ①避難所、保護施設　②住まい、住居
動 避難する

Many people believe the death penalty should be **abolished**.	多くの人が、死刑は廃止されるべきだと考えている。
The **friction** of the two pieces of wood generates heat.	2片の木材の摩擦で熱が生じる。
This dress is made of a very **coarse** material.	このワンピースはとても目の粗い素材でできている。
The anonymity of online interactions results in more **cowardly** verbal attacks.	ネット上のやり取りの匿名性により、より卑怯な言葉による攻撃が行われている。
They got into an argument over a **petty** issue.	彼らはつまらないことで言い争いになった。
The country is under criticism for its **detention** of so many suspected terrorists.	その国は、非常に多くのテロ容疑者を拘束しているとして批判を受けている。
Using a **blunt** knife to cut things is dangerous.	切れないナイフでものを切るのは危険だ。
The team had a **vigorous** discussion on marketing strategies.	そのチームは、マーケティング戦略について活発な議論を行った。
The bullet **pierced** his lung, and he had to undergo emergency surgery.	銃弾は彼の肺を貫通し、彼は緊急手術を受けなければならなかった。
The government could not suppress the **revolt** for long.	政府は反乱を長期間鎮圧しておくことができなかった。
Twist the screw clockwise in order to tighten it.	ネジをしめるには、時計回りに回します。
The hikers used a cave for **shelter** during the storm.	ハイカーたちは嵐の間、洞窟を避難場所に使った。

0757 **collapse** [kəlǽps]
① col-（共に）+ lapse（すべる）

動 崩壊する（≒fall down）
名 崩壊

0758 **pursue** [pərs(j)úː]
① pur-（前に）+ sue（追う）

動 ① ~に従事する ② ~を追う（≒chase）
名 pursuit 追跡

0759 **appliance** [əpláɪəns]

名 電化製品、器具

0760 **imitate** [íməteɪt]
① imit（模倣する）+ -ate 動

動 ~をまねる、模倣する（≒copy）
名 imitation 模造品

0761 **yield** [jíːld]

動 ① ~を産出する、生み出す ② 〈利益など〉を生む ③ 屈する
名 収穫量、産出高

0762 **limitation** [lìmətéɪʃən]

名 ① 限界 ② 制限（≒restriction）
► ①の意味ではふつう複数形で使う。
動 limit ~を制限する

0763 **extensive** [ɪksténsɪv]
① ex-（外に）+ tens（伸ばす）+ -ive 形

形 ① 広範囲の、多方面にわたる ② 〈被害・影響などが〉大規模な、莫大な
► extension（内線）も覚えておこう。
動 extend ~を拡張する

0764 **radical** [rǽdɪkl]
① radic（根）+ -al 形

形 急進的な、過激な（≒extreme）（⇔conservative）

0765 **dismiss** [dɪsmís]
① dis-（分離）+ miss（送る）

動 ① 〈人〉を解雇する（≒fire） ② 〈提案・考えなど〉を退ける、否定する（≒reject）
名 dismissal 解雇；却下

0766 **riot** [ráɪət]

名 暴動、騒動（≒disturbance）
動 暴動を起こす

0767 **exceed** [ɪksíːd]
① ex-（外に）+ ceed（行く）

動 ~を超える、~より多い
形 excess 超過した、余分な

0768 **remodel** [rìːmáːdl | -mɔ́dl]

動 ~を改築する、リフォームする
► reform は「〈組織〉を改革する、〈人〉を矯正する」という意味。

Track 064

The old building **collapsed** during the earthquake.	その古い建物は地震で**倒壊した**。
He **pursued** a career in medicine after his graduation.	彼は卒業後、医学の道に**進んだ**。
The store only sells the highest quality **appliances**.	その店では、最高品質の**電化製品**のみを販売している。
Other companies were quick to **imitate** this product.	ほかの会社はすぐにこの製品を**模倣した**。
The farm has **yielded** an impressive amount of pumpkins this year.	その農場は今年、びっくりするような量のカボチャを**収穫した**。
There are **limitations** to what this technology can do.	この技術でできることには**限界**がある。
He has **extensive** experience in the automotive industry.	彼は自動車業界で**豊富な**経験を持っている。
The manager was impressed by her **radical** proposal.	部長は、彼女の**大胆な**提案に感心した。
He was **dismissed** for improper conduct in the workplace.	彼は職場での不適切な行動を理由に**解雇された**。
There was a **riot** after the soccer game.	そのサッカーの試合後に**暴動**が起きた。
The development costs for this app far **exceed** our budget.	このアプリの開発費はわれわれの予算をはるかに**超えている**。
They received a quote to have their whole house **remodeled**.	彼らは家全体を**リフォームする**見積もりを受け取った。

07
68

0769 **fierce** [fíərs] □□□
形 激しい、猛烈な（≒intense）
副 fiercely 激しく

0770 **adolescent** [æ̀dəlésnt] □□□
形 青年期の、思春期の
名 adolescence 青年期、思春期

0771 **component** [kəmpóʊnənt] □□□
! com-（共に）+ pon（置く）+ -ent 名
名 成分、構成要素

0772 **suspicious** [səspíʃəs] □□□
! su-（下から）+ spic（見る）+ -(i)ous（満ちた）
形 ① 不審に思う、疑う ② 疑わしい
動名 suspect ～を疑う；容疑者
名 suspicion 疑い

0773 **herd** [hə́ːrd] □□□
動 ①〈動物〉を集める、移動させる
②〈家畜〉の番をする
名 （家畜の）群れ（≒flock）

0774 **syndrome** [síndroʊm] □□□
名 症候群

0775 **offensive** [əfénsɪv] □□□
! of-（～に対して）+ fens（打つ）+ -ive 形
形 ①〈言葉・態度などが〉失礼な、侮辱的な（≒insulting）
② 不快な、嫌な（≒unpleasant）
名 offense 侮辱　動 offend ～を不快にさせる

0776 **outdated** [àʊtdéɪtɪd] □□□
形 時代遅れの（≒archaic, out of date）

0777 **diminish** [dɪmínɪʃ] □□□
! di-（分離）+ min（小さい）+ -ish（～にする）
動 減少する（≒decrease）

0778 **functional** [fʌ́ŋkʃənl] □□□
! funtion（機能）+ -al 形
形 ① 機能本位の、役に立つ ② 機能を果たせる

0779 **bureau** [bjúəroʊ] □□□
名 （官庁などの）局、事務局

0780 **wreck** [rék] □□□
名 ①（乗り物の）残骸 ② 難破；難破船
動 〈計画など〉を台無しにする
名 wreckage 難破船

Track
065

The government received **fierce** criticism for cutting education spending.	政府は、教育支出の削減に対して激しい批判を受けた。
She spent all of her **adolescent** years studying German.	彼女は青年時代のすべてをドイツ語の勉強に費やした。
All materials are made of different chemical **components**.	すべての素材は、さまざまな化学成分でできている。
The police watched the man because of his **suspicious** behavior.	不審な行動をしていたため、警察はその男を監視した。
The dogs **herded** the sheep back to the barn.	犬たちはヒツジを家畜小屋に連れ戻した。
She was diagnosed with several different **syndromes**.	彼女はいくつかの異なる症候群と診断された。
Some critics say the film is **offensive** to women.	その映画は女性を侮辱するものだと言う批評家もいる。
Records may be **outdated** technology, but they are still popular.	レコードは時代遅れの技術かもしれないが、いまだに人気がある。
The popularity of that band has gradually **diminished** over time.	そのバンドの人気は、時間とともに徐々に低下している。
She wanted clothes that were both **functional** and pretty.	彼女は、機能的かつかわいい服が欲しかった。
The Immigration **Bureau** released new statistics on tourist numbers.	入国管理局は、観光客数に関する新しい統計データを発表した。
After almost an hour, firefighters were able to pull him from the car **wreck**.	1時間近くたってから、消防士たちは車の残骸から彼を救い出すことができた。

07
80

0781 **sanctuary**
[sǽŋktʃuèri | -əri]
□□□
① sanct(u)（聖なる）+ -ary（場所）

名 鳥獣保護区域

0782 **impair**
[ɪmpéər]
□□□

動 〈能力など〉を弱める、損なう（≒weaken）
形 impaired 正常な機能の損なわれた
名 impairment 機能障害

0783 **prompt**
[prɑ́ːmpt | prɔ́mpt]
□□□

動 ～を促す、刺激する
形 即座の、早速の
► prompt A to *do* で「A に～するよう促す」という意味。
副 promptly 迅速に

0784 **bait**
[béɪt]
□□□

名 （釣りなどの）えさ

0785 **mutual**
[mjúːtʃuəl]
□□□

形 相互の
副 mutually 相互に
名 mutuality 相互関係

0786 **diagram**
[dáɪəgræ̀m]
□□□
① dia-（横切って）+ gram（書かれたもの）

名 図、図表

0787 **distress**
[dɪstrés]
□□□
① di-（強意）+ stress（引っぱる）

名 ① 苦悩、心痛；悩みの種　② 遭難、災難
動 ～を悩ませる、悲しませる
形 distressed 悩んで、苦しんで
形 distressing 痛ましい

0788 **expel**
[ɪkspél]
□□□
① ex-（外に）+ pel（追いやる）

動 ① ～を追放する、追い出す
② 〈水・ガスなど〉を排出する
名 expulsion 追放；排出

0789 **rotten**
[rɑ́ːtn | rɔ́tn]
□□□

形 腐った、腐敗した
動 rot 腐る；～を腐らせる

0790 **subtle**
[sʌ́tl]
□□□

形 かすかな、微妙な（≒slight）
名 subtlety 微妙

0791 **tentative**
[téntətɪv]
□□□
① tent（試みる）+ -ative 形

形 〈予定などが〉仮の、暫定的な（≒provisional）（⇔final）
副 tentatively 仮に

0792 **defective**
[dɪféktɪv]
□□□
① de-（分離）+ fect（する）+ -ive 形

形 欠陥のある（≒faulty）
名 defect 欠陥

Track 066

Animals can live safely in this wildlife **sanctuary**.	この野生動物**保護区**では、動物たちが安全に暮らすことができる。
Alcohol **impairs** your judgment and affects your behavior.	アルコールは判断力を**低下させ**、行動に影響を及ぼす。
The manager **prompted** him **to** get back to work.	店長は彼に仕事に戻るよう**促した**。
You need to change your **bait** to catch that fish.	あの魚を釣るには、**えさ**を変える必要がある。
The goal of this seminar is to promote **mutual** understanding.	このセミナーの目的は、**相互**理解を促すことだ。
This **diagram** shows how to put together the shelf.	この**図**は、棚の組み立て方を示している。
To her **distress**, she was fired from work.	**困ったこと**に、彼女は仕事を解雇された。
He was **expelled** from school for violent behavior.	彼は暴力行為のために学校を**退学させられた**。
The dog got sick from eating **rotten** meat.	その犬は**腐った**肉を食べて病気になった。
She made **subtle** changes to the blanket design.	彼女は毛布のデザインに**微妙な**変更を加えた。
This is just a **tentative** plan, so it might change later.	これは**仮の**計画にすぎないので、あとで変更になるかもしれない。
He returned the watch because it was **defective**.	彼はその腕時計が**不良品**だったので、返品した。

0793 **legible**
[lédʒəbl]
① leg（読む）+ -ible（できる）

形 判読できる、読みやすい（≒readable）（⇔illegible）

0794 **propel**
[prəpél]
① pro-（前方に）+ pel（追いやる）

動 ～を推進する、前進させる
► カタカナ語の「プロペラ」は propeller から。
名 propulsion 推進力

0795 **pluck**
[plʌ́k]

動 ～を摘む、引き抜く、むしる

0796 **evade**
[ɪvéɪd]
① e-（外に）+ vade（行く）

動 ①〈義務・責任など〉を逃れる
②〈質問・話題など〉を避ける
名 evasion 逃避、回避
形 evasive 回避的な

0797 **slack**
[slǽk]

形 ①〈ロープなどが〉緩い、たるんだ（≒loose）（⇔tight）
②〈商売などが〉不活発な

0798 **glossary**
[glɑ́:səri | glɔ́s-]

名（巻末の）語彙集；用語辞典

0799 **grasp**
[grǽsp | grɑ́:sp]

動 ① ～を（しっかり）つかむ、握る（≒grip）
② ～を理解する（≒understand）

0800 **junction**
[dʒʌ́ŋkʃən]
① junct（結ぶ）+ -ion 名

名 合流点、分岐点

0801 **righteous**
[ráɪtʃəs]

形〈人・行為などが〉（道徳的に）正しい、正義の

0802 **hover**
[hʌ́vər | hɔ́və]

動 ①〈数値が〉ほぼ安定している
②〈鳥・ヘリコプターなどが〉ホバリングする

0803 **decode**
[di:kóʊd]

動 ～を解読する（≒decipher）（⇔encode）

0804 **encase**
[ɪnkéɪs]
① en-（中に）+ case（ケース）

動 ～をケースに収める

The writing on your application must be **legible**.	申請書の文字は読みやすいものでなければならない。
The rocket is **propelled** by powerful jet engines.	そのロケットは強力なジェットエンジンによって推進される。
She **plucked** the flower and gave it to her mother.	彼女は花を抜くとそれを母親にあげた。
It was discovered that she had illegally **evaded** taxes for years.	彼女が長年にわたり、違法に脱税していたことが発覚した。
The clothesline was **slack** from years of use.	物干しロープは長年の使用でたるんでいた。
Check the **glossary** to easily find key terms.	巻末の用語集を調べれば、キーワードが簡単に見つかります。
The little boy **grasped** his mother's hand tightly.	その小さな男の子は母親の手をしっかりと握った。
The restaurant is located at the **junction** of the two main streets.	そのレストランは 2 つの大通りの合流点に位置している。
Unfortunately, charities do not always do the **righteous** thing.	残念ながら、慈善団体が常に正しいことをするとは限らない。
The success rate is **hovering** around 10 percent.	成功率は 10 パーセント前後でほぼ安定している。
It took a team of experts to **decode** the secret message.	その秘密のメッセージを解読するには専門家チームが必要だった。
Each piece of fruit was **encased** in plastic.	果物は一つひとつプラスチックのケースに収められていた。

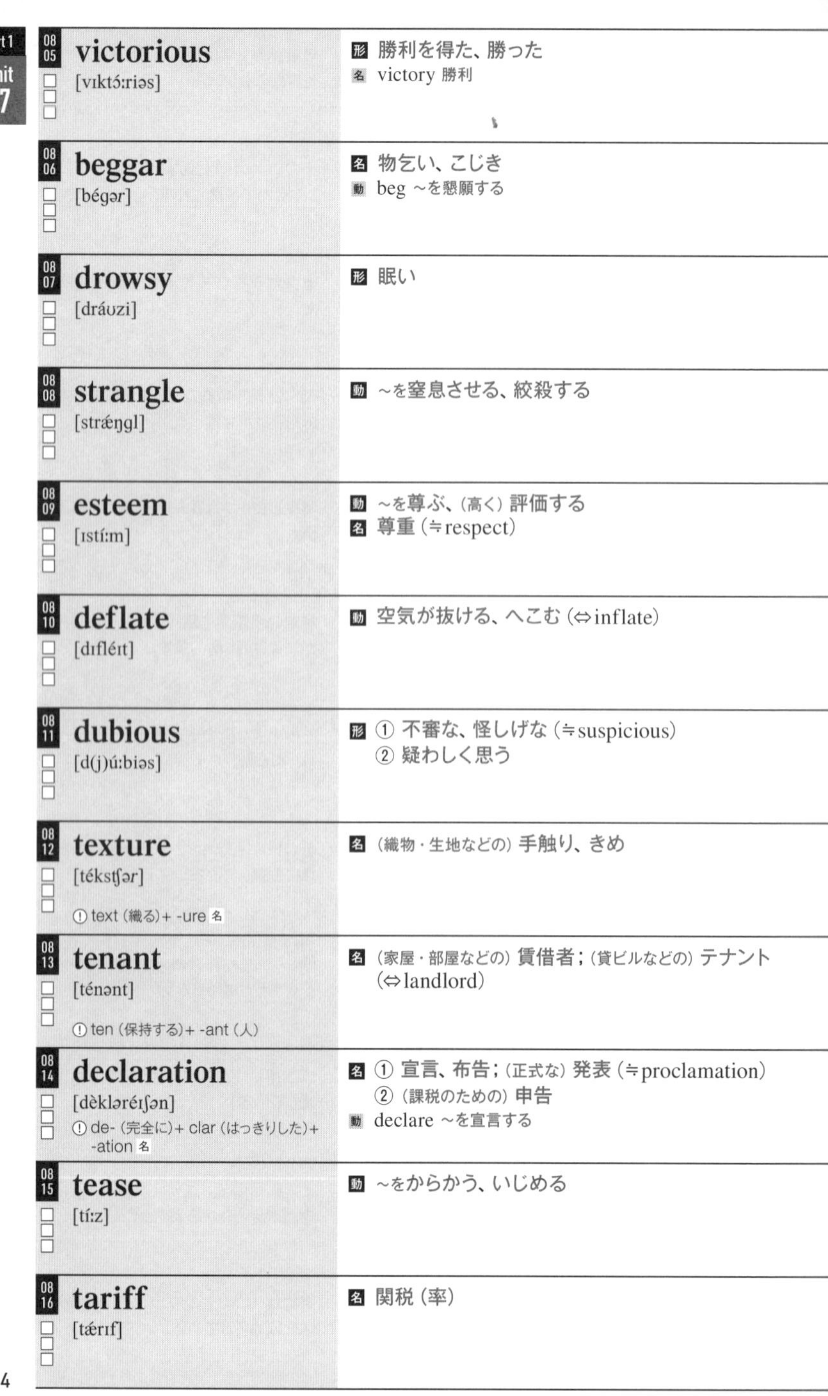

0805 **victorious** [vɪktɔ́:riəs]
形 勝利を得た、勝った
名 victory 勝利

0806 **beggar** [bégər]
名 物乞い、こじき
動 beg ～を懇願する

0807 **drowsy** [dráʊzi]
形 眠い

0808 **strangle** [strǽŋgl]
動 ～を窒息させる、絞殺する

0809 **esteem** [ɪstí:m]
動 ～を尊ぶ、(高く) 評価する
名 尊重 (≒respect)

0810 **deflate** [dɪfléɪt]
動 空気が抜ける、へこむ (⇔inflate)

0811 **dubious** [d(j)ú:biəs]
形 ① 不審な、怪しげな (≒suspicious)
② 疑わしく思う

0812 **texture** [tékstʃər]
! text (織る) + -ure 名
名 (織物・生地などの) 手触り、きめ

0813 **tenant** [ténənt]
! ten (保持する) + -ant (人)
名 (家屋・部屋などの) 賃借者；(貸ビルなどの) テナント (⇔landlord)

0814 **declaration** [dèkləréɪʃən]
! de- (完全に) + clar (はっきりした) + -ation 名
名 ① 宣言、布告；(正式な) 発表 (≒proclamation)
② (課税のための) 申告
動 declare ～を宣言する

0815 **tease** [tí:z]
動 ～をからかう、いじめる

0816 **tariff** [tǽrɪf]
名 関税 (率)

Track 068

A large parade was held in honor of the **victorious** army.

凱旋軍を称える大規模なパレードが行われた。

She always stops to give money to **beggars**.

彼女はいつも立ち止まって**物乞い**にお金をやる。

She felt **drowsy** after a long day at work.

仕事で長い1日を過ごしたあと、彼女は**眠く**なった。

The man attempted to **strangle** her to death with a belt.

男は彼女をベルトで**絞殺し**ようとした。

The manager is highly **esteemed** for his personality and work ethic.

部長は人間性と職業倫理を高く**評価さ**れている。

The balloons **deflated** after a few days.

風船は2、3日すると**しぼんだ**。

That company has made some **dubious** business deals.

その会社はいくつかの**不審な**商取引を行ってきた。

He does not like the **texture** of polyester against his skin.

彼はポリエステルの**肌触り**が好きではない。

All **tenants** must work to keep public spaces clean.

入居者は皆、公共スペースを清潔に保つよう努めなければならない。

On October 24, the country made a **declaration** of war against the smaller nation.

10月24日、その国は小国に対して**宣戦布告**を行った。

The other children **teased** her because she wore glasses.

彼女が眼鏡をかけていたので、ほかの子どもたちは彼女を**からかった**。

They decided to reduce steel **tariffs** in a landmark agreement.

彼らは、画期的な合意を結び、鉄鋼の**関税**を引き下げることを決定した。

0817 □□□
conquest
[kɑ́:nkwest | kɔ́ŋ-]
① con- (強意) + quest (求める)

名 (武力による) 征服
動 conquer ～を征服する

0818 □□□
denial
[dɪnáɪəl]
① de- (完全に) + ni (否定する) + -al 名

名 否定、否認
動 deny ～を否定する、否認する
形 deniable 否定できる

0819 □□□
domain
[doʊméɪn | dəʊ-]

名 ① (関心・学問などの) 領域、分野 (≒area)
② 領地、領土
► dominate (～を統治する) と同語源語。

0820 □□□
simulate
[símjəlèɪt]
① simul (似た) + -ate (～にする)

動 ～の模擬実験をする、～をシミュレーションする
名 simulation 模擬実験

0821 □□□
disarm
[dɪsɑ́:rm]
① dis- (分離) + arm (武器)

動 ～から武器を取り上げる
名 disarmament 武装解除

0822 □□□
concise
[kənsáɪs] ▲ アクセント注意。
① con- (完全に) + cise (切る)

形 〈文章・説明などが〉 簡潔な (≒brief)
名 concision 簡潔さ

0823 □□□
mortal
[mɔ́:rtl]
① mort (死) + -al 形

形 ① 致命的な、命にかかわる (≒deadly, fatal)
② 死ぬべき運命の (⇔immortal)
名 mortality 死亡率

0824 □□□
sequel
[sí:kwəl]
① sequ (ついていく) + -el (指小辞)

名 続き、(映画・本などの) 続編

0825 □□□
stumble
[stʌ́mbl]

動 つまずく、よろける (≒trip)

0826 □□□
gloomy
[glú:mi]

形 暗い、陰気な (≒dismal)
名 gloom 憂うつ

0827 □□□
convert
[kənvə́:rt]
① con- (共に) + vert (回る)

動 ～を変える、変換する (≒change)
► convert A into [to] B (A を B に変換する) の形でよく出題される。
名 conversion 変換

0828 □□□
contract
[名 kɑ́:ntrækt | kɔ́n- 動 kəntrǽkt]
① con- (共に) + tract (引き合う)

名 契約、契約書
動 (～を) 契約する

The **conquest** of the world by the English is well known.	イギリス人による世界征服はよく知られている。
She sued her ex-husband for his **denial** of responsibility for their children.	彼女は元夫が子どもに対する責任を否定したため、彼を訴えた。
He is a respected figure in the **domains** of both music and fashion design.	彼は、音楽とファッションデザインの両方の分野で高く評価されている人物だ。
The computer program can **simulate** the effects of earthquakes of different sizes.	そのコンピュータプログラムは、さまざまな規模の地震の影響をシミュレートすることができる。
The police quickly **disarmed** the man and arrested him.	警察はすぐに男から武器を取り上げ、逮捕した。
Make sure to keep your conclusion short and **concise**.	結論は短く簡潔にまとめるようにしなさい。
Sadly, he was diagnosed with a **mortal** disease.	悲しいことに、彼は死に至る病だと診断された。
The **sequel** to her book did not sell as well.	彼女の本の続編は、本編ほどは売れなかった。
He **stumbled** on a branch and fell over.	彼は枝につまずいて、転んだ。
The house is **gloomy** because of all the dark furniture.	その家は暗い色の家具ばかりで、陰気な感じがする。
This sofa can be **converted into** a bed.	このソファはベッドに変えることができる。
She signed a **contract** to work for three more months.	彼女はさらに３か月間働く契約を結んだ。

08
28

0829 **assign** [əsáɪn]
□□□
ⓘ as-（～に）+ sign（印をつける）

動 ①（仕事・部屋などを）〈人〉に割り当てる
②〈人〉を（部署などに）任命する、配属する
名 assignment 割り当てられた仕事［課題］

0830 **harsh** [hɑ́ːrʃ]
□□□

形 ①〈気候・状況などが〉厳しい、過酷な（⇔mild）
②〈行為などが〉無情な

0831 **procedure** [prəsíːdʒər | prəʊ-]
□□□
ⓘ pro-（前方に）+ ced（行く）+ -ure 名

名 ① 手続き、方法　② 治療、医療行為
動 proceed 進む、進行する

0832 **counter** [káʊntər]
□□□

動 ～に対抗する、反撃する
名（店・銀行などの）カウンター

0833 **pose** [póʊz]
□□□

動 ①〈問題・脅威など〉を引き起こす
②〈疑問・要求など〉を提起する

0834 **barely** [béərli]
□□□

副 ① かろうじて　② ほとんど～ない

0835 **superior** [su(ː)píəriər]
□□□

形 ① すぐれている、勝っている（⇔inferior）
② 上質の
► super の比較級。

0836 **supplement** [動 sʌ́pləmènt　名 sʌ́pləmənt]
□□□
ⓘ sup-（下に）+ ple（満たす）+ -ment 名

動 ～を補う、補足する
名 ① 補足　② 栄養補助食品
形 supplementary 補足の、追加の

0837 **institution** [ìnstət(j)úːʃən]
□□□
ⓘ in-（～に）+ stitu（建てる）+ -tion 名

名 機関、組織
形 institutional 組織の

0838 **heritage** [hérətɪdʒ]
□□□
ⓘ herit（相続）+ -age 名

名 遺産、伝統

0839 **boom** [búːm]
□□□

名（人口の）急増；（物価の）高騰

0840 **relieve** [rɪlíːv]
□□□
ⓘ re-（再び）+ lieve（持ち上げる）

動 ～を和らげる、緩和する（≒ease）
名 relief 緩和、軽減

Track 070

He was **assigned** to room 203 at the hotel.	彼はそのホテルの203号室を割り当てられた。
The **harsh** conditions in that region kill people every year.	その地域の過酷な状況のせいで、毎年人々が亡くなっている。
This article explains the **procedure** for applying for a car loan.	この記事は、自動車ローンを申し込むための手続きについて説明している。
The military is training to **counter** enemy missile attacks.	軍は敵のミサイル攻撃に対抗するための訓練を行っている。
Increasing pollution **poses** a threat to the health of all residents.	汚染の増大は全住民の健康に危険を引き起こす。
She **barely** made it to work on time.	彼女はかろうじて仕事に間に合った。
We offer a **superior** service to our competitors.	私たちは競合他社よりもすぐれたサービスを提供します。
He **supplements** his income by taking on freelance jobs.	彼はフリーランスの仕事を請け負うことで、収入を補っている。
Many of the top-rated educational **institutions** in this country are free to attend.	この国の一流の教育機関の多くは、無料で通うことができる。
Mt. Fuji was registered as a World **Heritage** Site in 2013.	富士山は2013年に世界遺産に登録された。
Experts say the current population **boom** is great for the future economy.	専門家は、現在の人口急増は将来の経済にとって素晴らしいことだと言っている。
He **relieves** stress by playing his guitar every night.	彼は毎晩ギターを弾いてストレスを解消している。

08
40

0841 **tuition**
[t(j)u(:)íʃən]

名 授業料
► イギリス英語では tuition fee と言う。

0842 **invasion**
[ɪnvéɪʒən]
ⓘ in- (中に) + vas (行く) + -ion 名

名 侵入、侵略
動 invade ～を侵略する
形 invasive 侵略的な

0843 **interfere**
[ìntərfíər]
ⓘ inter- (間に) + fere (打つ)

動 妨げる、邪魔をする
► interfere with ～ (～を妨げる) の形でよく出題される。
名 interference 妨害、障害

0844 **dispute**
[dɪspjú:t]
ⓘ dis- (分離) + pute (考える)

動 ① ～に異議を唱える (≒contest)
② ～を議論する (≒argue)
名 紛争、論争
形 disputed 係争中の

0845 **launch**
[lɔ́:ntʃ]

動 ①〈新製品など〉を売り出す
②〈組織的な活動など〉を開始する
③〈ロケット〉を打ち上げる

0846 **preference**
[préfərəns]
ⓘ pre- (前に) + fer (持ってくる) + -ence 名

名 好み
動 prefer ～を好む
形 preferable 好ましい

0847 **recall**
[rɪkɔ́:l]
ⓘ re- (再び) + call (呼ぶ)

動 ～を思い出す、覚えている (≒recollect)

0848 **treaty**
[trí:ti]
ⓘ treat (取り扱う) + -y 名

名 条約、協定 (≒pact)

0849 **immediate**
[ɪmí:diət]
ⓘ im- (否定) + medi (中間) + -ate 形

形 ① 差し迫った、緊急の
② 即座の、迅速な(≒instant)
③ 直接の、隣接する
副 immediately すぐに

0850 **sacrifice**
[sǽkrəfàɪs]
ⓘ sacri (聖なる) + -fice (～にする)

動 ～を犠牲にする
名 犠牲

0851 **interrupt**
[ìntərʌ́pt]
ⓘ inter- (間に) + rupt (壊す)

動 ① ～の邪魔をする、～を遮る ② ～を中断させる
名 interruption 妨害；中断

0852 **authentic**
[ɔ:θéntɪk]

形 ① 本物の、正統な (≒real, genuine)
②〈情報などが〉事実に基づく
名 authenticity 真正

Track 071

She covered half of her yearly **tuition** with scholarships.

彼女は年間授業料の半分を奨学金でまかなった。

Recently, the **invasion** of a harmful plant species is killing the fruit trees.

近ごろ、有害植物種の侵入によって果樹が枯れている。

The light in the city **interferes with** viewing the stars.

街の明かりは星を見る妨げになる。

Nobody here **disputes** the accusations you have made.

あなたの告発に異議を唱える人はここにはいない。

The game company is going to **launch** a new game next month.

そのゲーム会社は来月、新しいゲームを発売する予定だ。

I have a car, but my personal **preference** is to walk to work.

車は持っているが、職場まで歩くほうが私の個人的な好みだ。

I cannot **recall** the name of the restaurant, but it was right in front of the station.

そのレストランの名前は思い出せないが、それは駅の目の前にあった。

08
52

Several countries signed the new peace **treaty** today.

今日、数か国が新しい和平条約に署名した。

You are in no **immediate** danger if you stay here.

ここにいれば、すぐには危険はない。

She **sacrificed** her family life in order to advance in her career.

彼女はキャリアアップのために家庭生活を犠牲にした。

It is rude to **interrupt** someone when they are talking.

人が話しているときに遮るのは失礼だ。

This is the best restaurant for **authentic** Thai cuisine.

ここは、本場のタイ料理が味わえる最高のレストランだ。

0853 **originate** [əríʤənèɪt]

動 起こる、生じる
形 original 最初の、元の
名 origin 起源
名 originator 創始者、元祖

0854 **starve** [stɑ́ːrv]

動 飢える、餓死する
名 starvation 餓死

0855 **commission** [kəmíʃən]

① com-（共に）+ miss（送る）+ -ion 名

名 ① 報酬、歩合（給）；手数料
② （芸術家などに対する）仕事の依頼 ③ 委員会
動 ～を委託する

0856 **ruin** [rúːɪn]

動 ～を破滅させる、台無しにする（≒spoil）
名 ① 遺跡、廃墟 ② 破産状態、破滅

0857 **illustrate** [íləstrèɪt]

① il-（～に）+ lust（光）+ -ate（～にする）

動 （図・絵などで）～を説明する
名 illustration 実例

0858 **primitive** [prímətɪv]

① prim（第一の）+ -itive 形

形 ① 原始の、未開の ② 単純な、古くさい

0859 **tremendous** [trəméndəs]

形 ① 〈数量・程度などが〉非常に大きい（≒huge）
② 素晴らしい（≒remarkable）
► tremble（震える）と同語源語。
副 tremendously ものすごく

0860 **carve** [kɑ́ːrv]

動 ～を彫る、彫刻する
► 目的語には材料・作品どちらも入る。
名 carving 彫刻（した像）

0861 **decent** [díːsnt]

① dec（似合う）+ -ent 形

形 ① 満足できる、まずまずの（≒satisfactory）
② 〈人・振る舞いなどが〉上品な、礼儀正しい
名 decency 上品さ

0862 **trait** [tréɪt | tréɪ]

名 （性格・身体上の）特徴（≒characteristic）

0863 **outsource** [áutsɔ̀ːrs]

動 ～を外部委託する

0864 **compound** [kɑ́ːmpaund | kɔ́m-]

① com-（共に）+ pound（置く）

名 化合物
形 複合的な

Track 072

Nobody is quite sure where cheese **originated** from.	チーズがどこで**生まれた**のか、はっきりとわかっている人はいない。
Without a stable food supply, many animals will **starve**.	安定した食料供給がなければ、多くの動物は**餓死する**だろう。
She gets a 10 percent **commission** for each sale she makes.	彼女は販売のたびに10パーセントの**歩合**を得る。
Their cake was **ruined** when the caterer dropped it.	ケータリング業者が落として、彼らのケーキは**台無しになった**。
The results of our experiment are **illustrated** here.	私たちの実験結果をここに**図解します**。
The cave paintings have taught us a lot about **primitive** societies.	その洞窟の絵は**原始**社会について私たちに多くのことを教えてくれる。
It takes a **tremendous** amount of electricity to power this machine.	この機械を動かすには**膨大な**量の電気が必要だ。
He **carves** driftwood as one of his many hobbies.	彼はたくさんある趣味の一つとして、流木を**彫る**。
She was in pretty **decent** shape prior to the accident.	彼女は、事故の前はかなり**いい**健康状態だった。
He inherited all of his father's best **traits**.	彼は父親の最もよい**特性**をすべて受け継いだ。
Many American companies **outsource** customer service to other countries.	多くのアメリカ企業は、カスタマーサービスを他国に**外部委託している**。
Hydrogen is the base of many common **compounds**.	水素は、多くの一般的な**化合物**のベースとなっている。

08
64

0865 **durable** [d(j)úərəbl]
□□□
形 耐久性のある、長持ちする
名 durability 耐久性

0866 **degrade** [dɪgréɪd]
□□□
① de-（下に）+ grade（段階）
動 ～の価値［品位］を低下させる
名 degradation（価値・品位などの）低下

0867 **medieval** [mìːdiíːvl | mè-] ▲発音注意。
□□□
① medi（中間）+ ev（時代）+ -al 形
形 中世の；中世風の
►「中世」は the Middle Ages と言う。

0868 **steep** [stíːp]
□□□
形 ① 急勾配の、険しい（⇔gentle）
② 〈値段などが〉法外な

0869 **displace** [dɪspléɪs]
□□□
① dis-（分離）+ place（置く）
動 〈人・動物など〉を立ち退かせる、追い出す
名 displacement 強制退去

0870 **enrich** [ɪnrítʃ]
□□□
① en-（～にする）+ rich（豊かな）
動 ① 〈土地〉を肥沃にする ② ～を裕福にする
名 enrichment 豊かにすること

0871 **chore** [tʃɔ́ːr]
□□□
名（日常的な）家事、雑用

0872 **rebellion** [rɪbéljən]
□□□
① re-（再び）+ bel(l)（戦争）+ -ion 名
名 反乱（≒revolt）
形 rebellious 反乱の
動名 rebel 反乱を起こす；反乱者

0873 **replicate** [répləkèɪt]
□□□
① re-（元に）+ plic（折る）+ -ate 動
動 ① 〈実験など〉を再現する（≒duplicate）
② ～を複製する（≒reproduce）
名 replica 複製品、模造品

0874 **consent** [kənsént]
□□□
① con-（共に）+ sent（感じる）
名 同意、承諾（≒approval）

0875 **identical** [aɪdéntɪkl]
□□□
① ident（同じ）+ -ical 形
形 まったく同じの、そっくりそのままの
名 identity 同一性
動 identify ～を特定する

0876 **embrace** [ɪmbréɪs]
□□□
① em-（中に）+ brace（腕）
動 〈考え・提案など〉を受け入れる、採用する（≒accept）

Track 073

The material used for this fence is light and **durable**.	このフェンスに使われている素材は軽くて耐久性がある。
The coach was fired for making jokes that **degrade** women.	そのコーチは女性をおとしめるジョークを言って首になった。
The study of **medieval** music is truly fascinating.	中世音楽の研究は本当に魅力的だ
The trail to the peak of the mountain was **steep**.	山頂への道は険しかった。
The whole community was **displaced** because of the bridge construction.	架橋工事のため、その地域全体が強制退去させられた。
It is possible to **enrich** soil without using harmful chemicals.	有害な化学物質を使わずに土壌を肥沃にすることは可能だ。
His parents give him money for completing his **chores**.	両親は、彼が家事を終わらせるとお金をくれる。
She led a **rebellion** against the government and won.	彼女は政府に対する反乱を率い、勝利した。
They **replicated** a famous experiment at school.	彼らは学校で、ある有名な実験を再現した。
We cannot enter the building unless we obtain **consent** from the owner.	私たちは所有者の承諾を得ない限り、その建物に立ち入ることができない。
His face is **identical** to that of his older brother.	彼の顔は兄とそっくりだ。
Most students **embraced** the school's new uniform policy.	ほとんどの生徒は、学校の新しい制服の規定を受け入れた。

08
76

0877 **genuine** [ʤénjuɪn]
形 本物の（≒real, authentic）（⇔false）

0878 **stray** [stréɪ]
動 ① 道に迷う、はぐれる
② 〈話・考えなどが〉横道にそれる

0879 **retrieve** [rɪtríːv]
① re-（再び）+ trieve（見つける）
動 ① ～を取り戻す、回収する（≒recover）
② 〈情報〉を検索する
► 犬種の「レトリバー」は retriever から。
名 retrieval 検索

0880 **draft** [drǽft | dráːft]
名 下書き、草稿

0881 **bachelor** [bǽtʃələr]
名 ①（大学を卒業した）学士、学士号
② 独身［未婚］男性

0882 **downfall** [dáʊnfɔ̀ːl]
名 没落、破滅（⇔rise）

0883 **crucial** [krúːʃəl]
① cruc（十字架）+ -ial 形
形 非常に重大な、決定的な（≒critical, essential）

0884 **bump** [bʌ́mp]
名 ①（道路の）凹凸（おうとつ） ② 隆起
動 （ドンと）ぶつかる
►「ブンブン」という擬音語からできた語。

0885 **surrender** [səréndər]
① sur-（上に）+ render（与える）
動 降伏する（≒give in）
名 降伏

0886 **enclose** [ɪnklóʊz]
① en-（中に）+ close（閉じる）
動 ① ～を同封する ② 〈土地・建物など〉を囲い込む
名 enclosure 囲まれた土地

0887 **graphic** [grǽfɪk]
① graph（書かれたもの）+ -ic 形
形 〈描写・記述が〉生々しい、露骨な
名 画像、図表
► 名詞の意味ではふつう複数形で使う。

0888 **shield** [ʃíːld]
名 防御物、遮蔽（しゃへい）物
動 ～を覆う、遮蔽する

Track 074

Our museum only contains **genuine** paintings from local artists.	当美術館は、地元アーティストによる**本物の**絵画のみを収蔵している。
The children **strayed** deep into the forest by mistake.	その子どもたちは誤って森の奥深くに**迷い込んだ**。
Thankfully, the police managed to **retrieve** the stolen bicycle.	幸いなことに、盗まれた自転車は警察が**取り戻して**くれた。
He sent his final **draft** to his editor today.	彼は今日、最終**稿**を編集者に送った。
She received her **Bachelor** of Arts from a prestigious university.	彼女は一流大学で文学**士**号を取得した。
There are many reasons for the **downfall** of past empires.	過去の帝国の**滅亡**には多くの理由がある。
This product is **crucial** to our company's survival.	この製品は、当社の存続に**極めて重要**だ。
The road has several speed **bumps** to slow down drivers.	その道路には、ドライバーに減速させるためのスピード**バンプ**がいくつかある。
The rebel forces **surrendered** after they were completely surrounded.	反乱軍は完全に包囲されて、**降伏した**。
Your health insurance card is **enclosed** in the envelope.	健康保険証は封筒に**同封されて**います。
That horror movie was very bloody and **graphic**.	あのホラー映画はとても血生臭くて、**どぎつ**かった。
This protective covering works as a **shield** against the hot sun.	この防護カバーは暑い日差しからの**遮蔽物**になる。

0888

0889 **ritual** [rítʃuəl]
名 (宗教的) 儀式、祭式 (≒ceremony)

0890 **discriminate** [dɪskrímənèɪt]
動 差別する
名 discrimination 差別
形 discriminatory 差別的な

0891 **suite** [swíːt]
名 ひと続きの部屋、スイートルーム

0892 **steer** [stíər]
動 ① ~を操縦する、運転する ② ~を導く

0893 **equivalent** [ɪkwívələnt]
① equi (等しい)+ val (価値)+ -ent 形
形 〈数量などが〉同等の、相当する (≒equal)
名 同等のもの
名 equivalence 同等

0894 **seal** [síːl]
名 (手紙・容器などの) 封印紙、封ろう
動 ~を密封する
► 長文問題で「アザラシ」の意味でも登場している。

0895 **trace** [tréɪs]
動 ~の跡をたどる
名 跡
► track (小道; 足跡) と同語源語。

0896 **fraud** [frɔ́ːd]
名 詐欺、詐欺行為
形 fraudulent 詐欺の、不正な

0897 **pioneer** [pàɪəníər]
動 ~を開拓する、創始する
名 先駆者、草分け
形 pioneering 先駆的な

0898 **vanish** [vǽnɪʃ]
① van (からの)+ -ish (~にする)
動 (突然) 消える、姿を消す

0899 **ethnic** [éθnɪk]
形 民族の、人種の
副 ethnically 民族的に
名 ethnicity 民族性

0900 **hurdle** [hə́ːrdl]
名 ① 障害、困難 (≒obstacle) ② 障害物、ハードル

Track 075

Not all **rituals** have a particular religious meaning.

すべての儀式が特定の宗教的意味を持っているわけではない。

Existing policies only work to **discriminate** against women.

既存の政策は、女性を差別するようにしか機能していない。

The couple booked the nicest **suite** in the hotel.

そのカップルはホテルで一番よいスイートルームを予約した。

The man **steered** the car carefully into the parking space.

男性は車を慎重に操って駐車スペースに入れた。

The area is **equivalent** in size to 10 soccer grounds.

その区域は、サッカー場 10 個分の広さに相当する。

She closed the envelope with a beautiful blue **seal**.

彼女は美しい青の封ろうで封筒を閉じた。

His ancestors can be **traced** back to the English aristocracy.

彼の先祖は、イギリスの貴族までたどることができる。

That politician was sued for **fraud** last month.

その政治家は先月、詐欺で訴えられた。

The company **pioneered** the industry of gathering data on one's personal health.

その会社は、個人の健康関連のデータを収集する業界の草分けだった。

Her cellphone **vanished** from her bag at the party.

彼女の携帯電話は、パーティーの最中にバッグから突然消えた。

One of the nation's strengths is its large number of **ethnic** minorities.

その国の強みの一つは、少数民族の数が多いことだ。

You will experience many **hurdles** throughout your life.

あなたは生涯を通じて多くの困難を経験するでしょう。

09
00

0901 **depart**
[dɪpɑ́ːrt]
① de-（分離）+ part（分ける）

動 出発する（≒leave）（⇔arrive）
名 departure 出発

0902 **ripen**
[ráɪpən]

動 〈果物などが〉熟す、実る
形 ripe 熟した

0903 **brisk**
[brísk]

形 ①〈動作が〉きびきびした
②〈商売が〉繁盛した、活況の（⇔dull）

0904 **slump**
[slʌ́mp]

名 ① 低迷、不振 ②（急激な）下落、落ち込み
動 〈価格などが〉急落する

0905 **venture**
[véntʃər]

名 ベンチャー（事業）
► adventure（冒険）の ad が消失してできた語。

0906 **furious**
[fjúəriəs]

形 激怒した
名 fury 激怒

0907 **impede**
[ɪmpíːd]
① im-（中に）+ pede（足）

動 〈進行・発展など〉を妨げる、遅らせる（≒hinder）
名 impediment 妨げ、障害

0908 **transition**
[trænzíʃən]
① trans-（越えて）+ it（行く）+ -ion 名

名 移行、推移
形 transitional 移行の

0909 **subjective**
[səbdʒéktɪv]
① sub-（下に）+ ject（投げる）+ -ive 形

形 主観的な（⇔objective）

0910 **insult**
[名 ínsʌlt 動 ɪnsʌ́lt]
① in-（～に）+ sult（跳ぶ）

名 侮辱
動 ～を侮辱する

0911 **nourish**
[nə́ːrɪʃ | nʌ́r-]
① nour（養う）+ -ish（～にする）

動 （食物・栄養分を与えて）～を養う、育てる
名 nourishment 栄養物

0912 **impose**
[ɪmpóuz]
① im-（～に）+ pose（置く）

動 〈税・罰金など〉を課す、科す
名 imposition 課すること

Track 076

The train will **depart** in another 15 minutes.	電車はあと 15 分で発車する。
Wait for the bananas to **ripen** before eating them.	バナナは熟れるのを待ってから食べてね。
The tour group walked at a **brisk** pace.	ツアー一行は足早に歩いた。
The housing market has been in a **slump** since last year.	住宅市場は去年から低迷している。
The two men decided to start a joint **venture**.	2 人の男性は共同ベンチャーを始めることにした。
She was **furious** that her sister broke her clarinet.	彼女は妹がクラリネットを壊したことに激怒した。
Her refusal to cooperate has **impeded** the investigations.	彼女が協力を拒んだことが捜査を遅らせている。
His **transition** into the medical field was tough.	彼の医療分野への転身は大変だった。
Try to keep **subjective** judgments out of your analysis.	分析に主観的な判断が入らないようにしなさい。
Your **insults** don't mean anything to me anymore.	あなたの侮辱はもう私には何の意味もない。
The mother did what she could to **nourish** her baby.	その母親は赤ちゃんを育てるためにできる限りのことをした。
A fine will be **imposed** if you park here.	ここに駐車すると罰金が科せられる。

09
12

0913	**curse** [kə́ːrs]	名 呪い（の言葉） 形 cursed 呪われた
0914	**blurry** [blə́ːri]	形 ぼやけた、おぼろげな 動 blur ～を見えにくくする
0915	**successor** [səksésər] ① suc-（下に）+ cess（行く）+ -or（人）	名 後任者、後継者（⇔predecessor） 動 succeed ～のあとを継ぐ 名 succession 継承
0916	**renovate** [rénəvèɪt] ① re-（再び）+ nov（新しい）+ -ate（～にする）	動 ～を改修する 名 renovation 修復、改築
0917	**flaw** [flɔ́ː]	名 欠点、欠陥（≒defect） 形 flawed 欠点のある
0918	**parallel** [pǽrəlèl]	形 ① 平行した、並列の ② 類似した
0919	**maternity** [mətə́ːrnəti] ① mater(n)（母）+ -ity 名	形 妊婦の 名 母性 ►「父性」は paternity。
0920	**anthem** [ǽnθəm]	名 賛歌、祝いの歌
0921	**deprive** [dɪpráɪv] ① de-（完全に）+ prive（奪う）	動 〈人・物〉から（物・権利などを）奪う ► deprive A of B で「A から B を奪う」という意味。
0922	**insane** [ɪnséɪn] ① in-（否定）+ sane（健全な）	形 正気でない、狂気の（⇔sane） 名 insanity 狂気
0923	**asset** [ǽset]	名 （会社・個人などの）資産、財産 ► ふつう複数形で使う。
0924	**obscure** [əbskjúər] ① ob-（～に）+ scure（覆う）	形 不明瞭な、ぼやけた（≒unclear）（⇔clear） 名 obscurity 不明、不詳

Track 077

The witch put a **curse** on her enemy.	魔女は敵に呪いをかけた。
Without his glasses, everything looks **blurry**.	眼鏡がないと、彼はすべてがぼやけて見える。
She was chosen as the **successor** to the CEO.	彼女はCEOの後継者に選ばれた。
The third floor of the building is currently being **renovated**.	その建物の3階は現在改装中だ。
I can see absolutely no **flaws** in your plan.	あなたの計画にはまったく欠陥が見当たらない。
The fruit trees are planted in **parallel** rows.	その果樹は平行に植えられている。
Not all companies offer **maternity** leave.	どの会社にも産休があるわけではない。
In some countries, students sing the national **anthem** at school.	学校で生徒が国歌を歌う国もある。
The drought **deprived** animals **of** the water they needed.	干ばつは、動物たちが必要とする水を奪った。
The lack of sleep was causing him to go **insane**.	睡眠不足で彼は気が狂いそうだった。
Locals are unhappy with how the town's **assets** were used.	地元の人々は、町の資産の使われ方に不満を感じている。
There are some **obscure** markings on the totem.	そのトーテム像にはぼんやりした模様がついている。

09
24

0925
disgust
[dɪsgʌ́st]
① dis-（否定）+ gust（好み）

動 〈人〉に嫌悪感を起こさせる（≒sicken）
名 嫌悪感

0926
intimate
[íntəmət]

形 親しい、親密な（≒friendly）
名 intimacy 親しさ

0927
scratch
[skrǽtʃ]

動 ～を引っかく、～に傷をつける
名 引っかき傷

0928
legacy
[légəsi]

名 ①（過去からの）名残、遺産
②（遺言による）遺産

0929
summit
[sʌ́mɪt]
① sum(m)（最高の）+ -it（指小辞）

名 ①（山の）頂上、頂（≒peak） ② 首脳会談

0930
vibrant
[váɪbrənt]
① vibr（揺れる）+ -ant 形

形 ① 活気に満ちた（≒energetic） ② 振動する
動 vibrate 震える、振動する
名 vibration 振動

0931
exclaim
[ɪkskléɪm]
① ex-（外に）+ claim（大声で呼ぶ）

動 突然大声で言う、叫ぶ（≒cry out）
名 exclamation 叫ぶこと

0932
sprain
[spréɪn]

動 ～をねんざする
名 ねんざ

0933
lump
[lʌ́mp]

名 ① しこり、腫瘍 ② 塊

0934
plentiful
[pléntɪfl]
① plen（いっぱいの）+ -ti 名 + -ful 形

形（十二分なほど）たくさんの、豊富な
（≒abundant, ample, copious）（⇔scarce）
名 plenty たくさん、十分

0935
inhale
[ɪnhéɪl]
① in-（中に）+ hale（息）

動（空気・煙を）吸い込む（⇔exhale）
名 inhalation 吸入

0936
muddy
[mʌ́di]

形 泥の、泥だらけの
名 mud 泥

Track 078

After 10 years as a vegetarian, the thought of eating meat **disgusts** her.	ベジタリアンになって10年となり、彼女は肉を食べることを考えるのも嫌だ。
We have been **intimate** friends since we were children.	私たちは子どものころからずっと親友だ。
She could not help but **scratch** her itchy scalp.	彼女は頭がかゆくてかかずにはいられなかった。
The **legacy** of colonialism cannot be easily forgotten.	植民地主義の遺産は、簡単には忘れられない。
It took the group five hours to reach the **summit**.	その一行が頂上にたどり着くのに5時間かかった。
Her **vibrant** personality makes her popular at social gatherings.	快活な性格のために彼女はパーティーの人気者だ。
"You fixed my sewing machine!" she **exclaimed**.	「私のミシンを直してくれたのね！」と彼女は叫んだ。
He **sprained** his ankle when he tripped on a piece of wood.	彼は木片につまずいて足首をねんざした。
The doctor found a **lump** under her armpit.	医者は彼女の脇の下にしこりを見つけた。
Flower seeds are **plentiful** at the market in spring.	春の市場には、花の種がたくさんある。
She closed her eyes a moment and **inhaled** deeply.	彼女は一瞬目を閉じ、深く息を吸った。
The dog got **muddy** after playing outside in the rain.	雨の中外で遊んだので、その犬は泥だらけになった。

09
36

0937 **devise**
[dɪváɪz]
□□□
ⓘ de-（分離）+ vise（見る）

動 ～を考え出す、考案する（≒make up, think of ～, think up）
名 device 装置、しかけ

0938 **incidence**
[ínsədəns]
□□□
ⓘ in-（～に）+ cid（起こる）+ -ence 名

名 （病気などの）発生
名 incident 出来事

0939 **impassable**
[ɪmpǽsəbl | -pɑ́ːs-]
□□□
ⓘ im-（否定）+ pass（通る）+ -able（できる）

形 〈道が〉通り抜けできない、通行不能の（⇔passable）

0940 **nosy**
[nóʊzi]
□□□
ⓘ nos（鼻）+ -y 形

形 詮索好きな、おせっかいな

0941 **erect**
[ɪrékt]
□□□
ⓘ e-（外に）+ rect（真っすぐな）

動 ～を建設する（≒build）
形 直立した

0942 **damp**
[dǽmp]
□□□

形 湿った、じめじめした（⇔dry）
動 dampen ～を湿らせる

0943 **empower**
[ɪmpáʊər]
□□□
ⓘ em-（中に）+ power（力）

動 〈人〉に権限［裁量］を与える（≒authorize）
名 empowerment 権限付与

0944 **confession**
[kənféʃən]
□□□
ⓘ con-（十分に）+ fess（言う）+ -ion 名

名 白状、自白
動 confess ～を白状する

0945 **spectacle**
[spéktəkl]
□□□
ⓘ spect（見る）+ acle（指小辞）

名 光景、眺め
形 spectacular 壮観な
名 spectator 観客

0946 **attentive**
[əténtɪv]
□□□
ⓘ at-（～に）+ tent（伸ばす）+ -ive 形

形 注意深い、油断しない
動 attend 注意を向ける
名 attention 注意

0947 **conviction**
[kənvíkʃən]
□□□
ⓘ con-（完全に）+ vict（征服する）+ -ion 名

名 ① 有罪判決 ② 信念、確信（≒belief）
動 convict ～に有罪を宣告する
形 convicted 有罪判決を受けた

0948 **vacuum**
[vǽkjuːm]
□□□
ⓘ vac(u)（からの）+ -um（状態）

名 真空
► vacuum cleaner で「掃除機」の意味。

Track 079

She **devised** a plan to increase the company's profits.	彼女は会社の利益を増やすためのプランを考案した。
Doctors have detected an increased **incidence** of cancer.	医者たちは、がんの発生が増加していることに気づいている。
The landslide made the small mountain road **impassable**.	土砂崩れにより、その小さな山道は通れなくなった。
He is so **nosy** and always getting into other people's business.	彼はとてもおせっかいで、他人のことに首を突っ込んでばかりいる。
The town **erected** a statue of its founder.	その町は創設者の像を建てた。
The towels were left **damp** for too long, and they started to smell bad.	タオルはあまりに長時間湿ったままになっていたので、嫌な臭いがし始めた。
The advertising campaign is meant to **empower** women.	その広告キャンペーンは女性に権限を与えることを意図している。
A false **confession** from a witness held up the case.	証人の虚偽の証言のせいで、訴訟の進行が妨げられた。
Seeing many insects flying at once was quite the **spectacle**.	たくさんの昆虫が一斉に飛んでいるのを見るのは、かなりの壮観だった。
She is perfect for this job because she is so **attentive** to details.	彼女は細かい点にまでとても注意深いので、この仕事に最適だ。
That country has an extremely high **conviction** rate.	その国は有罪判決率が非常に高い。
Outer space is not actually a perfect **vacuum**.	宇宙空間は、実際には完全な真空ではない。

09
48

0949 **rally** [rǽli]
ⓘ r(e)-（再び）+ ally（集まる）

名（大規模な）集会

0950 **snatch** [snǽtʃ]

動 ～をひったくる、素早く手に入れる（≒grab）

0951 **torch** [tɔ́ːrtʃ]

名 たいまつ、トーチ
► オリンピックの「聖火リレー」は torch relay と言う。

0952 **fussy** [fʌ́si]

形 気難しい、（つまらないことに）騒ぎ立てる（≒particular）
名 fuss（ささいなことでの）大騒ぎ

0953 **emigration** [èməgréɪʃən]
ⓘ e-（外に）+ migr（移動する）+ -ation 名

名（他国などへの）移住
動 emigrate 移住する
名 emigrant 移民

0954 **diagonally** [daɪǽgənəli]
ⓘ dia-（横切って）+ gonal（角）+ -ly 副

副 対角線の方向に、斜めに
形名 diagonal 斜めの；対角線

0955 **salute** [səlúːt]

動 ～に敬礼する

0956 **recollect** [rèkəlékt]
ⓘ re-（再び）+ collect（集める）

動 ～を（努力して）思い出す、回想する（≒recall）
名 recollection 記憶

0957 **hostage** [hɑ́ːstɪdʒ | hɔ́s-]
ⓘ host（主人）+ -age（状態）

名 人質

0958 **comrade** [kɑ́ːmræd | kɔ́mreɪd]
ⓘ comr（部屋）+ -ade（集団）

名（苦楽を共にした）仲間

0959 **partition** [pɑːrtíʃən]
ⓘ part（分ける）+ -ition 名

名（部屋などの）仕切り、パーティション

0960 **slant** [slǽnt | slɑ́ːnt]

動 傾く
名 傾斜、傾き

Track 080

About 2,000 people attended the **rally** downtown.	約2,000人が中心街の**集会**に参加した。
Naomi **snatched** the book out of his hands.	ナオミは彼の手から本を**ひったくった**。
The tunnel was lit using handmade **torches**.	そのトンネルは手作りの**たいまつ**を使って照らされていた。
She is always really **fussy** about what she eats.	彼女は食べるものにいつも本当に**うるさい**。
Emigration from that country stopped after the war ended.	戦争が終わると、その国からの**移民**は途絶えた。
Measure the length of the screen **diagonally** to find out the size of the TV.	テレビのサイズを知るには、画面の長さを**対角線の方向に**測ってください。
The soldiers all **saluted** their commander when she walked in.	指揮官が入ってくると、兵士たちは全員**敬礼した**。
She could not **recollect** the name of that charming Italian restaurant.	彼女はその魅力的なイタリアンレストランの名前を**思い出せ**なかった。
They will return the **hostage** after the ransom is paid.	身代金が支払われたら、彼らは**人質**を返すつもりだ。
She made sure to look out for her **comrades**.	彼女は**仲間たち**を気遣うようにしていた。
Please do not tape anything to the office **partitions**.	オフィスの**パーティション**には何も貼らないでください。
The train **slanted** when the passengers got off.	乗客が降りると、列車は**傾いた**。

09
60

0961 **curb** [kə́ːrb]
□□□

動 ～を抑制する、制限する（≒limit）
名 （歩道の）縁石

0962 **deformity** [dɪfɔ́ːrməti]
□□□

① de-（分離）+ form（形）+ -ity 名

名 変形、奇形
動 deform ～の形をゆがめる

0963 **crouch** [kráutʃ]
□□□

動 しゃがむ、かがむ

0964 **immeasurable** [ɪméʒərəbl]
□□□

① im-（否定）+ measur（計る）+ -able（できる）

形 計り知れない（≒immense）

0965 **agitate** [ǽdʒətèɪt]
□□□

① agit（何度も行う）+ -ate（～にする）

動 ①〈人〉を動揺させる、〈気持ちなど〉をかき乱す ②世論に訴える、扇動する
名 agitation 動揺；扇動

0966 **recede** [rɪsíːd]
□□□

① re-（後ろに）+ cede（行く）

動 後退する、遠ざかる

0967 **crisp** [krísp]
□□□

形 〈食べ物が〉ぱりぱりした、かりっとした
► crispy とも言う。

0968 **frantic** [frǽntɪk]
□□□

形 （心配・恐怖などで）取り乱した

0969 **editorial** [èdɪtɔ́ːriəl]
□□□

① e-（外に）+ dit（与える）+ -or（人）+ -ial 形

名 （新聞の）社説
形 編集の
名 editor 編集者

0970 **execute** [éksəkjùːt] ▲ アクセント注意。
□□□

① ex-（外に）+ ecute（追う）

動 ①～を実行する ②～を処刑する
名 execution 実行；処刑

0971 **pinpoint** [pínpɔ̀ɪnt]
□□□

動 ①〈原因など〉を特定する（≒identify） ②〈位置など〉を正確に示す

0972 **adorable** [ədɔ́ːrəbl]
□□□

① ad-（～に）+ or（話す）+ -able（できる）

形 とてもかわいい、愛らしい（≒charming）
動 adore ～を熱愛する
名 adoration 敬愛；熱愛

We must **curb** miscellaneous spending to save money.	お金を節約するには、雑費を抑えなければならない。
A spine **deformity** prevented him from walking.	彼は背骨が変形していて歩けなかった。
The child **crouched** behind the bush to hide.	その子どもは隠れるために、茂みの陰にしゃがんだ。
The hurricane has caused **immeasurable** damage to the region.	ハリケーンはその地域に計り知れない被害をもたらした。
The noise from the people living above him really **agitates** him.	上の階に住む人々の物音は、彼をひどくいらいらさせる。
The hotel **receded** into the distance behind them as they drove away.	彼らが車で去ると、ホテルは彼らの背後へと遠ざかっていった。
He only eats French fries if they are **crisp**.	彼はかりっとしていなければフライドポテトを食べない。
The mother was **frantic** while looking for her child.	その母親は子どもを探している間、半狂乱だった。
She had her first **editorial** published this week.	今週、彼女の初めての社説が掲載された。
Plans are meaningless if you do not **execute** them.	計画は実行しなければ意味がない。
The developers could not **pinpoint** the cause of the problem.	開発者たちは、トラブルの原因を突き止められなかった。
She wanted to buy one of the **adorable** puppies.	彼女はその愛くるしい子犬のうちの1匹を買いたかった。

09
72

0973 **deflect**
[dɪflékt]
ⓘ de-（分離）+ flect（曲げる）

動 ～をそらす、かわす（≒divert）
名 deflection 進路をそらすこと

0974 **crude**
[krúːd]

形 雑な、大雑把な
► crude oil（原油）という表現も覚えておこう。
副 crudely 雑に

0975 **intersect**
[ìntərsékt]
ⓘ inter-（間に）+ sect（切る）

動 交差する、交わる
名 intersection 交差点

0976 **dazed**
[déɪzd]

形（ショックなどで）ぼう然とした

0977 **console**
[kənsóʊl]
ⓘ con-（完全に）+ sole（慰める）

動 ～を慰める、元気づける（≒comfort）
名 consolation 慰め

0978 **spiteful**
[spáɪtfl]

形 意地の悪い、悪意のある（≒malicious）
名 spite 悪意

0979 **sanction**
[sǽŋkʃən]
ⓘ sanct（聖なる）+ -ion 名

名 ① 制裁（措置） ②（公式な）認可、承認

0980 **influx**
[ínflʌ̀ks]
ⓘ in-（中に）+ flux（流れる）

名（人・金・ものなどの）到来、殺到、流入

0981 **scrap**
[skrǽp]

動 ①〈計画・制度など〉を取りやめる、中止する
②〈機械など〉をスクラップにする
名 切れ端、断片

0982 **ditch**
[dítʃ]

名 溝、用水路

0983 **relay**
[動 rɪléɪ 名 ríːleɪ]
ⓘ re-（後ろに）+ lay（置く）

動〈情報・連絡など〉を伝達する
名（仕事の）交代要員

0984 **illogical**
[ɪlɑ́ːdʒɪkl | ɪlɔ́dʒ-]
ⓘ il-（否定）+ log（言葉）+ -ical 形

形 非論理的な、筋の通らない
（≒unreasonable）（⇔logical）

Track 082

Good politicians tend to be good at **deflecting** difficult questions.	有能な政治家は往々にして難しい質問を**かわす**のがうまい。
We only have a **crude** outline of the design now.	今はまだ、構想の**大雑把な**概要しかない。
This street **intersects** with the highway a few miles that way.	この通りは、あちらに数マイル行ったところで幹線道路と**交差します**。
The woman stood, **dazed**, looking at the crash site.	女性は衝突現場を見ながら、**ぼう然と**立ち尽くしていた。
His mother **consoled** him whenever he got upset.	動揺するたびに、母親は彼を**慰めてくれた**。
She only made the **spiteful** remark to hurt his feelings.	彼女はただ、彼の気持ちを傷つけるために**意地の悪い**発言をした。
The US imposed trade **sanctions** on the island.	米国はその島に貿易**制裁**を科した。
An **influx** of tourists will help boost the economy.	観光客の**流入**は、経済の活性化に役立つ。
We **scrapped** our plans for the trip and bought a car instead.	私たちは旅行の計画を**取りやめ**、代わりに車を買った。
Her car crashed into the **ditch** after sliding on ice.	彼女の車は氷の上を滑ったあと、**溝**に突っ込んだ。
Please **relay** this information to your manager right away.	この情報をすぐに上司に**伝えて**ください。
It is **illogical** to attempt the failed method a second time.	失敗した方法を２度試すというのは**筋が通らない**。

0984

0985 **discharge** [dɪstʃɑ́ːrdʒ]
① dis- (分離)+ charge (荷を積む)

動 ① ～を解放する (≒release)
② 〈ガス・液体など〉を放出する

0986 **charm** [tʃɑ́ːrm]

動 ① ～をとりこにする、操る ② ～を魅了する
名 ① 魅力 ② まじない ► charm A into *do*ingで「魅力を使ってAに～させる」という意味。
形 charming 魅力的な

0987 **hinge** [híndʒ]

名 ちょうつがい

0988 **supreme** [su(ː)príːm]

形 ① (程度・重要度などが) 最高の ② 〈地位・権力などが〉最高の、最高位の (≒paramount)
► super の最上級。
名 supremacy 優越、優位

0989 **invisible** [ɪnvízəbl]
① in- (否定)+ vis (見る)+ -ible (できる)

形 見えない (⇔visible)

0990 **spark** [spɑ́ːrk]

名 火花、きらめき
動 ～の火つけ役となる、～を刺激する
動 sparkle 輝く、きらめく

0991 **analogy** [ənǽlədʒi]
① ana- (～に応じて)+ log (言葉)+ -y 名

名 ① 類似点、共通点 ② 類推
► draw an analogy で「類似性を指摘する、比較する」という意味。
形 analogous 類似した

0992 **gradation** [greɪdéɪʃən | grə-]
① grad (段階)+ -ation 名

名 段階的推移、グラデーション

0993 **superficial** [sùːpərfíʃəl]
① super- (上に)+ fic (顔)+ -ial 形

形 表面の、表面的な

0994 **bearable** [béərəbl]
① bear (耐える)+ -able (できる)

形 耐えられる (≒endurable) (⇔unbearable)
動 bear ～に耐える

0995 **sinister** [sínəstər]

形 ① 邪悪な、悪意のある (≒evil)
② 不吉な (≒ominous)

0996 **lean** [líːn]

形 やせた、引き締まった
► 同じつづりで「上体を曲げる」という動詞もある。

Track 083

He was **discharged** from the army because of misconduct.	彼は不正行為のために軍から除隊された。
She **charmed** security **into** letting her into the venue.	彼女は警備員をたぶらかして、会場に入れてもらった。
The door will not stay open because the **hinge** is broken.	そのドアはちょうつがいが壊れていて開いたままにならない。
It took **supreme** effort for him not to yell.	怒鳴らないでいるのは、彼にとって至難の業だった。
Many organisms are **invisible** to the naked eye.	多くの生物は肉眼では見えない。
Many **sparks** flew out from the fire pit.	焚き火台からたくさんの火花が飛び散った。
Her novel **draws an analogy** between politics and religion.	彼女の小説は、政治と宗教の類似性を描いている。
He painted his bedroom walls in a blue **gradation**.	彼は寝室の壁を青のグラデーションに塗った。
He has only a **superficial** knowledge of physics.	彼は物理学について表面的な知識しか持っていない。
The pain was **bearable**, but it was still a very unpleasant experience.	その痛みは耐えられるものではあったが、それでもとても不快な体験だった。
The man has a very **sinister** look on his face.	その男はとても腹黒そうな顔つきをしている。
All of the track team members are **lean** and tall.	陸上部のトラック競技のメンバーは皆やせていて、背が高い。

09/96

0997 **glorify** [glɔ́:rəfàɪ]
① glori（栄光）+ -fy（～にする）

動 ① ～を美化する、（実際以上に）よく見せる
② ～を賛美する

0998 **breadth** [brédθ]
① bread（幅が広い）+ -th 名

名 ①（知識などの）幅広さ（≒range）
② 幅（≒width）
形 broad 幅が広い

0999 **chaotic** [keɪɑ́:tɪk | -ɔ́t-] ▲ 発音注意。
① cha(os)（無秩序）+ -otic（引き起こす）

形 混沌とした、無秩序な
名 chaos 大混乱、無秩序

1000 **dutiful** [d(j)ú:təfl]

形 まじめな、忠実な（≒obedient）

1001 **sincerity** [sɪnsérəti]
① sincer（誠実な）+ -ity 名

名 誠実さ、正直さ（≒honesty）
形 sincere 誠実な、正直な
副 sincerely 誠実に、心から

1002 **restless** [réstləs]
① rest（休息）+ -less（ない）

形 落ち着かない、そわそわした（⇔relaxed）

1003 **stack** [stǽk]

動 ～を（整然と）積み重ねる
名 山、積み重ねたもの
► pile は同種のものの積み重ね、heap は乱雑な積み重ねに使う。

1004 **shred** [ʃréd]

動 ～を切り刻む
名（細長い）切れ端、断片

1005 **dimension** [dɪménʃən | daɪ-]
① di-（分離）+ mens（測る）+ -ion 名

名 ① 局面、側面（≒aspect） ② 大きさ、寸法

1006 **aimlessly** [éɪmləsli]
① aim（評価する）+ -less（ない）+ -ly 副

副 目的もなく、あてどなく
形 aimless 目的のない、あてのない

1007 **rejoice** [rɪdʒɔ́ɪs]
① re-（再び）+ joice（喜び）

動 喜ぶ、歓喜する

1008 **wrinkle** [ríŋkl]

名（皮膚・布地などの）しわ
動 しわが寄る

Track 084

Many people have criticized the way the film **glorifies** violence.	その映画が暴力を美化する仕方を多くの人が批判している。
The **breadth** of the professor's knowledge is amazing.	その教授の知識の幅広さは素晴らしい。
The political situation in the country is still **chaotic**.	その国の政治情勢はいまだに混沌としている。
She vowed to be a **dutiful** daughter to her parents.	彼女は、親孝行な娘になることを両親に誓った。
Many people questioned the **sincerity** of his speech.	多くの人が彼の演説の誠実さに疑問を感じた。
She was extremely **restless** waiting for her test results.	検査結果を待つ間、彼女は非常に落ち着きがなかった。
The papers **stacked** over there can be thrown away.	あそこに積み上げられた書類は捨ててもよい。
Make sure to **shred** any documents containing private information.	個人情報を含む書類は必ずシュレッダーにかけてください。
There are several different **dimensions** to this problem.	この問題には、いくつかの異なる側面がある。
The man walked around the park **aimlessly**.	その男はあてもなく公園を歩き回った。
The couple **rejoiced** when they found out she was pregnant.	彼女が妊娠していることがわかって、夫婦は喜んだ。
This cream will help reduce the appearance of your **wrinkles**.	このクリームは、しわを目立たなくするのに役立つ。

10
08

1009 **despise**
[dɪspáɪz]
① de-（下を）+ spise（見る）

動 ～を嫌悪する、軽蔑する（≒loathe）

1010 **exterminate**
[ɪkstə́ːrmənèɪt]
① ex-（外に）+ termin（境界）+ -ate（～にする）

動 〈種族・動物など〉を皆殺しにする、根絶する（≒wipe out）
名 extermination 根絶、駆除

1011 **choke**
[tʃóʊk]

動 ① 窒息する、むせる（≒suffocate）
② ～を窒息させる（≒suffocate）

1012 **splinter**
[splíntər]

名（木・ガラス・金属などの）とげ、破片（≒shard）
動 砕ける、裂ける

1013 **immense**
[ɪméns]
① im-（否定）+ mense（測る）

形 広大な、巨大な（≒huge）
副 immensely とても、極めて

1014 **glossy**
[glɑ́ːsi | glɔ́si]

形 光沢のある
名 gloss 光沢

1015 **brace**
[bréɪs]

動 ① 身構える、準備する ② ～を支える、補強する

1016 **blast**
[blǽst | blɑ́ːst]

名 ① 爆発、爆風（≒explosion） ② 突風（≒gust）
動 ～を爆破する

1017 **mellow**
[mélou]

形 ① 〈ワイン・チーズなどが〉熟成した
② 〈光・色・音楽などが〉柔らかく心地よい

1018 **liable**
[láɪəbl]
① li（結びつける）+ -able（できる）

形 ①（法的に）責任がある、義務がある
② [be liable to *do*] ～しがちだ
名 liability（法的）責任

1019 **inclination**
[ìnklənéɪʃən]
① in-（～のほうに）+ clin（傾斜する）+ -ation 名

名 好み、傾向
形 inclined 傾向がある

1020 **redeem**
[rɪdíːm]
① red-（元に）+ eem（買う）

動 ① 〈失敗・弱点など〉を補う
② 〈引換券〉を現金［商品］に換える

Track 085

He **despises** the smell of most kinds of flowers.	彼はほとんどの種類の花の匂いをひどく嫌っている。
They hired someone to **exterminate** the rats in their house.	彼らは家のネズミを駆除するために人を雇った。
Every year, hundreds of elderly people die from **choking** on this food.	毎年、何百人もの高齢者がこの食品をのどに詰まらせて亡くなっている。
He got a **splinter** in his finger while building the shed.	彼は物置を作っていて指にとげが刺さってしまった。
This position comes with an **immense** amount of responsibility.	この役職には、非常に大きな責任が伴う。
Her new shampoo makes her hair **glossy** and clean.	新しいシャンプーで、彼女の髪はツヤツヤできれいになった。
Residents of the beach town are **bracing** for another busy tourist season.	海辺の町の住人たちは、今年も忙しい観光シーズンを迎えようとしている。
The **blast** at the factory killed five people.	工場での爆発で５人が死亡した。
This wine has a reputation for having a **mellow** flavor.	このワインはまろやかな味わいだという評判だ。
Signing this contract will make you **liable** for her payments.	この契約書にサインすると、あなたは彼女の支払いに責任を持つことになります。
He has an **inclination** to touch anything that looks soft.	彼は、柔らかそうなものなら何でも触りたがる。
The fantastic acting somewhat **redeems** the poorly written film.	素晴らしい演技は、映画の脚本の拙さをある程度補っている。

1021 **depot**
[díːpoʊ | dépoʊ] ▲ 発音注意。
① de- (分離) + pot (置く)

名 貯蔵庫、倉庫 (≒storehouse, warehouse)

1022 **plural**
[plʊ́ərəl]
① plur (もっと多くの) + -al 形

形 複数の (⇔singular)

1023 **forsake**
[fərséɪk]
① for- (除外) + sake (議論する)

動 ① 〈好きなことなど〉をあきらめる、捨てる (≒give up)
② 〈人〉を見捨てる、見放す (≒abandon)
► forsake-forsook-forsaken と活用する。

1024 **retrace**
[rɪtréɪs]
① re- (後ろに) + trace (追跡する)

動 ~を引き返す

1025 **naive**
[nɑːíːv]

形 単純な、世間知らずの
► naïve ともつづる。

1026 **uptight**
[ʌ́ptáɪt]

形 いら立って、神経質になって

1027 **ornament**
[ɔ́ːrnəmənt]
① orna (飾る) + -ment 名

名 装飾品、装身具
形 ornamental 装飾の

1028 **inhibit**
[ɪnhíbət]
① in- (中に) + hibit (保つ)

動 ① 〈人〉を抑える、抑制する
② 〈成長・進展など〉を阻害する (≒prevent)
名 inhibition 抑制

1029 **smash**
[smǽʃ]

動 ① 激突する ② 粉々に壊れる
► 「~を粉々に壊す」という他動詞の使い方もある。

1030 **modest**
[mɑ́ːdəst | mɔ́dɪst]

形 ① 謙虚な
② 〈数量などが〉控えめな、そこそこの
► 原義は「尺度 (mode) に合った」。

1031 **hardy**
[hɑ́ːrdi]
① hard (強い) + -y 形

形 〈人・動物が〉頑丈な、丈夫な (≒sturdy)

1032 **entitle**
[ɪntáɪtl]
① en- (~を与える) + title (称号)

動 ① 〈人〉に資格 [権利] を与える
② ~にタイトルをつける
名 entitlement 資格、権利

Track 086

There was an accident at the fuel **depot** yesterday.

昨日、燃料貯蔵庫で事故があった。

Not all languages have **plural** nouns like English.

すべての言語が英語のように**複数形の**名詞を持つわけではない。

She **forsook** banking for a career in real estate.

彼女は銀行業を**辞めて**不動産業に転職した。

I **retraced** my steps to see if I had dropped my wallet somewhere.

私はどこかで財布を落としたのではないかと来た道を**引き返した**。

It is **naive** to trust everything your friends tell you.

友人の言うことをすべて信用するのは**お人よしだ**。

He was just joking. Don't be so **uptight**.

彼は冗談を言っただけだよ。そんなに**いらいらする**なよ。

10
32

The family put **ornaments** on their Christmas tree.

その家族はクリスマスツリーの**飾りつけ**をした。

The fear of rejection **inhibited** him from talking to women.

拒絶されるのが怖くて、彼は女性に話し**かけられなかった**。

The man **smashed** into a wall with his car.

男は車で壁に**激突した**。

Although he is an excellent piano player, he is very **modest** about his skills.

彼はすぐれたピアニストだが、自分の技術についてとても**謙虚だ**。

It is a **hardy** plant that should grow with minimal care.

それは最小限の手入れで育つはずの**丈夫な**植物だ。

Being a member **entitles** you to a small discount.

会員になると、若干の割引が**受けられます**。

1033 **taint**
[téɪnt]
動 〈水・空気など〉を汚す、汚染する（≒pollute）

1034 **striking**
[stráɪkɪŋ]
形 顕著な、著しい（≒marked）

1035 **indulgent**
[ɪndʌ́ldʒənt]
! indulg（甘やかす）+ -ent 形
形 甘やかす、寛大な（⇔strict）
動 indulge〈子どもなど〉を甘やかす
名 indulgence 甘やかすこと

1036 **discreet**
[dɪskríːt]
形 ① 控えめな、目立たない ② 用心深い、慎重な

1037 **incurable**
[ɪnkjúərəbl]
! in-（否定）+ cur（治す）+ -able（できる）
形 〈病気などが〉不治の、治せない（⇔curable）

1038 **complement**
[kɑ́ːmpləmènt | kɔ́mplɪ-]
! com-（共に）+ ple（満たす）+ -ment 名
動 ～を補う、補完する
形 complementary 補完的な

1039 **unsound**
[ʌnsáʊnd]
! un-（否定）+ sound（健全な）
形 〈心身が〉不健全な、不健康な

1040 **wield**
[wíːld]
動 〈権力・影響など〉を行使する（≒exert）

1041 **dislocate**
[dísləkèɪt]
! dis-（分離）+ locate（置く）
動 ① ～を脱臼させる
② 〈制度・計画など〉を混乱させる、狂わせる

1042 **pledge**
[plédʒ]
動 ～を誓う
名 誓約、公約
► pledge to *do* で「～することを誓う」という意味。

1043 **gargle**
[gɑ́ːrgl]
動 うがいをする

1044 **contempt**
[kəntémpt]
! con-（強意）+ tempt（軽蔑する）
名 軽蔑、軽視（≒scorn）

Track 087

The water supply was **tainted** with a dangerous poison.

水道は危険な毒で汚染されていた。

He has a **striking** resemblance to his grandfather.

彼は祖父に驚くほど似ている。

Her parents were always **indulgent** with her as a child.

子どものころ、両親はいつも彼女を甘やかしていた。

The company quickly searched for a **discreet** way to handle the problem.

その会社は人目につかずに問題に対処する方法を急いで探した。

The doctor told him that his disease was **incurable**.

医者は彼に、彼の病気は治らないと言った。

This sauce **complements** the meat in this dish well.

このソースは、この料理の肉をよく引き立てる。

She has been **unsound** of mind since the accident.

事故以来、彼女は心を病んでいる。

You must **wield** your power with responsibility and respect.

権力を行使するには、責任と敬意を持って行わなければならない。

He **dislocated** his shoulder when he landed on it poorly.

肩から変な落ち方をして、彼は肩を脱臼した。

We **pledge to** always serve our customers diligently.

私たちは、常にお客さまに真摯に対応することを誓います。

Gargle with salt water when you have a sore throat.

のどが痛いときは塩水でうがいをしてください。

He has total **contempt** for his former boss.

彼は前の上司を完全に軽蔑している。

10
44

1045 aggravate
[ǽgrəvèɪt]
ⓘ ag-（～に）+ grav（重い）+ -ate（～にする）

動 〈問題・状況など〉を悪化させる（≒worsen）
名 aggravation 悪化

1046 horrify
[hɔ́:rəfàɪ | hɔ́r-]
ⓘ horr（恐怖）+ -ify（～にする）

動 ～をぞっとさせる（≒terrify）
名 horror 恐怖
形 horrible ぞっとするような

1047 vulgar
[vʌ́lgər]

形 〈言動などが〉下品な；〈人・振る舞いなどが〉粗野な（≒crude）（⇔refined）

1048 cordial
[kɔ́:rdʒəl | -diəl]
ⓘ cord（心）+ -ial 形

形 心からの、友好的な

1049 drift
[dríft]

動 漂流する、漂う
名 漂流

1050 circuit
[sə́:rkət]
ⓘ circu（周り）＋ it（行く）

名 回路

1051 blueprint
[blú:prìnt]

名 （建築・機械の）設計図、青写真

1052 vault
[vɔ́:lt]

動 跳び越える
► 同じつづりで「アーチ形の天井［屋根］；（地下の）金庫室」という意味の名詞もある。

1053 ratio
[réɪʃoʊ | -ʃiəʊ]

名 比率、割合（≒proportion）

1054 dismayed
[dɪsméɪd]
ⓘ dis（ない）+ may（力）+ -ed 形

形 狼狽（ろうばい）して、落胆して
名 動 dismay 狼狽（させる）、落胆（させる）

1055 trim
[trím]

動 ～を刈り込む、手入れする
形 〈服装などが〉きちんとした

1056 ignition
[ɪgníʃən]
ⓘ ign（火）+ -ition 名

名 点火、引火
動 ignite ～に点火する

Track 088

Spending too long on the computer **aggravated** her eyestrain.	長時間コンピュータに向かったことで彼女の眼精疲労は**悪化した**。
The abductions across the country **horrified** the public.	全国で発生した拉致事件は、国民を**震撼させた**。
It is usually best to keep **vulgar** jokes to yourself.	ふつう、**下品な**冗談は口にしないほうがよい。
The atmosphere at the banquet was **cordial** and relaxed.	宴会の雰囲気は、**友好的**でリラックスしたものだった。
The boat **drifted** down the river slowly and gently.	ボートはゆっくり静かに川を**漂っていった**。
The **circuit** of this device has a simple design.	このデバイスの**回路**はシンプルな設計になっている。
According to the **blueprint**, the window should be on the other side of the room.	**設計図**によると、窓は部屋の反対側にあるはずだ。
The girl **vaulted** over the fence for fun.	少女は面白がって柵を**跳び越えた**。
The **ratio** of boys to girls in the class is 1 to 1.	クラスの男子と女子の**比率**は1対1だ。
She was **dismayed** to learn that her health insurance would not cover treatment.	彼女は、健康保険が治療に適用されないことを知って**がっかりした**。
This weekend I am going to **trim** the dead branches off these trees.	今週末、これらの木の枯れ枝を**切る**予定だ。
The **ignition** of leaking gas caused a huge explosion.	漏れたガスに**引火**して、大爆発が起きた。

10► 56

1057 **insight**
[ínsàɪt]
① in- (中に) + sight (見ること)

名 洞察力、識見
形 insightful 洞察力のある

1058 **dismantle**
[dɪsmǽntl]
① dis- (分離) + mantle (マント)

動 〈機械など〉を分解する、解体する (≒take apart) (⇔assemble)

1059 **indefinite**
[ɪndéfənət]
① in- (否定) + de- (下に) + fin (限界) + -ite 形

形 ① 不定の、決まっていない (⇔definite)
② 不明瞭な (≒vague)
副 indefinitely 漠然と

1060 **cunning**
[kʌ́nɪŋ]
① cunn (知る) + -ing 形

形 悪賢い、ずるい (≒crafty)

1061 **scorn**
[skɔ́ːrn]

動 〈人・考えなど〉を軽蔑する、ばかにする (≒despise)
名 軽蔑

1062 **commencement**
[kəménsmənt]
① com(m)- (強意) + ence (始める) + -ment 名

名 開始、始まり (≒beginning)
動 commence (～を) 開始する

1063 **deteriorate**
[dɪtíəriərèɪt]
① deterior (より悪い) + -ate (～にする)

動 〈もの・状況・品質などが〉悪化する (≒worsen) (⇔improve, ameliorate)

1064 **pathetic**
[pəθétɪk]
① pathe (感情) + -tic 形

形 ① (いらいらするほど) お粗末な、情けない
② 哀れな (≒pitiful)

1065 **scrape**
[skréɪp]

動 ～をこする、こすって傷つける

1066 **perimeter**
[pərímətər]
① peri (周りの) + meter (計測)

名 周囲 [周辺] (の長さ)

1067 **transcription**
[trænskrípʃən]
① tran- (越えて) + script (書く) + -ion 名

名 文字起こし
動 transcribe ～を文字に起こす
名 transcript 写し、コピー

1068 **chunk**
[tʃʌ́ŋk]

名 (パン・肉・木材などの) 大きな塊

級	一次試験				二次試験
	筆記試験			Listening	Speaking
	Reading	Writing	試験時間		
1 級	**41 問→35 問** ・大問 1: 短文の語句空所補充 → 3 問削除（単語問題） ・大問 3: 長文の内容一致選択 → 3 問削除（設問 No. 32-34）	英作文問題の出題を**1 題から 2 題に増加** 既存の「意見論述」の出題に加え、**「要約」問題を出題**	変更なし （100 分）	変更なし	変更なし
準 1 級	**41 問→31 問** ・大問 1: 短文の語句空所補充 →7 問削除（単語問題） ・大問 3: 長文の内容一致選択 →3 問削除（設問 No. 32-34）		変更なし （90 分）	変更なし	受験者自身の意見を問う質問（No. 4）に**話題導入文を追加**
2 級	**38 問→31 問** ・大問 1: 短文の語句空所補充 →3 問削除（文法問題など） ・大問 3B: 長文の内容一致選択 →4 問削除（設問 No. 30-33）		変更なし （85 分）	変更なし	変更なし
準 2 級	**37 問→29 問** ・大問 1: 短文の語句空所補充 →5 問削除（熟語・文法問題など） ・大問 3B: 長文の語句空所補充 →3 問削除（設問 No. 28-30）	英作文問題の出題を**1 題から 2 題に増加** 既存の「意見論述」の出題に加え、**「E メール」問題を出題**	**時間延長** （75→80 分）	変更なし	変更なし
3 級	変更なし		**時間延長** （50→65 分）	変更なし	変更なし

He offered **insight** into the difficulty of becoming a lawyer.	彼は、弁護士になることの難しさについて見識を述べた。
We will have to **dismantle** the engine in order to repair it.	修理するため、エンジンを分解しなければならないだろう。
Suspension of service will continue for an **indefinite** period.	サービスの停止がいつまで続くかは不定です。
Nancy was fooled by his **cunning** plan.	ナンシーは彼の狡猾な計画にだまされた。
After becoming rich, he **scorned** his poor friends.	金持ちになると、彼は貧しい友人たちをばかにした。
The **commencement** of the graduation ceremony went perfectly.	卒業式の滑り出しは完ぺきだった。
Her vision **deteriorated** rapidly after her surgery failed.	手術が失敗したあと、彼女の視力は急速に低下した。
The coach told the team he was disgusted by their **pathetic** performance.	コーチはチームに、彼らのお粗末なプレーにうんざりしていると言った。
She **scraped** her knee when she fell off the swing.	彼女はブランコから落ちて膝を擦りむいた。
He built a large wall around the **perimeter** of his property.	彼は自らの地所の周囲に大きな壁を建てた。
The automated **transcription** of the interview has some errors, but it is mostly accurate.	インタビューの自動文字起こしにはいくつかの誤りがあるが、ほとんど正確だ。
She put a big **chunk** of beef on the grill.	彼女は大きな牛肉の塊をグリルにのせた。

1069 **humble**
[hʌ́mbl]
形 謙遜した、控えめな

1070 **simmer**
[símər]
動 ① ことこと煮える；～をとろ火で煮る
② 〈暴力・怒りなどが〉今にも爆発しそうである

1071 **monotonous**
[mənɑ́ːtənəs | -nɔ́t-]
! mono（一つの）+ ton（調子）+ -ous（満ちた）
形 単調な、変化のない
名 monotone 単調さ

1072 **swift**
[swíft]
形 迅速な、素早い
副 swiftly 迅速に

1073 **premature**
[prìːmət(j)úər | prémətʃə]
! pre-（前に）+ mature（熟した）
形 時期尚早の

1074 **infinite**
[ínfənət]
! in-（否定）+ fin（限界）+ -ite 形
形 無限の、無数の（⇔finite）
名 infinity 無限

1075 **deploy**
[dɪplɔ́ɪ]
! de-（分離）+ ploy（折る）
動 〈部隊など〉を展開させる、配置する
名 deployment 展開、配置

1076 **sterile**
[stérəl | stéraɪl]
形 ① 不妊の、無精子の、繁殖力のない
② 〈土地が〉不毛の（⇔fertile）
③ 無菌の、殺菌した
動 sterilize ～を殺菌する

1077 **maze**
[méɪz]
名 迷路、迷宮（≒labyrinth）
► amazed（びっくりした）の頭音消失からできた語。

1078 **dreary**
[dríəri]
形 ① 陰うつな、物寂しい（≒dismal）
② つまらない、退屈な（≒dull）

1079 **eject**
[ɪdʒékt]
! e-（外に）+ ject（投げる）
動 ① ～を追い出す、追い払う
② ～を外に出す、排出する
名 ejection 排出、放出

1080 **fluent**
[flúːənt]
! flu（流れる）+ -ent 形
形 （外国語などが）流ちょうな
名 fluency 流ちょうさ

Track 090

His **humble** efforts were finally rewarded by his superiors.	彼の**地道な**努力は、ついに上司によって報われた。
Bring the soup to a boil and let it **simmer** for 15 minutes.	スープを沸騰させ、15 分間**とろ火で煮**ます。
His voice is **monotonous**, so he is hard to listen to.	彼の声は**単調**なので聞き取りにくい。
Thank you for your **swift** response to my message.	連絡への**迅速な**返信をありがとうございます。
Making a decision would be **premature** without more evidence.	さらなる証拠なしに決定を下すのは**時期尚早**だろう。
There are **infinite** possible solutions to this problem.	この問題には**無限の**解決策が考えられる。
Over 6,000 troops have been **deployed** to the location of the conflict.	6,000 人を超える部隊がその紛争地域に**配置され**ている。
The test revealed that he was not **sterile** and could therefore have children.	検査の結果、彼は**無精子**ではなく、したがって子どもを作ることができると判明した。
Every fall that farm has a corn **maze**.	毎年秋になると、その農場にはトウモロコシの**迷路**ができる。
The rainy weather of London can be quite **dreary**.	ロンドンの雨がちな天気はかなり**陰うつな**ことがある。
The drunken man was **ejected** from the casino.	その酔っ払いはカジノから**追い出され**た。
She is **fluent** in four different languages, including Tagalog.	彼女はタガログ語を含む 4 つの異なる言語に**堪能**だ。

10
80

1081 **disown** [dɪsóʊn]
① dis- (否定) + own (自分自身の)
動 ~を自分の所有物と認めない、~との関係を否定する

1082 **attendant** [əténdənt]
① at- (~に) + tend (伸ばす) + -ant 名
名 係員、接客係
動 attend ~に付き添う、~の世話をする
名 attendance 出席者(数)

1083 **vigilant** [vídʒələnt]
① vigil (警戒) + -ant 形
形 警戒を怠らない、用心深い (≒alert)
名 vigilance 警戒、用心

1084 **cumulative** [kjúːmjələtɪv]
① cuml (集める) + -ative 形
形 〈効果・影響などが〉しだいに増える

1085 **enchant** [ɪntʃǽnt | -tʃáːnt]
① en- (中に) + chant (歌う)
動 〈人〉を魅惑する、魅了する (≒charm, fascinate)
名 enchantment 魅力

1086 **candid** [kǽndɪd]
① cand (白い) + -id 形
形 率直な、遠慮のない (≒frank)
名 candor 率直さ

1087 **jumble** [dʒʌ́mbl]
動 〈ものが〉ごちゃ混ぜになる、〈考えが〉混乱する
名 混在

1088 **momentary** [móʊməntèri | -təri]
① moment (瞬間) + -ary 形
形 瞬間の

1089 **miniature** [míniətʃər | mínətʃə]
形 小型の、縮小した

1090 **outpace** [àʊtpéɪs]
動 ~より速く走る;~より速く発展する (≒outrun)

1091 **decline** [dɪkláɪn]
① de- (下に) + cline (曲げる)
動 ① 減少する、低下する (≒decrease)
② (~を) 断る (≒refuse) (⇔accept)
名 減少 (≒decrease)

1092 **reveal** [rɪvíːl]
① re- (元に) + veal (覆う)
動 ~を明らかにする (⇔conceal)
名 revelation 暴露

Track 091

His parents **disowned** him because he did not share their beliefs.	両親は、彼が自分たちの信念を共有していなかったので、彼を**勘当した**。
She worked as a flight **attendant** for over 10 years.	彼女は 10 年以上、客室**乗務員**として働いた。
Police are asking locals to be **vigilant**, especially at night.	警察は地元住民に、特に夜間は**警戒**するよう呼びかけている。
Through your **cumulative** efforts, our plan has succeeded.	皆さんの努力の**積み重ね**により、私たちの計画は成功しました。
Everyone was **enchanted** by the sound of her voice.	誰もが彼女の声に**魅了**された。
He got some **candid** advice from his mother.	彼は母親から**率直な**アドバイスをもらった。
Her vision blurred and the words looked all **jumbled**.	彼女の視界はぼやけ、文字はすべて**ごちゃごちゃ**に見えた。
The **momentary** loss of concentration caused him to lose the tennis match.	**一瞬**集中力を欠いたために、彼はテニスの試合に負けた。
Her father bought her a **miniature** train for her birthday.	父親は彼女の誕生日に**ミニチュア**の列車を買ってあげた。
As long as profit growth **outpaces** increases in expenses, the company will be fine.	利益の伸びが経費の増加を**上回って**いる限り、会社は大丈夫だ。
The number of young people who drink is **declining** steadily.	飲酒する若者の数は着実に**減少して**いる。
Many studies have **revealed** how trauma changes our brains.	多くの研究で、トラウマが私たちの脳をどのように変化させるかが**明らかに**されている。

10
92

1093 **associate**
[動 əsóuʃièɪt | -si- 形 əsóuʃiət | -si-]
① ac（～に）+ soci（仲間）+ -ate（～にする）

動 ～を関連づける、結びつける
形 補助の、副～
► associate A with B で「AをBと関連づける」という意味。
名 association 協会　形 associated 関連する

1094 **confirm**
[kənfə́ːrm]
① con-（共に）+ firm（固い）

動 ～を確認する、裏づける
名 confirmation 確認

1095 **renew**
[rɪn(j)úː]
① re-（再び）+ new（新しい）

動 ①〈免許・契約など〉を更新する、継続する
②〈休止していた行為など〉を再開する
名 renewal 更新
形 renewable 更新可能な

1096 **predict**
[prɪdíkt]
① pre-（前に）+ dict（言う）

動 ～を予測する、予言する（≒foretell）
名 prediction 予測
形 predictable 予測可能な

1097 **conflict**
[名 kɑ́ːnflɪkt | kɔ́n- 動 kənflíkt]
① con-（共に）+ flict（ぶつかる）

名 対立、衝突、紛争
動 対立する、矛盾する

1098 **imply**
[ɪmpláɪ]
① im-（中に）+ ply（折る）

動 ～をほのめかす、暗に言う
► 設問文中でよく使われる。
名 implication 含意、暗示
形 implicit 暗黙の

1099 **restrict**
[rɪstríkt]
① re-（強意）+ strict（引き締める）

動 ～を制限する、限定する（≒limit）
名 restriction 制限

1100 **circumstance**
[sə́ːrkəmstæ̀ns]
① circum（周り）+ stance（立つ）

名 状況、事情
► ふつう複数形で使う。

1101 **symptom**
[símptəm]
① sym-（共に）+ ptom（落ちる）

名（病気の）兆候、症状

1102 **regulate**
[régjəlèɪt]
① regul（規則）+ -ate（～にする）

動 ① ～を規制する、取り締まる
② ～を調整する（≒adjust）
名 regulation 規制

1103 **emphasize**
[émfəsàɪz]
① em-（～にする）+ phas（現れる）+ -ize 動

動 ～を強調する（≒stress）
名 emphasis 強調

1104 **identify**
[aɪdéntəfàɪ]
① ident（同じ）+ -ify（～にする）

動 ① ～を特定する ② ～を（…と）同一視する
名 identification 識別
形 identifiable 識別できる

Track 092

By the age of three, he already **associated** Christmas **with** Santa Claus.	3歳のころには、彼はすでにクリスマスと言えばサンタクロースを連想していた。
This study **confirms** that the drug is effective against muscle pain.	この研究は、その薬品が筋肉痛に有効であることを裏づけている。
It took him two hours to get his license **renewed**.	彼は免許を更新するのに2時間かかった。
It is impossible to **predict** the future.	未来を予言することはできない。
Luckily, the **conflict** between the two countries was resolved peacefully.	幸いなことに、2国間の紛争は平和的に解決された。
She **implied** that she might be looking for a new job.	彼女は新しい仕事を探していることをほのめかした。
The city **restricted** when citizens could be outside.	市は、市民が外出できる時間を制限した。
You are not to enter my room under any **circumstances**.	どんな事情があっても私の部屋に入ってはいけません。
A sore throat is a typical **symptom** of a cold.	のどの痛みは風邪の典型的な症状だ。
The government strictly **regulates** the price of goods.	政府は商品の価格を厳しく規制している。
The mayor **emphasized** the importance of education in her speech.	市長はスピーチにおいて教育の重要性を強調した。
His doctor **identified** the cause of his knee pain.	主治医は彼の膝の痛みの原因を突き止めた。

11
04

1105 **reliable**
[rɪláɪəbl]
① re-（後ろに）+ li（結びつける）+ able（できる）

形 ①〈人・ものが〉信頼できる（≒dependable）
②〈情報が〉確かな
副 reliably 確実に、信頼できる筋から
名 reliability 信頼性

1106 **monitor**
[mάːnətər | mɔ́nɪ-]
① monit（忠告する）+ -or（人）

動 ～を監視する
名 モニター、ディスプレイ

1107 **update**
[動 ʌ̀pdéɪt 名 ʌ́pdèɪt]

動 ～を改訂する、新しいものにする
名 最新情報
形 updated 更新した、最新の

1108 **contrast**
[動 kəntrǽst | kəntrάːst
名 kάːntræst | kɔ́ntrɑːst]
① contra（対立して）+ st（立つ）

動 対照を成す
名 対照

1109 **appropriate**
[əpróʊpriət]
① ap-（～に）+ propri（自分自身の）+ -ate（～にする）

形 適切な、ふさわしい（≒suitable）
（⇔inappropriate）

1110 **adapt**
[ədǽpt]
① ad-（～に）+ apt（適した）

動 ① 適応する ② ～を適応させる ③ ～を改作する
► adapt to ～「～に適応する」の形でよく出題される。
名 adaptation 適応

1111 **genetic**
[ʤənétɪk]
① genet（生み出す）+ -ic 形

形 遺伝の、遺伝的な
名 gene 遺伝子
副 genetically 遺伝子的に

1112 **upgrade**
[動 ʌ̀pgréɪd 名 ʌ́pgrèɪd]

動 ～の性能［品質など］を上げる
名 性能［品質］の向上

1113 **commit**
[kəmít]
① com-（共に）+ mit（送る）

動 ①〈罪・過失など〉を犯す ② [commit *oneself* / be commited] 取り組む、専念する
► commit suicide「自殺する」の形でも出題される。
名 commitment 約束

1114 **breed**
[bríːd]

動 ① ～を繁殖させる、飼育する ② 繁殖する
名 品種
► カタカナ語の「ブリーダー」は breeder から。

1115 **inspire**
[ɪnspáɪər]
① in-（中に）+ spire（息をする）

動 ①〈人〉を奮い立たせる ②〈人〉に着想を与える
► inspire A to *do* で「A を促して～させる」という意味。
名 inspiration 着想、インスピレーション

1116 **livestock**
[láɪvstὰːk | -stɔ̀k]

名 家畜
► 集合的に馬・牛・ヒツジなどの「家畜類」を表す。

Track
093

This taxi company is **reliable** and has great service.	このタクシー会社は**信頼性が高く**、すぐれたサービスを提供している。
Her boss told her to **monitor** the new recruits carefully.	上司は彼女に、新入社員たちを注意深く**監視する**ように言った。
The company **updated** the terms and conditions on their website.	その会社はウェブサイトの利用規約を**更新した**。
Your new pink shoes **contrast** beautifully with your shirt.	あなたの新しいピンクの靴は、シャツとの**コントラスト**が美しい。
Read the manual to know what clothes are considered **appropriate**.	どのような服装が**適切**とされているかは、マニュアルを読んで確認してください。
Humans are very good at **adapting to** new environments.	人間は新しい環境に**適応する**ことに長けている。
Genetic modification is commonly done to commercial crops.	**遺伝子の**組み換えは、商品作物に対して一般的に行われている。
He **upgraded** his phone to the latest model.	彼は携帯電話を最新機種に**アップグレードした**。
The police believe the woman **committed** the crime.	警察は、その女性が犯罪を**犯した**と考えている。
His company specializes in **breeding** race horses.	彼の会社は競走馬の**繁殖**を専門にしている。
You **inspired** me **to** try writing my own songs.	あなたは私に、自分の曲を書いてみようという**刺激を与え**てくれた。
Their farm has many different kinds of **livestock**.	彼らの農場には、さまざまな種類の**家畜**がいる。

11▸
16

1117 **exposure**
[ɪkspóʊʒər]
① ex- (外に) + pos (置く) + -ure 名

名 ① (日光・風雨・危険などに) さらされること
② (メディアへの) 露出
動 expose ～をさらす

1118 **surrounding**
[səráʊndɪŋ]

形 周囲の、周辺の
名 [surroundings] 環境
動 surround ～を取り囲む

1119 **secure**
[sɪkjʊ́ər]
① se- (離れて) + cure (心配)

形 安全な、守られた (≒safe)
動 ～を確保する
名 security 安全
形 secured 保護された、担保つきの

1120 **federal**
[fédərəl]
① feder (盟約) + -al 形

形 連邦の、連邦政府の
名 federation 連邦、連盟

1121 **commute**
[kəmjúːt]
① com- (強意) + mute (変える)

名 通勤
動 通勤する
名 commuter 通勤者

1122 **aggressive**
[əgrésɪv]
① ag- (～に) + gress (進む) + -ive 形

形 ① 攻撃的な ② 〈人・態度などが〉積極的な
副 aggressively 積極的に
名 aggression 攻撃

1123 **sufficient**
[səfíʃənt]
① suf- (下に) + fici (作る) + -ent 形

形 十分な (≒adequate) (⇔insufficient)
副 sufficiently 十分

1124 **settlement**
[sétlmənt]

名 ① 入植、定住 ② 居住地、集落 ③ 解決、和解
動 settle (～に) 入植する、定住する

1125 **emerge**
[ɪmə́ːrdʒ]
① e- (外に) + merge (沈む)

動 出現する、姿を現す (≒appear, come out)
名 emergence 出現

1126 **sophisticated**
[səfístɪkèɪtɪd]

形 洗練された、〈技術などが〉精巧な
名 sophistication 精巧さ

1127 **undergo**
[ʌ̀ndərgóʊ]

動 ① 〈試練・変化など〉を経験する (≒go through ～)
② 〈手術・試験など〉を受ける

1128 **revenue**
[révən(j)ùː]
① re- (元に) + venue (来る)

名 収入、歳入 (⇔expenditure)

Track 094

Excessive **exposure** to sunlight will damage your skin.	日光に過度にさらされると、肌はダメージを受ける。
The park will increase the value of **surrounding** neighborhoods.	その公園は、周辺地域の価値を高めるだろう。
Use strong passwords to keep your accounts **secure**.	強力なパスワードを使い、アカウントの**安全性**を確保してください。
Workers are required to pay both **federal** and state income taxes.	労働者は、**連邦**と州の両方の所得税を支払う義務がある。
Her **commute** only takes her 15 minutes by train.	彼女の**通勤**は電車でわずか 15 分だ。
Some dogs can become **aggressive** without any warning.	何の前触れもなく**攻撃的**になる犬もいる。
Our company lacks **sufficient** funds to purchase the land.	わが社にはその土地を購入する**十分**な資金がない。
The **settlement** of North America by Europeans marked a major point in human history.	ヨーロッパ人による北アメリカへの**入植**は、人類の歴史における重要なポイントになった。
Our species appears to have **emerged** about 200,000 years ago.	私たちの種は、約 20 万年前に**出現し**たようだ。
Our new camera has a **sophisticated** and modern design.	当社の新型カメラは**洗練された**モダンなデザインです。
The downtown area has **undergone** significant changes recently.	中心街は最近、大きな変化を**遂げた**。
The company's **revenue** is expected to increase this year.	会社の**収益**は今年増加すると見込まれている。

11/28

1129 **disorder**
[dɪsɔ́ːrdər]
ⓘ dis-（否定）+ order（秩序）

名 ①（心身の）障害 ② 無秩序
形 disorderly 無秩序な

1130 **relevant**
[réləvənt]
ⓘ re-（再び）+ lev（持ち上げる）+ -ant 形

形 （当面の問題に）関連のある、適切な（⇔irrelevant）
名 relevance 関連性、妥当性

1131 **overlook**
[òʊvərlʊ́k]

動 ① ～を見落とす、見過ごす
② ～を見下ろす、見渡す ③ ～を大目に見る
► look over（～を見渡す）からできた語。

1132 **negotiate**
[nəgóʊʃièɪt]
ⓘ neg（否定）+ oti（ひま）+ -ate（～にする）

動 ① 交渉する、協議する
② ～を交渉して取り決める
名 negotiation 交渉
形 negotiable 交渉の余地がある

1133 **inhabitant**
[ɪnhǽbətnt | -ɪtənt]
ⓘ in-（中に）+ habit（保つ）+ -ant（人）

名 住民、住人、生息動物
動 inhabit ～に住む

1134 **prohibit**
[prəhíbɪt]
ⓘ pro-（前もって）+ hibit（保つ）

動 ①〈法・規則などが〉～を禁止する（≒ban）
②〈物事が〉～を妨げる（≒prevent）
名 prohibition 禁止；禁止事項

1135 **witness**
[wítnəs]
ⓘ wit（知っている）+ -ness 名

動 ～を目撃する
名 ① 目撃者 ② 証人

1136 **likelihood**
[láɪklihʊ̀d]
ⓘ likeli（可能性のある）+ -hood（状態）

名 可能性（≒probability）
形 likely 可能性のある

1137 **vital**
[váɪtl]
ⓘ vit（生命）+ -al 形

形 ① 極めて重要な（≒essential）
② 生命維持に不可欠な
名 vitality 生命力

1138 **proponent**
[prəpóʊnənt]
ⓘ propon（提議した）+ -ent（人）

名 （主義・方針などの）擁護者、支持者（≒supporter）（⇔opponent）

1139 **dump**
[dʌ́mp]

動 ①〈ごみなど〉を捨てる ②〈人〉を見捨てる、振る
名 ごみの山、ごみ捨て場
名 dumping 投げ売り、ダンピング

1140 **refund**
[名 ríːfʌ̀nd 動 rɪfʌ́nd]
ⓘ re-（元に）+ fund（資産）

名 払い戻し、返金
動 ～を払い戻す、返済する

Track 095

With support from his family, he overcame his eating **disorder**.	家族のサポートにより、彼は摂食障害を克服した。
The famous scientist's research findings are still **relevant** today.	その有名な科学者の研究結果は、今日でも通用する。
A great editor does not **overlook** small details.	すぐれた編集者は細かい点も見落とさない。
After one year at the company, he **negotiated** for a higher salary.	入社して１年後、彼は昇給を求めて交渉した。
The **inhabitants** of this house have not been seen for months.	この家の住人は何か月も姿を見せていない。
The school rules **prohibit** eating in the hallways.	廊下での食事は校則で禁止されている。
The family **witnessed** a terrible accident on the highway.	一家は幹線道路でひどい事故を目撃した。
The **likelihood** of winning the lottery is small.	宝くじに当たる可能性はわずかだ。
Socialization is a **vital** part of childhood development.	社会化は、子どもの成長の重要な部分だ。
There are many **proponents** of the physicist's new theory.	その物理学者の新しい理論の支持者はたくさんいる。
He got caught **dumping** trash in the river.	彼は川にごみを投棄しているところを捕まった。
As soon as we receive the item, we will process your **refund**.	商品が届き次第、お客さまの返金手続きを行います。

11
40

1141 **scan** [skǽn]

動 ①〈人体など〉を走査する、スキャンする
②～を入念に調べる
名 走査、スキャン

1142 **stimulate** [stímjəlèɪt]

① stimul（尖筆）+ -ate（～にする）

動 ①〈器官など〉を刺激する、活性化する
②〈活動・感情など〉を活気づける（⇔suppress）
名 stimulation 刺激
名 stimulus 刺激（の原因）

1143 **context** [ká:ntekst | kɔ́n-]

① con-（共に）+ text（織られたもの）

名 ① 状況、前後関係 ② 文脈

1144 **massive** [mǽsɪv]

① mass（大きな塊）+ -ive 形

形〈規模・量などが〉大きい
名 mass 塊；多数、多量

1145 **reproduce** [rì:prəd(j)ú:s]

① re-（再び）+ produce（産む）

動 ① 繁殖する；～を繁殖させる ② ～を再現する
形 reproductive 生殖の
名 reproduction 繁殖；再現

1146 **council** [káʊnsl]

① coun-（共に）+ cil（呼ぶ）

名（地方自治体の）議会

1147 **lobby** [lá:bi | lɔ́bi]

動 議員に働きかける、ロビー活動をする
名（ホテル・劇場などの）ロビー
名 lobbyist ロビイスト

1148 **inject** [ɪnʤékt]

① in-（中に）+ ject（投げる）

動〈薬など〉を注射する、注入する
►「〈人〉に注射する」と人を目的語にする使い方もある。
名 injection 注射

1149 **remarkable** [rɪmá:rkəbl]

① remark（注目）+ -able（させるべき）

形 注目すべき、並外れた
（≒striking, astonishing）
副 remarkably 目立って、著しく

1150 **infrastructure** [ínfrəstrʌ̀kʧər]

① infra-（下の）+ structure（構造）

名 インフラ、社会基盤設備
► 道路、鉄道、水道、電気など。

1151 **extract** [ɪkstrǽkt]

① ex-（外に）+ tract（引っぱる）

動 ①（別の物質から）〈物質〉を抽出する、採取する
②〈情報など〉を聞き出す

1152 **plot** [plá:t | plɔ́t]

動 ～を企む（≒scheme）
名 ①（物語などの）筋 ②（土地の）区画

Track 096

Her luggage was **scanned** at the security gate.	彼女の荷物はセキュリティゲートでスキャンされた。
Learning new things **stimulates** brain activity.	新しいことを学ぶことは脳の活動を活性化する。
We need more **context** to properly understand the situation.	状況を正しく理解するには、もっと前後関係が必要だ。
There is a **massive** amount of applications to process.	処理しなければならない膨大な量の申請書がある。
This plant **reproduces** through the assistance of insects.	この植物は昆虫の助けを借りて繁殖する。
The city **council** approved the plan to build a stadium.	市議会は、スタジアムの建設計画を承認した。
Their organization has **lobbied** for changes to the current tax laws.	彼らの組織は現行の税法の変更を求めてロビー活動を行ってきた。
The doctor **injected** the vaccine into his arm.	医者は彼の腕にワクチンを注射した。
The NPO raised a **remarkable** amount of money.	その NPO は驚くべき額の資金を集めた。
More money needs to be allotted to repairing existing **infrastructure**.	既存のインフラの修復に、もっと資金を割く必要がある。
My company **extracts** oil from lavender plants.	わが社ではラベンダーから精油を抽出している。
The thieves **plotted** to rob several houses in the neighborhood.	泥棒たちはその界隈のいくつかの家で強盗を働くことを企んだ。

11
52

1153 **innovation**
[ìnəvéɪʃən]
① in-（中に）+ nov（新しい）+ -ation 名

名 革新、（新しい事物の）導入
形 innovative 革新的な
動 innovate 刷新する；～を導入する

1154 **distinct**
[dɪstíŋkt]
① di(s)-（分離）+ stinct（印をつける）

形 ① 別個の、独特な、まったく異なる
② 明瞭な、明確な
名 distinction 区別　副 distinctly 明瞭に
動 distinguish ～を区別する

1155 **extinct**
[ɪkstínkt]
① ex-（外に）+ stinct（印をつける）

形 絶滅した
名 extinction 絶滅
► go extinct で「絶滅する」という意味。

1156 **personnel**
[pə̀ːrsənél] ▲ アクセント注意。

名 ① 人事部、人事課（≒human resources, HR）
② （官庁・会社の）職員
► ①の意味では形容詞的に使われることが多い。

1157 **shallow**
[ʃǽloʊ]

形 浅い（⇔deep）

1158 **portion**
[pɔ́ːrʃən]
① port（部分）+ -ion 名

名 ① 部分、一部分（≒part）② （食べ物の）一人前

1159 **advocate**
[名 ǽdvəkət　動 ǽdvəkèɪt]
① ad-（～に）+ voc（声）+ -ate（～にする）

名 提唱者、主張者
動 ～を提唱する、主張する
名 advocacy 支持、擁護

1160 **vessel**
[vésəl]
① ves（容器）+ -sel（指小辞）

名 ① （大型の）船、船舶　② 血管

1161 **crawl**
[krɔ́ːl]

動 ① はう、腹ばいで進む
② 〈肌が〉むずむずする、ぞっとする
名 徐行、のろのろ進むこと

1162 **era**
[érə | íərə]

名 時代、時期；～時代

1163 **drain**
[dréɪn]

名 ① 排水管［口］、排水設備
② （人材・資本などの）流出
動 ～の排水をする
名 drainage 排水；排水設備

1164 **motive**
[móʊtɪv]
① mot（動く）+ -ive 形

名 動機
動 motivate ～に動機を与える
名 motivation 動機づけ

Track 097

Technological **innovation** and willpower are needed to save the planet.	地球を救うには、技術革新と意志の力が必要だ。
The two dishes look similar but have **distinct** flavors.	その２つの料理は見た目は似ているが、風味は異なる。
The dinosaurs **went extinct** millions of years ago.	恐竜は何百万年も前に絶滅した。
The **personnel** department is always busy during tax season.	人事部は、納税シーズン中はいつも忙しい。
The water at this end of the pool is **shallow**.	プールのこちら側は水深が浅い。
A large **portion** of his income goes toward paying rent.	彼の収入の大部分は家賃の支払いに使われている。
He is an **advocate** for major economic reform.	彼は大規模な経済改革の提唱者だ。
Many fishing **vessels** were damaged during the typhoon.	台風の間、多くの漁船が被害を受けた。
The baby **crawled** across the floor to reach her toy.	赤ちゃんはおもちゃにたどり着くために床をはっていった。
The invention of the automobile marked the beginning of a new **era**.	自動車の発明は、新しい時代の幕開けとなった。
The bathroom **drain** is clogged with some hair.	浴室の排水口が髪の毛で詰まっている。
The police are not yet sure of the criminal's **motive**.	警察はまだ犯人の動機がよくわかっていない。

11/64

1165 **remedy** [rémədi]
① re-(再び)+ medy(癒す)

名 ① 薬、治療(≒cure)
② (問題に対する)解決策(≒solution)

1166 **rivalry** [ráɪvlri]

名 競争、争い
► river(川)と同語源語。rival は「川をめぐる争いの相手」が原義。
名 形 動 rival 競争相手;ライバルの;～に匹敵する

1167 **fraction** [frǽkʃən]
① fract(割られた)+ -ion 名

名 ごく一部
► a fraction of ～ で「ごく一部の～」という意味。

1168 **minimal** [mínəməl]

形 最小限の、最低限の(≒minimum)(⇔maximal)
副 minimally 最小限に
動 minimize ～を最小限にする

1169 **grain** [gréɪn]

名 穀物、穀類

1170 **legitimate** [lɪʤítəmət]
① legitim(合法の)+ -ate(～にする)

形 ① 合法的な(≒legal, lawful)(⇔illegitimate)
② 理にかなった、正当な

1171 **revise** [rɪváɪz]
① re-(再び)+ vise(見る)

動 ～を修正する、改訂する
名 revision 修正、改正

1172 **activate** [ǽktəvèɪt | -tɪ-]
① act(行う)+ -iv 形 + -ate(～にする)

動 ① ～を活性化する
② 〈機能・ライセンスなど〉を有効にする
名 activation 活性化;有効化

1173 **abuse** [名 əbjúːs 動 əbjúːz]
① ab-(離れて)+ use(使う)

名 ① 乱用、不正使用 ② 虐待
動 ① ～を乱用する ② ～を虐待する
形 abusive 暴力的な;口汚い

1174 **celebrity** [səlébrəti]

名 有名人
► カタカナ語の「セレブ」は celebrity の略語 celeb から。

1175 **recession** [rɪséʃən]
① re-(元に)+ cess(行く)+ -ion 名

名 (一時的な)不景気、不況
► 長期の不景気は depression と言う。

1176 **vomit** [vάːmət | vɔ́mɪt]

動 吐く、嘔吐(おうと)する(≒throw up)
名 嘔吐(物)

Track 098

Do you know any good home **remedies** for a headache?	何か頭痛に効く家庭療法を知っていますか。
The two high schools share an intense **rivalry**.	その２つの高校は、互いに激しいライバル関係にある。
Only **a fraction of** the staff was given a bonus.	ボーナスが支給されたのは、ごく一部のスタッフだけだった。
Completing the project took **minimal** effort on his part.	このプロジェクトを完成させるのに、彼は最小限の努力しか必要としなかった。
She grows several different **grains** on her farm.	彼女は農場で何種類かの穀物を栽培している。
She had to file some paperwork to make the business **legitimate**.	彼女はそのビジネスを合法的なものとするために、いくつか書類を提出しなければならなかった。
The company **revises** its revenue projections each quarter.	その会社は四半期ごとに収益予測を見直している。
This plant food **activates** chemical changes in the soil.	この肥料は土壌の化学変化を活性化する。
Her health problems are mostly caused by alcohol **abuse**.	彼女の健康問題は、ほとんどがアルコール乱用によるものだ。
Many **celebrities** appeared in the comedy film.	多くの有名人がそのコメディー映画に出演した。
The government worked hard to combat the effects of the **recession**.	政府は不況の影響と闘うために懸命に努力した。
The boat rocked so badly that he almost **vomited**.	船がひどく揺れて、彼は吐きそうになった。

11
76

1177 **scheme**
□□□
[skíːm] ▲発音注意。

名 ① 陰謀（≒plot） ② 事業計画（≒plan）
動 〈陰謀など〉を企てる（≒plot）

1178 **closure**
□□□
[klóuʒər]
① clos（閉じる）+ -ure 名

名 閉鎖、閉店
動 close ～を閉める

1179 **retain**
□□□
[rɪtéɪn]
① re-（後ろに）+ tain（保つ）

動 ～を保つ、保持する
► maintain（～を維持する）、detain（～を勾留する）などと同語源語。
名 retention 保有、保持

1180 **cautious**
□□□
[kɔ́ːʃəs]

形 用心深い、慎重な（≒careful）
名 caution 注意、警戒
副 cautiously 用心深く

1181 **viable**
□□□
[váɪəbl]
① vi（生きる）+ -able（できる）

形 実行可能な、成功の見込める（≒feasible）

1182 **terrain**
□□□
[təréɪn]

名 地形、地勢、土地

1183 **toll**
□□□
[tóul]

名 ① 犠牲、死傷者数 ② 通行料、使用料
► take a toll on ～「～に大きな被害をもたらす」の形で出題されている。

1184 **agenda**
□□□
[əʤéndə]

名 議題、議題一覧
► もともと agendum の複数形だが、単数扱い。

1185 **desperate**
□□□
[déspərət]
① de-（～のない）+ sper（希望）+ -ate 形

形 ① 切望する ② 必死の、死に物狂いの
► desperate to *do* で「～しようと必死の」という意味。
副 desperately 切実に；必死に

1186 **hatch**
□□□
[hǽtʃ]

動 ① 〈ひな・卵が〉ふ化する；〈ひな・卵〉をふ化させる
② 〈陰謀など〉を企てる

1187 **surveillance**
□□□
[sərvéɪləns]
① sur-（上を）+ veill（見張る）+ -ance 名

名 （容疑者・囚人などの）監視、見張り（≒observation）

1188 **colonize**
□□□
[kɑ́ːlənàɪz | kɔ́l-]

動 ① ～を植民地化する
② 〈生物が〉～にコロニーを作る
名 colony 植民地　形 colonial 植民地の

Track 099

The entire thing was a **scheme** to cheat people out of their money.	すべては、人々からお金をだまし取るための**計画**だった。
The **closure** of the pool was caused by budget cuts.	プールの**閉鎖**は、予算削減が原因だった。
We must **retain** our advantage in cutting-edge technology.	私たちは最先端のテクノロジーにおける優位性を**維持し**なければならない。
Bus drivers must be **cautious** to protect their passengers.	バスの運転手は、乗客を守るために**慎重で**なければならない。
Unfortunately, your marketing proposal is not economically **viable**.	残念ながら、あなたのマーケティングの提案は経済的に**実行可能**ではない。
The area is famous for its mountainous **terrain**.	この地域は、山がちの**地形**で有名だ。
The hurricane **took a toll on** the country.	ハリケーンはその国に**大きな被害をもたらした**。
The secretary organized the **agenda** for today's meeting.	秘書は今日の会議の**議題**をまとめた。
She was **desperate to** get a job before her savings ran out.	彼女は、貯金が底をつく前に仕事を見つけようと**必死**だった。
The eggs will **hatch** a few days from now.	あと数日でその卵は**ふ化する**だろう。
This building is under police **surveillance**.	この建物は警察の**監視**下にある。
These islands were **colonized** by Spain in the early 16th century.	これらの島々は、16 世紀初頭にスペインによって**植民地化された**。

11/88

1189 **confidential**
[kɑ̀ːnfədénʃəl | kɔ̀nfɪ-]
① con-（共に）+ fid（信用）+ -ential 形

形 〈情報が〉機密の、マル秘の（≒classified）（⇔public）

1190 **breakup**
[bréɪkʌ̀p]

名（関係などの）解消、破局

1191 **corridor**
[kɔ́ːrədər | kɔ́rɪdɔ̀ː]
① corrid（走る）+ -or（場所）

名（建物・列車などの）廊下、通路

1192 **utility**
[juːtíləti]
① util（役に立つ）+ -ity 名

名 ①（電気・ガス・水道などの）公共事業；公共料金
② 有用性
形 多用途の
動 utilize ～を用いる

1193 **specimen**
[spésəmən | -mɪn]
① speci（見る）+ men（結果）

名 標本、サンプル

1194 **input**
[ínpʊ̀t]

名 ① 情報［アイデア、アドバイス］の提供
② 入力（⇔output）

1195 **infamous**
[ínfəməs] ▲ 発音注意。
① in-（否定）+ famous（有名な）

形 悪名高い（≒notorious）
名 infamy 悪名

1196 **publicity**
[pʌblísəti]
① public（公の）+ -ity 名

名 ① 注目、評判 ② 広告、宣伝
動 publicize ～を宣伝する

1197 **currency**
[kə́ːrənsi | kʌ́r-]

名 通貨
► current（流通している）からできた語。

1198 **undermine**
[ʌ̀ndərmáɪn]
① under-（下を）+ mine（掘る）

動 〈自信・権威など〉をひそかに傷つける、〈健康など〉をむしばむ

1199 **sweep**
[swíːp]

動 ①〈嵐・疫病などが〉激しい勢いで襲来する、広がる
②〈床など〉を掃く
形 sweeping 広範囲な、無差別な

1200 **horizontal**
[hɔ̀ːrəzɑ́ːntl | hɔ̀rɪzɔ́ntl]

形 水平の（⇔vertical）
名 horizon 地平線、水平線

Track 100

All personal information collected by HR is considered **confidential**.	人事部が収集したすべての個人情報は、機密情報と見なされる。
The **breakup** with her partner broke her heart.	パートナーとの別れで彼女の心は傷ついた。
Please only walk on the right side of the **corridor**.	廊下は右側を歩いてください。
The restaurant's **utility** bills are very expensive.	そのレストランの光熱費はとても高い。
The science lab contains thousands of different **specimens**.	その科学実験室には、何千ものさまざまな標本がある。
Your **input** on this matter would be greatly appreciated.	この件に関して、皆さまのご意見をお待ちしております。
The city is **infamous** for its high cost of living.	この都市は生活費が高いことで悪名高い。
The controversial film has received a lot of **publicity**.	論争の的となったその映画は大いに評判を呼んだ。
He exchanged his **currency** for dollars at the airport.	彼は空港で自国通貨をドルに両替した。
Your actions **undermined** the authority of your manager.	あなたの行動は上司の権威を失墜させた。
The huge storm **swept** through the city over the weekend.	巨大な嵐は週末中、街を襲った。
He was wearing a shirt with **horizontal** blue stripes.	彼は青い横じまのシャツを着ていた。

12
00

1201 **torture** [tɔ́ːrtʃər]
① tort（ねじる）+ -ure 名

名 ① 拷問 ② 苦痛
動 ～を拷問する

1202 **descent** [dɪsént]
① de-（下に）+ scent（登る）

名 ① 血統、家系 ② 下ること、降下（⇔ascent）
動 descend 降りる、下る

1203 **alienate** [éɪliənèɪt]
① ali（他の）+ -en（属する）+ -ate（～にする）

動 ～を遠ざける、疎外する
► alienate A from B で「AをBから遠ざける」という意味。
名 alienation 疎外

1204 **submerge** [səbmə́ːrdʒ]
① sub-（下に）+ merge（沈む）

動 ～を水没させる；水没する

1205 **errand** [érənd]

名 使い、使い走り
► run an errand で「お使いに行く」という意味。

1206 **commodity** [kəmɑ́ːdəti | -mɔ́d-]
① com-（共に）+ mod（尺度）+ -ity 名

名 ① 商品、売買品（≒goods） ② 有用なもの

1207 **outburst** [áʊtbə̀ːrst]

名（感情の）爆発（≒explosion）

1208 **comparable** [kɑ́ːmpərəbl | kɔ́m-]
① com-（共に）+ par（等しい）+ -able（できる）

形 匹敵する、似通った（≒equivalent）
動 compare 匹敵する；～を比較する
名 comparison 比較
副 comparatively 比較的（に）

1209 **compile** [kəmpáɪl]

動〈情報など〉をまとめる、編集する
名 compilation 編集

1210 **inception** [ɪnsépʃən]

名（組織などの）発足、開始（≒beginning）

1211 **aquatic** [əkwɑ́ːtɪk | əkwǽt-]
① aqua（水）+ -tic 形

形 水生の、水中に住む（⇔terrestrial）

1212 **grind** [gráɪnd]

動〈穀物・コーヒー豆など〉をひく

Track 101

The **torture** of prisoners is forbidden according to international laws.	囚人の拷問は国際法によって禁じられている。
The original settlers of the area are of French **descent**.	その地域の最初の入植者は、フランス系だ。
His negative attitude **alienated** him **from** his coworkers.	後ろ向きな態度のせいで、彼は同僚から疎外された。
The cars were **submerged** during the flooding.	それらの車は洪水で水没した。
Her father asked her to **run some errands** after school.	父親は彼女に放課後にお使いに行くように頼んだ。
Antiques are collectable **commodities** that can sometimes be very valuable.	骨董品は収集する価値のある商品で、非常に高価なこともある。
He had an **outburst** in his frustration with his boss.	彼は上司に対する不満が爆発した。
The two students have **comparable** test scores.	その 2 人の生徒はテストで同等の点数だ。
This information was **compiled** by a local NGO.	この情報は、地元の NGO によってまとめられたものだ。
He is credited with the **inception** of this organization.	この組織の発足は彼の功績だ。
Many **aquatic** animals are in danger of extinction due to climate change.	気候変動により、多くの水生動物が絶滅の危機に瀕している。
This machine can **grind** spices, grains, and seeds.	この機械はスパイス、穀物、種をひくことができる。

12
12

1213 **upheaval**
[ʌphíːvl]
ⓘ up- (上に) + heav (持ち上げる) + -al 名

名 大変動、激変

1214 **feast**
[fíːst]

名 祝宴、宴会

1215 **scope**
[skóʊp]

名 範囲、領域
► beyond the scope of ~ で「~の範囲を超えて」という意味。

1216 **burden**
[bə́ːrdn]

名 ① 負担、(精神的な) 重荷 ② 荷物 (≒load)

1217 **cram**
[krǽm]

動 ① ~を詰め込む ② 詰め込み勉強をする
► 「(日本の) 学習塾」は cram school と言う。

1218 **assault**
[əsɔ́ːlt]
ⓘ as- (~に) + sault (跳ぶ)

動 〈人〉を襲う、暴行する
名 暴行

1219 **acoustic**
[əkúːstɪk]

形 音の、音響の
► acoustics の形で「音響効果」という意味の名詞。

1220 **enact**
[ɪnǽkt]
ⓘ en- (~にする) + act (行う)

動 〈法律など〉を制定する
名 enactment 制定、立法;法律

1221 **contend**
[kənténd]
ⓘ con- (共に) + tend (伸ばす)

動 …と強く主張する (≒assert)
名 contention 論点、主張

1222 **rubbish**
[rʌ́bɪʃ]

名 ごみ (≒trash)

1223 **projection**
[prəʤékʃən]
ⓘ pro- (前方に) + ject (投げる) + -ion 名

名 予測、見積もり (≒forecast)
動 project ~を予測する

1224 **generosity**
[ʤènərɑ́ːsəti | -ɔ́s-]

名 気前のよさ、寛大さ
形 generous 気前のよい、寛大な

The nation is experiencing a period of social **upheaval** now.	その国は今、社会的な大変動の時期を迎えている。
The family had a **feast** to celebrate their son's graduation.	家族は息子の卒業を祝って祝宴を開いた。
This goes **beyond the scope of** work described in the contract.	これは、契約書に記載されている業務の範囲を超えている。
The cost of treatment for the disease placed a significant financial **burden** on his family.	その病気の治療費は、彼の家族に大きな経済的負担を強いた。
His closet is **crammed** with jackets and shoes.	彼のクローゼットには、ジャケットと靴がぎっしり詰まっている。
She was **assaulted** by a man wearing a mask while walking home from work.	彼女は仕事帰りにマスク姿の男に襲われた。
The **acoustic** properties of the room will affect the quality of the audio recordings.	部屋の音響特性は、オーディオ録音の品質に影響する。
The government **enacted** a new law to protect children.	政府は子どもを守るための新しい法律を制定した。
He was one of the first people to **contend** that the Earth was round.	彼は、地球が丸いと主張した最初の人物の一人だった。
She puts out the **rubbish** for collection once a week.	彼女は週に１度ごみを収集に出す。
Today the company released its **projections** for next year's sales.	その会社は今日、来年の売上予測を発表した。
The woman's **generosity** was awarded at a celebration.	その女性の善意は、祝賀会で表彰された。

1225 **cooperative**
[kouɑ́:pərətɪv | -ɔ́p-]
① co- (共に) + operat (働く) + -ive 形

形 協力的な、協同の
動 cooperate 協力する、協同する
名 cooperation 協力、協同

1226 **cater**
[kéɪtər]

動 ① 要求を満たす
② (宴会などの) ケータリングをする
► cater to ～「～の要求を満たす」の形で出題されている。

1227 **ruthless**
[rú:θləs]
① ruth (哀れみ) + -less (ない)

形 〈人・行為などが〉冷酷な、無慈悲な (≒cruel, merciless)

1228 **induce**
[ɪnd(j)ú:s]
① in- (中に) + duce (導く)

動 ① ～を引き起こす、誘発する
② 〈人〉に勧めて～させる

1229 **disregard**
[dìsrɪgɑ́:rd]
① dis- (否定) + regard (注意を払う)

動 ～を無視する、軽視する (≒ignore)
名 無視、軽視

1230 **recess**
[rí:ses | rɪsés]
① re- (元に) + cess (行く)

名 ① 休憩、休み時間 (≒break) ② 閉会 (期間)

1231 **wholesome**
[hóulsəm]
① whole (健康な) + some (適した)

形 ① 〈食べ物・運動などが〉健康によい (≒healthy)
② 〈娯楽などが〉健全な (⇔unwholesome)

1232 **communal**
[kəmjú:nl | kɔ́mjʊ-]
① commun (生活共同体) + -al 形

形 ① 共同の、共有の ② 自治体の、共同体の
名 community 共同体

1233 **freight**
[fréɪt] ▲ 発音注意。

名 ① 運送貨物 ② 貨物輸送

1234 **irreversible**
[ìrɪvə́:rsəbl]
① ir- (否定) + re- (後ろに) + vers (回す) + -ible (できる)

形 元に戻せない、不可逆の (⇔reversible)

1235 **variable**
[véəriəbl]
① vari (変化する) + -able (できる)

形 変わりやすい、変動する (⇔constant, invariable)
名 変数
動 vary 変わる
名 variation 変化

1236 **formalize**
[fɔ́:rməlàɪz]
① form (形) + -al 形 + -ize 動

動 ～を正式なものとする
形 formal 正式の

Track 103

The company was **cooperative** during the police investigation.	その会社は警察の捜査に協力的だった。
The resort mostly **caters to** international tourists.	そのリゾートは主に海外からの観光客を対象としている。
He was a **ruthless** ruler and was disliked by everyone.	彼は冷酷な統治者で、誰からも嫌われていた。
This medication may **induce** drowsiness in some people.	この薬は、人によっては眠気を誘発することがある。
We ask that you **disregard** what she said previously.	彼女が以前言ったことは無視してください。
The school has two 15-minute **recess** periods.	その学校には 15 分の休み時間が 2 回ある。
The book features recipes for many **wholesome** snacks.	この本には、健康によいおやつのレシピが多数掲載されている。
A group of people was playing video games in the **communal** area.	一団の人々が共有スペースでテレビゲームをしていた。
The trains that pass through here only carry **freight**.	ここを通る列車は、貨物だけを運んでいる。
The accident caused **irreversible** damage to his vision.	その事故は彼の視力に取り返しのつかないダメージを与えた。
The loan has a **variable** interest rate.	そのローンは変動金利だ。
His role in the organization was only recently **formalized**.	その組織における彼の役割は、つい最近になって正式に決定された。

12
36

Part 1 Unit 11

1237 **proportion**
[prəpɔ́ːrʃən]
ⓘ pro- (応じて) + portion (分け前)

名 割合、比率
形 proportional 比例した、釣り合った

1238 **sensation**
[senséɪʃən]
ⓘ sens (感じる) + -ation 名

名 ① 大評判 (の人・もの) ② 感覚、感じ
形 sensational 衝撃的な；世間を騒がせる

1239 **terminate**
[tə́ːrmənèɪt]
ⓘ termi (終わり) + -nate (～にする)

動 ～を終わらせる、〈契約など〉を打ち切る
名 termination 終了

1240 **exploit**
[ɪksplɔ́ɪt]
ⓘ ex- (外に) + ploit (折り曲げる)

動 ① (利益を得るために) ～を利用する
② 〈資源など〉を開発する；～を搾取する
► 同じつづりで「偉業」と言う意味の名詞もある。
名 exploitation (利己的) 利用；(資源の) 開発

1241 **antiquity**
[æntíkwəti]
ⓘ ant(i) (前に) + -iqu 形 + -ity 名

名 ① 古代の遺物 [遺跡、美術品] ② 古代
► ①の意味ではふつう複数形。
形 antique 古代の

1242 **centralize**
[séntrəlàɪz]
ⓘ centr (中央) + -al 形 + -ize 動

動 〈権力など〉を集中させる
形 centralized 中央集権的な
名 centralization 中央集権化

1243 **sympathize**
[símpəθàɪz]
ⓘ sym- (共に) + path (感情) + -ize 動

動 同情する、共感する
形 sympathetic 思いやりのある
名 sympathy 同情、思いやり

1244 **anonymous**
[ənáːnəməs | ənɔ́nɪ-]
ⓘ an- (～のない) + onym (名前) + -ous (満ちた)

形 匿名の
名 anonymity 匿名
副 anonymously 匿名で

1245 **influential**
[ɪnfluénʃəl]
ⓘ in- (中に) + flu (流れる) + -ential 形

形 影響力の大きい
名動 influence 影響；～に影響する

1246 **mumble**
[mʌ́mbl]

動 (～を) つぶやく、ぶつぶつ言う (≒mutter)

1247 **partial**
[pɑ́ːrʃəl]
ⓘ part (部分) + -ial 形

形 ① 部分的な (⇔total)
② 不公平な (⇔impartial)
副 partially 部分的に

1248 **sanitation**
[sæ̀nətéɪʃən]
ⓘ sanit (健康) + -ation 名

名 (公衆) 衛生
動 sanitize ～を清潔にする
形 sanitary 衛生的な

A high **proportion** of employees are quitting for some reason.	高い**割合**の従業員が何らかの理由で退職している。
The idol group became a global **sensation** out of nowhere.	そのアイドルグループはいきなり世界的な**センセーション**を巻き起こした。
The couple decided to **terminate** their marriage of 15 years.	その夫婦は 15 年間の結婚生活に**終止符を打つ**ことにした。
The boxer knows exactly how to **exploit** his opponents' weaknesses.	そのボクサーは、相手の弱点の**突き**方がよくわかっている。
The museum features an impressive collection of Egyptian **antiquities**.	その美術館の売りは、エジプト**古美術品**の素晴らしいコレクションだ。
The company plans to **centralize** all operations in a single headquarters.	その会社は、すべての業務を 1 つの本社に**集中させる**ことを計画している。
She **sympathized** with his situation, but there was nothing she could do.	彼女は彼の状況に**同情した**が、彼女にできることは何もなかった。
The crime was reported in an **anonymous** phone call.	その犯罪は**匿名の**電話で通報された。
The local news is **influential** in shaping people's opinions.	地元のニュースは、人々の意見を形成するうえで**影響力がある**。
She **mumbled** under her breath and sighed tiredly.	彼女は小声で**ぶつぶつ言い**、疲れたようにため息をついた。
The union and the company only came to a **partial** agreement.	組合と会社は、**部分的**合意にしか達することができなかった。
Poor **sanitation** in the past caused many diseases.	昔の劣悪な**衛生状態**は多くの病気を引き起こした。

1249 **hail**
[héɪl]

名 あられ、ひょう
動 あられ［ひょう］が降る
► 同じつづりで「〈人〉を歓呼して迎える」という意味の動詞もある。

1250 **manipulate**
[mənípjəlèɪt]
① mani（手）+ pul（満たす）+ -ate 動

動 〈人・世論・価格など〉を操作する、巧みに仕向ける
名 manipulation （情報などの）改ざん
形 manipulative （人を）巧みに操る

1251 **profound**
[prəfáʊnd]
① pro-（前に）+ found（底）

形 〈影響などが〉深刻な、重大な
副 profoundly 大いに、心から

1252 **perception**
[pərsépʃən]
① per-（完全に）+ cept（取る）+ -ion 名

名 ① 理解、認識　② 知覚、認知
動 perceive ～を（…だと）理解する

1253 **thesis**
[θíːsɪs]

名 （学位）論文
► 複数形は theses [θíːsiːz]。

1254 **pastime**
[pǽstàɪm | pɑ́ːs-]
① pas(t)（過ぎる）+ time（時間）

名 娯楽、気晴らし

1255 **swamp**
[swɑ́ːmp | swɔ́mp]

名 沼地、湿地
動 ～を水浸しにする

1256 **flock**
[flɑ́ːk | flɔ́k]

名 （ヒツジ・ヤギ・鳥などの）群れ
動 群がる、詰めかける

1257 **predate**
[prìːdéɪt]

動 （時間的に）～よりも先行する、前に起こる

1258 **phonetic**
[fənétɪk]
① phone（音声）+ -tic 形

形 音声（学）の、発音に関する

1259 **creditor**
[kréditər]

名 債権者、貸し主（⇔debtor）

1260 **facade**
[fəsɑ́ːd]

名 ① うわべ、表面
② （ホテルなどの建物の）正面（≒front）
► face（顔）と同語源語。

Track 105

The heavy **hail** suddenly started to fall late last evening.	昨夜遅く、突然猛烈な**ひょう**が降り出した。
He was **manipulated** into signing a bad contract.	彼は**操られて**不当な契約書にサインしてしまった。
That album had a **profound** effect on her life.	そのアルバムは彼女の人生に**大きな**影響を与えた。
Your **perception** of the current situation is flawed.	あなたの現状**認識**には欠陥があります。
She spent her entire summer break working on her **thesis**.	彼女は夏休みの間ずっと**論文**に取り組んだ。
He has many **pastimes**, including playing the flute.	フルートの演奏など、彼には多くの**娯楽**がある。
Many interesting animals live in the nearby **swamps**.	近所の**湿地**には興味深い動物が多数生息している。
A **flock** of sheep is grazing in the field.	ヒツジの**群れ**が草原で草を食んでいる。
The Maori people **predated** European settlers.	マオリ族はヨーロッパからの入植者よりも**前から住んでいた**。
You should start by studying the **phonetic** characteristics of the language.	その言語の**音声学的な**特徴から勉強し始めるとよいでしょう。
He owes a lot of money to **creditors**.	彼は**債権者**に対して多額の借金をしている。
Behind his kind **facade** is a cruel person.	彼の親切な**うわべ**の裏には、冷酷な人物がいる。

12/60 ►

1261 **lofty**
[lɔ́(ː)fti]

形 ① 高潔な、深遠な ② 非常に高い、そびえる

1262 **rite**
[ráɪt]

名 儀式（≒ritual, ceremony）

1263 **devious**
[díːviəs]
① de-（離れた）+ vi（道）+ -ous（満ちた）

形 〈人・行為などが〉悪質な、狡猾な（≒sly）

1264 **deadlock**
[dédlɑ̀ːk | -lɔ̀k]

名 （交渉などの）行き詰まり、こう着状態（≒impasse）
形 deadlocked 行き詰まった

1265 **incessant**
[ɪnsésnt]
① in-（否定）+ cess（止まる）+ -ant 形

形 絶え間のない、ひっきりなしの（≒constant）
副 incessantly 絶え間なく

1266 **beckon**
[békən]

動 （〈人〉に）手招きする、合図する

1267 **configuration**
[kənfìgjəréɪʃən]
① con-（共に）+ figur（作る）+ -ation 名

名 （部分・要素の）配置、配列

1268 **subtract**
[səbtrǽkt]
① sub-（下に）+ tract（引く）

動 ～を引く、減じる（⇔add）
名 subtraction 引き算

1269 **quaint**
[kwéɪnt]

形 （古風で）趣のある

1270 **downplay**
[dáʊnplèɪ]

動 ～を（実際より）軽く扱う、過小評価する（≒play down）（⇔play up, overplay）

1271 **erratic**
[ɪrǽtɪk]
① erra（さまよう）+ -tic 形

形 一定しない、不規則な

1272 **inanimate**
[ɪnǽnəmət]
① in-（否定）+ anim（生命）+ -ate 形

形 生命のない、無生物の（≒lifeless）（⇔animate, living）

It is difficult for her to live up to her **lofty** ideals.	彼女にとって自分の高潔な理想に従って生きることは難しい。
These **rites** can only be performed by the head priest.	これらの儀式は、主任司祭のみが行うことができる。
The thief shared his **devious** plan with his friend.	その泥棒は自らの腹黒い計画を友人に打ち明けた。
Negotiations between the two companies were in a complete **deadlock**.	両社間の交渉は完全にこう着状態に陥っていた。
She was getting tired of her husband's **incessant** complaining.	彼女は夫のひっきりなしの愚痴にうんざりしてきた。
Her mother **beckoned** her forward with her hand.	母親は彼女を手招きした。
The **configuration** of this office is supposed to maximize productivity.	このオフィスの配置は、生産性を最大化するはずだ。
You need to **subtract** all your expenses from the total.	総額から経費すべてを差し引く必要があります。
The family lived in a **quaint** cottage in the woods.	その一家は森の中の古風なコテージに住んでいた。
The police tried to **downplay** their involvement in the shooting.	警察はその銃撃事件への自分たちの関与を軽く扱おうとした。
Her breathing was **erratic** immediately after the accident.	事故直後、彼女は呼吸が乱れていた。
A stone is an **inanimate** object and does not move at all.	石は無生物で、まったく動かない。

1273 **inheritance**
[ɪnhérətəns | -ɪt-]
ⓘ in- (中に) + herit (相続) + -ance 名

名 ① 相続、遺産 ② 遺伝
動 inherit ～を相続する、受け継ぐ

1274 **upcoming**
[ʌ́pkʌ̀mɪŋ]

形 間近に迫った、来たるべき (≒forthcoming)

1275 **inclusive**
[ɪnklúːsɪv]
ⓘ in- (中に) + clus (閉じる) + -ive 形

形 含めて、込みの
動 include ～を含む
名 inclusion 包含
副 inclusively 包括的に

1276 **breakout**
[bréɪkàʊt]

名 ① 脱走、脱獄 ② (病気などの) 大発生

1277 **envious**
[énviəs]
ⓘ envi (ねたみ) + -ous (満ちた)

形 うらやましく思っている
名 動 envy ねたみ；～をねたむ

1278 **ominous**
[ɑ́ːmənəs | ɔ́mɪ-]
ⓘ omin (前兆) + -ous (満ちた)

形 不吉な

1279 **slam**
[slǽm]

動 ① 〈ドア・窓など〉をバタン [ピシャリ] と閉める
② ～を酷評する

1280 **deem**
[díːm]

動 ～を考える、見なす (≒consider)
► deem A B で「A を B と考える、見なす」という意味。

1281 **solitude**
[sɑ́ːlət(j)ùːd | sɔ́l-]
ⓘ soli (孤独) + -tude (状態)

名 孤独、一人きりでいること
形 solitary 孤独な

1282 **garment**
[gɑ́ːrmənt]
ⓘ gar (保護する) + -ment 名

名 衣服

1283 **pinch**
[píntʃ]

動 ～をつまむ、つねる
名 ① ひとつまみ、少量 ② 苦境、ピンチ

1284 **credibility**
[krèdəbíləti]
ⓘ cred (信用する) + -ibil (できる) + -ity 名

名 信頼性、信用
形 credible 信用できる

She received a large **inheritance** when her grandmother passed away.

祖母が亡くなり、彼女は多額の**遺産**を相続した。

All the students were looking forward to the **upcoming** dance.

生徒たちは皆、**間近に迫った**ダンスパーティーを楽しみにしていた。

The organization is trying to become more **inclusive** of women.

その組織は女性の**構成比率**を上げようとしている。

There was a **breakout** at the local prison last night.

昨夜、地元の刑務所で**脱獄**があった。

You should never be **envious** of what other people have.

人が持っているものを**うらやましがっ**てはいけない。

There were **ominous** dark clouds gathering above the mountain.

山の上には**不吉な**暗雲が立ち込めていた。 1284

She **slammed** her door angrily and collapsed onto her bed.

彼女は怒ってドアを**バタンと閉め**、ベッドに倒れ込んだ。

The event was **deemed** a success by everyone involved.

そのイベントは、関係者全員から成功と**見なされた**。

Living in **solitude** is not healthy.

孤独に生きるのは健全ではない。

This thrift shop only sells retro **garments** and shoes.

このリサイクルショップは、レトロな**衣服**と靴だけを販売している。

He **pinched** his sister's cheeks until she cried.

彼は妹の両頬を泣くまで**つねった**。

That bank lost all **credibility** after the scandal.

その銀行は不祥事で、あらゆる**信用**を失った。

1285 **bow**
[báʊ]

動 お辞儀をする、頭を下げる
名 お辞儀
► 同じつづりで「弓」という意味の名詞もあるが、発音は[bóʊ]。

1286 **revitalize**
[rìːváɪtəlaɪz]
① re-(再び)+ vit(生きている)+ -alize 動

動 ～に新しい活力を与える、～を活性化する
名 revitalization 活性化

1287 **utterance**
[ʌ́tərəns]

名 言葉、発言
動 utter ～を述べる

1288 **conscience**
[kɑ́ːnʃəns | kɔ́n-] ▲ 発音注意。
① con-(共に)+ science(知ること)

名 良心、善悪の判断力
形 conscientious 良心的な

1289 **discord**
[dískɔːrd]
① dis-(分離)+ cord(心)

名 不一致、不調和(≒disagreement)(⇔accord)

1290 **synthesize**
[sínθəsàɪz]
① syn-(共に)+ thes(置く)+ -ize 動

動 ① ～を総合する ② ～を合成する
名 synthesis 総合;合成

1291 **juvenile**
[ʤúːvənàɪl]
① juven(若い)+ -ile 形

形 青少年の
名 青少年
► junior(年少の)と同語源語。

1292 **droop**
[drúːp]

動 (だらりと)垂れる、下向きになる
► drop(落ちる)と同語源語。

1293 **numb**
[nʌ́m] ▲ 発音注意。

形 ① まひした、しびれた ② ぼう然とした

1294 **extinguish**
[ɪkstíŋgwɪʃ]
① ex-(外に)+ (s)ting(印をつける)+ -ish(～にする)

動 〈火・光など〉を消す(≒put out)

1295 **scam**
[skǽm]

名 詐欺、ぺてん(≒swindle)

1296 **backlog**
[bǽklɔ̀(ː)g]

名 (仕事などの大量の)やり残し、未処理分

Track 108

The conductor **bowed** at the beginning of the performance.

指揮者は演奏の始めにお辞儀をした。

The town is working to **revitalize** their old shopping district.

その町は古い商店街の活性化に取り組んでいる。

He never gives **utterance** to his feelings of despair.

彼は絶望的な気持ちを口に出すことは決してない。

You should listen to your **conscience** when making a tough decision like this.

このような難しい決断を下すときには、自分の良心に耳を傾けるべきだ。

There is never any **discord** in their family.

彼らの家族にはいかなる確執もない。

The woman **synthesized** all the data she had.

その女性は自分が持っていたすべてのデータを総合した。

12
96

The boy was sent to a **juvenile** detention center.

その少年は少年院に送られた。

The plants **drooped** in the heat of the sun.

植物は太陽が照りつける中でしおれていた。

Working in the cold made her fingers go **numb**.

寒い中での作業で、彼女の指はかじかんだ。

The firefighters were able to **extinguish** the flames.

消防士たちは炎を消すことができた。

Over 10,000 people have already fallen victim to this **scam**.

すでに１万人以上の人々がこの詐欺の被害に遭っている。

She has a **backlog** from when she was sick.

彼女には病気のときの仕事のやり残しがある。

1297 **swap**
[swɑ́:p | swɔ́p]
動 ～を交換する（≒exchange）
名 交換

1298 **dissolve**
[dɪzɑ́:lv | -zɔ́lv]
① dis-（分離）+ solve（解く）
動 ①〈固体〉を（液体の中に）溶かす；〈固体が〉（液体に）溶ける ②〈組織など〉を解体する、解散させる
名 dissolution 解散

1299 **discern**
[dɪsə́:rn]
① dis-（分離）+ cern（ふるいにかける）
動 ①〈違いなど〉を判別する、識別する
②（目・心で）～を見つける、認める、気づく
形 discernible 見分けられる、見つけられる

1300 **rebound**
[rɪbáʊnd]
① re-（再び）+ bound（はね返す）
動 ①〈価格・価値などが〉再び上昇する、回復する
②〈ボールなどが〉はね返る

1301 **boundless**
[báʊndləs]
① bound（限界）+ -less（ない）
形 際限のない、無限の（≒unlimited）

1302 **meditate**
[médətèɪt]
① medit（考える）+ -ate 動
動 ① 瞑想（めいそう）する ② 熟考する
名 meditation 瞑想；熟考

1303 **repel**
[rɪpél]
① re-（後ろに）+ pel（追いやる）
動 ～を追い払う、撃退する（≒drive away）

1304 **shove**
[ʃʌ́v]
動 ～を（力任せに）押す、押しのける

1305 **fumigate**
[fjú:məgèɪt]
動〈部屋など〉を燻蒸（くんじょう）消毒する
► fum は「煙」を意味する語根で、perfume（芳香）なども同語源語。

1306 **majestic**
[məʤéstɪk]
① majes（威厳）+ -tic 形
形〈外観・光景などが〉雄大な、荘厳な
（≒magnificent, sublime）
名 majesty 威厳

1307 **upscale**
[ʌ́pskèɪl]
形 高所得者（向け）の、高級な（≒luxurious）

1308 **sly**
[sláɪ]
形 ずるい、狡猾（こうかつ）な（≒devious）

Track 109

They **swapped** contact information before leaving the event.	彼らはイベント会場を去る前に連絡先を交換した。
The salt **dissolved** in the hot water very quickly.	塩はあっという間に熱湯に溶けた。
Nobody could **discern** the difference between the two policies.	その2つの政策の違いは、誰も見分けがつかなかった。
Stock prices **rebounded** in the last quarter of the year.	株価は、今年の最後の四半期に反発した。
Her ideas for her next novel were absolutely **boundless**.	次の小説のための彼女のアイデアは、まったく際限がなかった。
He **meditates** every morning before going to work.	彼は毎朝仕事に行く前に瞑想する。
She is having trouble **repelling** birds from the field.	彼女は畑から鳥を追い払うのに苦労している。
She **shoved** the door again and again until it finally opened.	彼女が何度も力任せに押すと、ようやくドアは開いた。
The entire apartment building was **fumigated** to get rid of the pests.	害虫駆除のためアパート全体が燻蒸消毒された。
He took several photos of the **majestic** mountains.	彼はその雄大な山々の写真を何枚か撮った。
She only shops at **upscale** supermarkets.	彼女は高級スーパーでしか買い物をしない。
It is said that foxes are **sly** and cunning creatures.	キツネはずるくて狡猾な生き物だと言われている。

13
08

1309 **subsistence**
[səbsístəns]
① sub- (下に) + sist (立つ) + -ence 名

名 必要最低限の生活 [生計]
動 subsist (どうにか) 生きていく

1310 **preliminary**
[prılímənèri | -ınəri]
① pre- (前に) + limin (敷居) + -ary 形

名 前置き、下準備
形 前置きの、予備の
► 名詞はふつう複数形で使う。

1311 **stout**
[stáʊt]

形 ① 頑丈な、がっしりした
② 太った、かっぷくのいい (≒plump)

1312 **occupancy**
[ɑ́:kjəpənsi | ɔ́k-]
① oc- (そばに) + cup (つかむ) + -ancy 名

名 (土地・家などの) 占有、居住
動 occupy ～を占有する
名 occupant 住人、居住者

1313 **triumph**
[tráıəmf] ⚠ 発音注意。

名 (大) 勝利
形 triumphant 勝ち誇った；祝勝の

1314 **ammunition**
[æ̀mjʊníʃən]

名 弾薬、弾丸

1315 **resilient**
[rızíljənt | -zíli-]

形 回復力がある、立ち直りが早い
名 resilience 回復力

1316 **sprout**
[spráʊt]

動 ① 発芽する (≒germinate) ② 急成長する
名 芽

1317 **ensue**
[ıns(j)ú:]
① en- (後ろに) + sue (ついていく)

動 続いて起こる (≒follow)
形 ensuing 次の、続いて起こる

1318 **showdown**
[ʃóʊdàʊn]

名 (決着をつけるための) 対決、天王山

1319 **dialect**
[dáıəlèkt]
① dia- (横切って) + lect (話す)

名 方言

1320 **setback**
[sétbæ̀k]

名 (進歩・発展の) 障害、妨げ
► set back (～の進行を遅らせる) から。

The native people mostly rely on hunting and gathering for **subsistence**.

その先住民は生計を主に狩猟と採集に頼っている。

We went through many **preliminaries** before the negotiations started.

交渉が始まる前に、多くの準備段階を経た。

The table is held up by four **stout** legs.

そのテーブルは 4 本の頑丈な脚で支えられている。

There is low **occupancy** in the area because of pollution.

公害のため、この地域に居住する人は少ない。

People all over the country are celebrating the military's **triumph**.

国中の人々が軍の大勝利を祝っている。

The army is well supplied with weapons and **ammunition**.

軍隊には武器と弾薬が十分に供給されている。

Desert animals must be **resilient** to survive in such harsh conditions.

砂漠の動物たちは、そのような過酷な状況を生き延びるためには回復力を備えていなければならない。

It will take about 10 days for the seed to **sprout**.

その種が発芽するのに 10 日ほどかかるだろう。

The two men got into a big argument, and a fight **ensued**.

2 人の男は激しい口論になり、それから取っ組み合いのけんかになった。

The two teams had their final **showdown** at sunset.

両チームは、日没時に最後の対決を行った。

The people of Newfoundland speak a very unique **dialect**.

ニューファンドランドの人々はとてもユニークな方言を話す。

She will not let a small **setback** stop her from succeeding.

彼女は小さな挫折に成功を妨げられるようなことはない。

1321 **caption** [kǽpʃən]
① capt (つかむ) + -ion 名
名 (写真などの) 説明文、キャプション

1322 **amnesty** [ǽmnəsti]
名 (政治犯などに対する) 恩赦、特赦 (≒pardon)

1323 **ferocious** [fəróʊʃəs]
① feroc (どう猛な + -ious (満ちた)
形 ① 〈人・動物が〉 凶暴な、どう猛な (≒fierce)
② 〈風雨・感情などが〉 激しい
名 ferocity どう猛さ

1324 **swerve** [swə́ːrv]
動 (急に) 向きを変える、ハンドルを切る
名 (車などが) 方向を変えること

1325 **glimpse** [glímps]
名 ちらりと見えること、ひと目
動 ~をちらりと見る

1326 **clause** [klɔ́ːz]
名 (条約・契約書などの) 条項、箇条
►「閉じられたもの」が原義。文法用語の「節」という意味もある。

1327 **sphere** [sfíər]
名 ① 球、球体 ② 範囲、領域 (≒field)

1328 **constellation** [kɑ̀ːnstəléɪʃən | kɔ̀n-]
① con- (共に) + stella (星) + -tion 名
名 星座

1329 **haunt** [hɔ́ːnt]
動 ① ~にとりつく、化けて出る
② 〈場所〉 に足しげく通う
形 haunted 幽霊の出る

1330 **delirious** [dɪlíriəs]
形 精神が錯乱した

1331 **blissful** [blísfl]
① bliss (至福) + -ful (満ちた)
形 至福の

1332 **eternity** [ɪtə́ːrnəti]
名 永遠、永久 (≒perpetuity)
形 eternal 永遠の

Track 111

The **captions** under pictures should be interesting and informative.	写真の下の**キャプション**は、興味深く有益なものでなければならない。
Political prisoners were granted **amnesty** by the new president.	政治犯たちは新しい大統領によって**恩赦**を与えられた。
Lions are considered to be incredibly **ferocious** animals.	ライオンは非常に**どう猛**な動物だと考えられている。
He **swerved** to avoid the deer and crashed into a tree.	彼はシカをよけようとして**急ハンドルを切り**、木に激突した。
He caught a **glimpse** of a beautiful butterfly.	彼には美しいチョウが**ちらりと見え**た。
Please read all of the **clauses** in your contract.	契約書の**条項**をすべてお読みください。
Many know that the Earth is not a perfect **sphere**.	多くの人は、地球が完全な**球体**ではないことを知っている。
It takes practice to see the different **constellations**.	さまざまな**星座**を見るには訓練が必要だ。
It is believed that spirits **haunt** the ruins.	その遺跡には霊が**ついている**と信じられている。
She was completely **delirious** because of a high fever.	高熱のため、彼女は完全に**錯乱してい**た。
He saw a picture of a **blissful** couple smiling.	彼は**幸せいっぱいの**カップルがほほえんでいる写真を見た。
Nothing lasts for **eternity**.	**永遠**に続くものはない。

13
32

1333 **abstract**
[形 ǽbstrækt 動 æbstrǽkt]
ⓘ abs- (離れて) + tract (引く)

形 抽象的な、概念上の (⇔concrete)
動 ～を取り出す
名 abstraction 抽象化

1334 **pretense**
[príːtens | prɪténs]
ⓘ pre- (前に) + tense (伸ばす)

名 ふり、見せかけ
► under the pretense of～ で「～のふりをして」という意味。
動 pretend ～のふりをする
名 pretension 見せかけること、てらい

1335 **admonish**
[ədmɑ́ːnɪʃ | -mɔ́n-]
ⓘ ad- (～に) + mon (警告する) + -ish (～にする)

動 〈人〉を叱る、諭す (≒reprimand)
名 admonition 注意、訓戒

1336 **incriminate**
[ɪnkrímənèɪt]
ⓘ in- (～に) + crim(in) (罪) + -ate (～にする)

動 〈人〉に罪を負わせる、〈人〉を有罪にする

1337 **vicinity**
[vɪsínəti]
ⓘ vicin (近所の) + -ity 名

名 付近、近辺 (≒neighborhood)

1338 **enrage**
[ɪnréɪʤ]
ⓘ en- (～にする) + rage (激怒)

動 ～を激怒させる (≒infuriate)

1339 **replenish**
[rɪplénɪʃ]
ⓘ re- (再び) + plen (満たす) + -ish (～にする)

動 ～を補充する

1340 **chronicle**
[krɑ́ːnɪkl | krɔ́n-]
ⓘ chron (時間) + -icle (指小辞)

動 ～を年代記 [年代順] に記録する
名 年代記

1341 **underfed**
[ʌ̀ndərféd]

形 栄養不足の
► fed は feed (～に食べ物を与える) の過去分詞。

1342 **falsify**
[fɔ́ːlsəfàɪ]
ⓘ fals (偽った) + -ify (～にする)

動 〈書類など〉を偽造する、改ざんする
名 falsification 偽造、改ざん

1343 **eerie**
[íəri]

形 不気味な、薄気味悪い (≒uncanny)

1344 **static**
[stǽtɪk]
ⓘ stat (立つ) + -ic 形

形 ① 停滞した、不活発な (≒stagnant)
② 静止した、動きのない (≒stationary) (⇔dynamic)

Track 112

The theme of his essay is too **abstract** to understand.	彼のエッセイのテーマは抽象的すぎて理解できない。
She started speaking to the man **under the pretense of** asking for directions.	彼女は道を尋ねるふりをして男性に話しかけた。
She was **admonished** for forgetting to turn off the stove.	彼女はこんろを消し忘れて叱られた。
He was **incriminated** by the evidence in his home.	彼は自宅にあった証拠によって有罪になった。
Everyone in this **vicinity** needs to escape immediately.	この付近にいる人は直ちに避難する必要がある。
The community was **enraged** that the playground would be closing.	地域の人々は、その遊び場が閉鎖されることに激怒した。
You should drink water to **replenish** your fluids.	水分を補給するために水を飲みなさい。
These books **chronicle** the life of a famous poet.	これらの本は、ある有名な詩人の生涯を記録したものだ。
The plants were not growing because they were **underfed**.	それらの植物は栄養不足で育っていなかった。
You will be charged if you **falsify** any information.	情報を改ざんした場合は、罪に問われます。
The fog made the evening all the more **eerie**.	その晩は霧のせいでいっそう不気味に思えた。
The market for this product has become rather **static**.	この製品の市場はかなり停滞している。

13▸
44

1345 **envoy**
[énvɔɪ]
ⓘ en- (〜に) + voy (道)

名 使節、使者 (≒emissary)

1346 **immovable**
[ɪmúːvəbl]
ⓘ im- (否定) + mov (動く) + -able (できる)

形 動かせない、固定された (≒fixed) (⇔movable)

1347 **amplify**
[ǽmpləfàɪ]
ⓘ ampl (豊富な) + -ify (〜にする)

動 ① 〈信号・音など〉を増幅する ② 〜を拡大する
► カタカナ語の「アンプ」は amplifier (増幅器) から。

1348 **flare**
[fléər]

名 (ぱっと燃え上がる) 炎
動 ぱっと燃える

1349 **gratitude**
[grǽtət(j)ùːd]
ⓘ grat (うれしい) + -itude 名

名 感謝、感謝の気持ち (≒appreciation)

1350 **upturn**
[ʌ́ptə̀ːrn]
ⓘ up- (上に) + turn (ひっくり返す

名 上昇、好転 (⇔downturn)

1351 **gauge**
[géɪdʒ] ▲ 発音注意。

動 ① 〜を慎重に判断する (≒judge)
② (計器で) 〜を正確に測る
名 計器、ゲージ

1352 **disperse**
[dɪspə́ːrs]
ⓘ di- (離れた) + sperse (まき散らす)

動 〈群衆など〉を追い散らす;〈群衆が〉分散する

1353 **bundle**
[bʌ́ndl]
ⓘ bund (結ぶ) + -le 名

名 束、包み
► 運べるようにひとくくりにされたもの。

1354 **invincible**
[ɪnvínsəbl]
ⓘ in- (否定) + vinc (征服する) + -ible (できる)

形 ① 〈人・軍などが〉無敵の (≒unconquerable)
② 〈思想・態度などが〉不屈の

1355 **comprise**
[kəmpráɪz]
ⓘ com- (共に) + prise (保つ)

動 ① 〜を構成する (≒constitute)
② 〜から成る、〜を含む (≒consist of 〜)
► be comprised of〜 で「〜で構成されている」という意味。

1356 **probe**
[próʊb]

名 ① 調査 (≒investigation) ② 探査機
動 〜を徹底的に調べる

They sent a special **envoy** to assist the country.

彼らはその国を支援するために、特使を派遣した。

All **immovable** objects in the area were vandalized by the angry mob.

その地域の動かせないものはすべて暴徒によって破壊された。

This machine can **amplify** radio signals.

この機械は無線信号を増幅することができる。

The girl lit the room with the **flare** of a match.

少女はマッチの炎で部屋を照らした。

He expressed his **gratitude** for the support from his fans.

彼はファンからの支援に感謝の意を表した。

An **upturn** in the market is expected soon.

市場の好転は近いと見込まれている。

There are various ways to **gauge** the health of a company.

会社の健全さを評価するにはさまざまな方法がある。

The crowd was immediately **dispersed** by the police.

群衆はすぐに警察によって解散させられた。

The man was carrying a giant **bundle** of newspapers.

男性は新聞の巨大な束を運んでいた。

Everyone thought that the new tank was **invincible**.

誰もがその新型戦車は無敵だと思った。

Canada **is comprised of** ten provinces and three territories.

カナダは10の州と3つの準州で構成されている。

The police have launched a **probe** into the assault.

警察はその暴行事件の調査を開始した。

1356

1357 **paralyze**
[pǽrəlàɪz]
① para（片側）+ ly（緩める）+ -ze 動

動 ① ～をまひさせる
② ～をすくませる、無力にする
名 paralysis まひ

1358 **annotation**
[æ̀nətéɪʃən | æ̀nəʊ-]
① an-（～に）+ not（印をつける）+ -ation 名

名 注釈（≒note）
動 annotate ～に注釈をつける

1359 **tactical**
[tǽktɪkl]

形 戦術の
名 tactics 戦術

1360 **menace**
[ménəs]

名 脅威、危険（なもの［人］）（≒threat）
動 ～を脅かす（≒threaten）
形 menacing 脅迫的な

1361 **detachment**
[dɪtǽtʃmənt]
① de-（分離）+ tach（触る）+ -ment 名

名 ① 超然；無関心（⇔involvement） ② 分離
動 detach ～を分離する
形 detached 超然とした

1362 **gaudy**
[gɔ́ːdi]

形 派手な、けばけばしい（⇔plain）

1363 **agonize**
[ǽgənàɪz]

動 苦悩する、苦悶する
名 agony 苦痛、苦悩

1364 **fracture**
[frǽktʃər]
① fract（壊す）+ -ure（結果）

動 〈骨・金属など〉を折る、～に亀裂を生じさせる
名 （骨・金属などの）割れ目、ひび

1365 **corrode**
[kəróʊd]
① cor-（強意）+ rode（嚙み切る）

動 〈金属など〉を腐食させる；〈金属などが〉腐食する
名 corrosion 腐食
形 corrosive 腐食性の

1366 **duplicate**
[動 d(j)úːplɪkèɪt 名 d(j)úːplɪkət]
① du（2）+ plic（折る）+ -ate 動

動 ～を複製する（≒copy）
名 複製、複写（≒copy）
名 duplication 複製を作ること

1367 **holistic**
[hoʊlístɪk | həʊ-]

形 全体論の、全体（論）的な

1368 **dilution**
[daɪlúːʃən]
① di-（分離）+ lut（洗う）+ -ion 名

名 希釈
動 dilute ～を薄くする、希釈する

Track 114

He became **paralyzed** from the waist down after a horrible car accident.	彼はひどい交通事故で下半身不随になった。
The research paper included **annotations** on almost every page.	その研究論文にはほとんどすべてのページに**注釈**がついていた。
She was the top **tactical** officer in the army.	彼女は軍のトップの戦術指揮官だった。
The **menace** of illegal drugs must be stopped.	違法薬物の**脅威**を食い止めなければならない。
A judge should have a certain amount of **detachment** from their emotions.	裁判官は自らの感情からある程度**距離**を置いている必要がある。
Her earrings are rather **gaudy**, don't you think?	彼女のイヤリングはかなり派手だと思いませんか。
The designer **agonized** over hundreds of small details.	そのデザイナーは何百もの細部のことで**悩んで**いた。
He **fractured** a bone in his hand while playing basketball.	彼はバスケットボールをしていて手の骨を折った。
Acid **corroded** the metal on the machine over time.	酸は徐々に機械の金属を**腐食させた**。
Do not **duplicate** any of the content on this site on another website.	当サイトのコンテンツをほかのウェブサイトに**複製し**ないでください。
The **holistic** treatment attempts to heal both the body and mind.	**全体的**治療は、体と心の両方を癒すことを目的としている。
The **dilution** of this acid will make it less harmful.	この酸を**希釈**すると、害が少なくなる。

13
68

1369 **posture**
[pɑ́ːstʃər | pɔ́s-]
(!) post (置く) + -ure [名]

[名] ① (体の) 姿勢
② (精神的な) 姿勢、態度 (≒attitude)

1370 **rampage**
[rǽmpeɪdʒ]

[名] 凶暴に暴れること
[動] 暴れ回る

1371 **stunt**
[stʌ́nt]

[動] 〈成長・発達など〉を妨げる
► 同じつづりで「曲芸、スタント」という意味の名詞もある。

1372 **perspire**
[pərspáɪər]
(!) per- (通して) + spire (息をする)

[動] 汗をかく、発汗する (≒sweat)
[名] perspiration 発汗

1373 **sublime**
[səbláɪm]

[形] 荘厳な、雄大な (≒majestic)

1374 **renounce**
[rɪnáʊns]
(!) re- (反対) + nounce (報告する)

[動] 〈権利・所有物など〉を放棄する (≒give up)
[名] renunciation 放棄

1375 **referral**
[rɪfə́ːrəl]
(!) re- (元に) + fer(r) (運ぶ) + -al [名]

[名] (専門医などへの) 委託、紹介
[動] refer 〈患者〉を回す、紹介する

1376 **admiration**
[æ̀dməréɪʃən]
(!) ad- (～に) + mir (驚く) + -ation [名]

[名] 称賛、感嘆
[動] admire ～を称賛する
[形] admirable 称賛すべき

1377 **constraint**
[kənstréɪnt]
(!) con- (強意) + straint (引き締める)

[名] 制約、制限 (≒restriction)
[動] constrain ～を制約する

1378 **cult**
[kʌ́lt]

[名] ① カルト、カルト教団 ② 流行、熱中

1379 **mundane**
[mʌndéɪn]
(!) mund (世界) + -ane [形]

[形] 平凡な、つまらない (≒ordinary, boring)

1380 **unravel**
[ʌnrǽvl]
(!) un- (取り去る) + ravel (ほぐす)

[動] ① 〈難問など〉を解決する、〈謎など〉を解く (≒solve)
② 〈より糸・編んだものなど〉をほどく

Track 115

Bad **posture** can lead to back problems when you get older.	姿勢が悪いと、年を取ってから腰痛になることがある。
Protesters went on a **rampage**, causing complete chaos in the city.	抗議者たちが暴動を起こし、街は大混乱に陥った。
His growth was **stunted** by a childhood illness.	彼の成長は、子どものころの病気によって妨げられた。
Although it is hot, the weather is so dry that I hardly **perspire**.	暑いが、天気が乾燥しているのでほとんど汗をかかない。
The **sublime** beauty of nature never fails to impress me.	自然の崇高な美しさには、いつも感動させられる。
She **renounced** her citizenship after leaving her country.	彼女は国を離れたあと、国籍を放棄した。
You will need a **referral** to see a skin specialist.	皮膚の専門医に診てもらうには、紹介状が必要だ。
He feels great **admiration** for his grandfather.	彼は祖父に対して大きな尊敬の念を抱いている。
Financial **constraints** caused the project to be canceled.	資金的な制約により、そのプロジェクトは中止された。
She was able to escape the **cult** after many years.	彼女は長い年月を経て、カルト教団から逃れることができた。
He is fed up with his **mundane** life as an office worker.	彼は平凡なサラリーマン人生にうんざりしている。
It took him years to completely **unravel** the mystery.	彼がその謎を完全に解くのに何年もかかった。

13
80

1381 **ecstatic**
[ıkstǽtık]

形 興奮した、有頂天になった
名 ecstasy 歓喜、有頂天

1382 **inept**
[ınépt]

① in-（否定）+ ept（適した）

形 能力に欠ける、不器用な（⇔skillful）

1383 **hypothetical**
[hàıpəθétıkl]

① hypo-（下に）+ thet（置く）+ -ical 形

形 仮定の
名 hypothesis 仮説、仮定

1384 **empathy**
[émpəθi]

① em-（中に）+ pathy（感情）

名 共感、感情移入
動 empathize 共感する

1385 **imposing**
[ımpóʊzıŋ]

① im-（中に）+ pos（置く）+ -ing 形

形〈建物・人などが〉堂々とした、立派な

1386 **incisive**
[ınsáısıv]

形〈言葉・批評などが〉鋭い、的確な（≒sharp, penetrating）

1387 **brag**
[brǽg]

動 自慢する（≒boast）

1388 **entice**
[ıntáıs]

① en-（中に）+ tice（松明）

動 ～を誘惑する（≒lure）

1389 **disdain**
[dısdéın]

① dis-（否定）+ dain（価値のある）

名 軽蔑（≒contempt）
動 ～を軽蔑する、見下す（≒scorn）

1390 **congregate**
[kɑ́:ŋgrəgèıt | kɔ́ŋ-]

① con-（共に）+ greg（群がる）+ -ate 動

動 集まる、集合する
名 congregation 集会、集合

1391 **improvise**
[ímprəvàız]

① im-（否定）+ pro-（前に）+ vise（見る）

動（～を）即興で作る
名 improvisation 即興

1392 **instrumental**
[ìnstrəméntl]

① instru（築く）+ ment（手段）+ -al 形

形 ① 非常に重要な役割を果たす、役に立つ（≒helpful）
② 〈音楽が〉楽器だけの（⇔vocal）
名 instrument 器具；楽器

Track 116

13
92

She was **ecstatic** to find out she won first place.	彼女は1位になったことを知って、舞い上がった。
I have always been **inept** at musical instruments.	私はこれまでずっと楽器が苦手だった。
This is not a real example, just a **hypothetical** situation.	これは実例ではなく、単なる仮定の状況だ。
He developed **empathy** for the poor people after volunteering in their town.	彼はボランティアをしたあと、その町に住む貧しい人々に共感を持った。
The **imposing** mountain looked impossible to climb.	その雄大な山は登るのが不可能に見えた。
His opinions are always **incisive** and to the point.	彼の意見はいつも鋭く、的を射ている。
It is rude to **brag** about what you own.	自分の所有物を自慢するのは失礼だ。
She was **enticed** by the shiny earrings in the display case.	彼女はショーケースの輝くイヤリングに魅了された。
He showed his **disdain** for her decision openly.	彼はあからさまに、彼女の決定に対する軽蔑を示した。
Everyone **congregated** in the square to listen to the speech.	誰もがそのスピーチを聞くために広場に集まった。
She forgot her speech draft at home, so she **improvised**.	彼女はスピーチの下書きを家に忘れてしまったので、即興で行った。
Her contributions were **instrumental** in making this play a success.	彼女の貢献はこの劇の成功に大きな役割を果たした。

1393 **transient**
[trǽnʃənt | -ziənt]
① trans-（越えて）+ i（行く）+ -ent 形

名 放浪者、流れ者
形 一時的な、束の間の（≒temporary）

1394 **subordinate**
[səbɔ́ːrdənət]
① sub-（下に）+ ordin（命令）+ -ate（～にする）

名 下位の人、部下（⇔superior）
形 下位の、位が低い（≒lower）

1395 **peculiar**
[pɪkjúːljər | -liə]

形 ① 奇妙な、普通でない（≒strange, odd）
② 特有の
名 peculiarity 奇妙な点；特質

1396 **bounce**
[báʊns]

動 〈ボールなどが〉跳ね返る、〈音などが〉反響する

1397 **protocol**
[próʊtəkɔ̀ːl | prə́ʊtəkɔ̀l]

名 ① 礼儀作法　② 条約議定書

1398 **typify**
[típəfàɪ]
① typ（典型）+ -ify（～にする）

動 ～の典型となる
形 typical 典型的な、代表的な
副 typically 一般的に；典型的に

1399 **manuscript**
[mǽnjəskrìpt]
① manu（手）+ script（書く）

名（手書きの）原稿

1400 **alignment**
[əláɪnmənt]
① a-（～に）+ lign（線）+ -ment 名

名 整列
動 align ～を一列に並べる

1401 **banish**
[bǽnɪʃ]
① ban（禁じる）+ -ish（～にする）

動 ① 〈人〉を追放する（≒exile）
② 〈考えなど〉を追い払う
名 banishment 追放

1402 **condemn**
[kəndém]
① con-（完全に）+ demn（害を加える）

動 〈人・行為〉を非難する、とがめる（≒denounce）
名 condemnation 非難

1403 **detonate**
[détənèɪt]
① de-（強意）+ ton（雷）+ -ate（～にする）

動 〈爆弾など〉を爆発させる（≒explode）

1404 **emulate**
[émjəlèɪt]

動 〈尊敬する人・立派なもの〉を見習う、まねる
名 emulation 見習うこと

Track 117

He used to be a **transient** who traveled the world.	彼はかつて、世界を旅した流れ者だった。
She had one of her **subordinates** handle the travel arrangements.	彼女は部下の一人に出張の手配を任せた。
She has a **peculiar** way of washing her hair.	彼女の髪の洗い方は変わっている。
The ball **bounced** down the hallway quickly.	ボールは廊下をポンポン跳ねていった。
What is the proper **protocol** for a situation like this?	このような状況における適切な礼儀作法とはどのようなものでしょうか。
Monet's use of color and vague forms **typifies** Impressionist paintings.	モネの色彩とぼんやりした形の使用は、印象派の絵画の典型だ。
He handed in his **manuscript** a week late.	彼は１週間遅れて原稿を提出した。
His spine slipped out of **alignment** because of the accident.	事故のせいで、彼の背骨は真っすぐでなくなった。
The emperor was stripped of power and was **banished** to a remote island.	皇帝は権力を奪われ、遠い島に追放された。
The opposition **condemned** the prime minister's decision on financial aid.	野党は財政支援に関する首相の決定を非難した。
The terrorists **detonated** the bomb from a remote location.	テロリストたちは離れた場所から爆弾を爆発させた。
She tried hard to **emulate** her supervisor's actions.	彼女は上司の行動を懸命にまねしようとした。

14 04

1405 **additive** [ǽdətɪv]

名 (食品) 添加物
動 add ～を加える

1406 **gravitate** [grǽvətèɪt]
① grav(it) (重い) + -ate (～にする)

動 (場所・ものなどに) 引き寄せられる
名 gravitation 引力、重力
形 gravitational 重力による

1407 **stationary** [stéɪʃənèri | -əri]
① stat (立つ) + -ion 名 + -ary 形

形 〈乗り物・人などが〉 静止した、動かない (≒static)
► stationery (文房具) と同音。

1408 **repeal** [rɪpíːl]
① re- (元に) + peal (呼ぶ)

動 〈法律など〉 を廃止する、撤廃する (≒abolish)
名 (法律などの) 廃止

1409 **disprove** [dɪsprúːv]
① dis- (否定) + prove (証明する)

動 〈理論など〉 の誤りを証明する (⇔prove)

1410 **utensil** [ju(ː)ténsl]

名 (特に台所の) 用具、器具

1411 **adrift** [ədríft]
① a- (～に) + drift (漂う)

形 漂流して、さまよって

1412 **instigate** [ínstəgèɪt]
① in- (～に) + stig (突き棒) + -ate (～にする)

動 ① 〈公的な活動など〉 を始める；～を引き起こす (≒provoke)
② ～を扇動する
名 instigation 扇動

1413 **thrust** [θrʌ́st]

動 ～をぐっと押す、〈手など〉 を突っ込む
名 ぐっと押すこと

1414 **ignorance** [ígnərəns]
① i- (否定) + gnor (知る) + -ance 名

名 無知、無学
形 ignorant 無知な、意識しない
動 ignore ～を無視する

1415 **customary** [kʌ́stəmèri | -əri]
① custom (習慣) + -ary 形

形 習慣的な、慣習になっている

1416 **blink** [blíŋk]

動 まばたきをする
名 まばたき

Track 118

Some argue such food **additives** are bad for your health.	そのような食品添加物は健康に悪いと主張する人もいる。
He has always **gravitated** to cultures different from his own.	彼は常に自分とは異なる文化に引かれてきた。
The bicyclist collided with a **stationary** vehicle by accident.	その自転車は停まっている車に誤って衝突した。
The government **repealed** the law banning certain drugs.	政府は特定の薬物を禁止する法律を廃止した。
A young scientist managed to **disprove** a famous physics theory.	ある若い科学者が、物理学の有名な理論を反証することに成功した。
She keeps her **utensils** next to the refrigerator.	彼女は調理器具を冷蔵庫の横に置いている。
The boat was left **adrift** in the lake for weeks.	そのボートは湖で何週間も漂流したままだった。
She accused her husband of **instigating** the argument.	彼女は口げんかを始めたのは夫だとなじった。
The teen **thrust** his hands into his pockets and walked away.	少年はポケットに手を突っ込んで立ち去った。
Most racial discrimination comes from simple **ignorance**.	たいていの人種差別は単なる無知に起因している。
In the US, it is **customary** to leave a tip for restaurant servers.	アメリカではレストランの給仕にチップを置いてくるのが慣習だ。
He **blinked** a few times before answering the question.	彼は何回かまばたきをしてから、質問に答えた。

14►16

1417 **hereditary**
[hərédətèri | -təri]
① heredit (相続) + -ary 形

形 ① 遺伝性の ② 世襲の
名 heredity 遺伝

1418 **solemn**
[sɑ́:ləm | sɔ́l-] ▲ 発音注意。

形 ①〈儀式などが〉厳粛な、厳かな
②〈人が〉まじめな、真剣な (≒serious)
副 solemnly 厳粛に
名 solemnity 厳粛さ

1419 **swarm**
[swɔ́:rm]

名 (昆虫・動物などの) 群れ
動 群がる (≒flock)

1420 **unperturbed**
[ʌ̀npərtə́:rbd]
① un- (否定) + per- (完全に) + turb (混乱させる) + -ed 形

形 取り乱さない、冷静な

1421 **phase**
[féɪz]

名 (発達・変化などの) 段階、局面

1422 **tumble**
[tʌ́mbl]

動 転ぶ、倒れる
名 転倒、転落

1423 **initiative**
[ɪníʃətɪv]
① in- (中に) + it(i) (行く) + -ative 形

名 ① 自発性；主導権 ② 新提案；構想

1424 **soothe**
[sú:ð]

動 ①〈人など〉をなだめる、落ち着かせる
②〈痛みなど〉を和らげる、楽にする

1425 **crest**
[krést]

名 尾根、波がしら

1426 **torment**
[動 tɔ:rmént 名 tɔ́:rment]
① tor- (ねじる) + -ment 名

動 ～を苦しめる、悩ませる (≒tease)
名 苦悩、苦痛 (≒anguish)

1427 **revoke**
[rɪvóuk]
① re- (後ろに) + voke (呼ぶ)

動 〈免許・法律など〉を無効にする、廃止する

1428 **assimilate**
[əsíməlèɪt]
① as- (～に) + simil (似た) + -ate (～にする)

動 ① 同化する、溶け込む
②〈考え・知識など〉を吸収する、自分のものにする (≒absorb)
③〈食べ物など〉を消化［吸収］する (≒digest)

Track 119

The color of our eyes and hair is **hereditary**.	私たちの目と髪の色は遺伝だ。
Very few people spoke during the **solemn** ceremony.	その厳粛な儀式の間、話をする人はほとんどいなかった。
He was attacked by a **swarm** of bees.	彼はハチの群れに襲われた。
He was **unperturbed** even after witnessing a horrible accident.	恐ろしい事故を目撃したあとでも、彼は平然としていた。
We are now entering the final **phase** of development.	私たちは現在、開発の最終段階に入っている。
The girl **tumbled** down the hill after she tripped.	少女はつまずいて、坂を転がり落ちた。
She is both intelligent and talented, but she lacks **initiative**.	彼女は知的で才能もあるが、自発性に欠けている。
She sang a song to **soothe** the crying baby.	泣いている赤ん坊をあやすために彼女は歌を歌った。
The climbers hiked along the **crest** of the mountain.	登山者たちは山の尾根づたいに歩いた。
The boys liked to **torment** the neighborhood dog.	少年たちは、近所の犬をいじめるのが好きだった。
Her immigration status was **revoked** after she was arrested.	逮捕されたあと、彼女の在留資格は取り消された。
He never managed to **assimilate** into adult society.	彼はどうしても大人の社会に溶け込むことができなかった。

14
28

1429 **dispel**
[dɪspél]
□□□
ⓘ dis-（分離）+ pel（追いやる）

動 〈不安・恐怖など〉を払いのける

1430 **diverge**
[dəvə́ːrʤ | daɪ-]
□□□
ⓘ di-（分離）+ verge（向かう）

動 ①（コースなどから）それる；〈道・線路などが〉分岐する（⇔converge）
②〈意見・関心などが〉分かれる、異なる

1431 **condiment**
[kɑ́ːndəmənt | kɔ́ndɪ-]
□□□

名 調味料、香辛料、薬味

1432 **noble**
[nóʊbl]
□□□
ⓘ no（知る）+ -ble（値する）

形 崇高な、気高い（⇔ignoble）
名 nobility 気高さ

1433 **futile**
[fjúːtl | -taɪl]
□□□
ⓘ fut（流れ出る）+ -ile（できる）

形 無益な、無駄な（≒vain）
名 futility 無益であること

1434 **saturate**
[sǽtʃərèɪt]
□□□
ⓘ satur（十分な）+ -ate（～にする）

動 ① ～を濡らす、浸す
②〈場所・物体など〉をいっぱいにする

1435 **eradicate**
[ɪrǽdəkèɪt]
□□□
ⓘ e-（外に）+ radic（根）+ -ate（～にする）

動 〈病気・社会問題・害虫など〉を根絶する、撲滅する（≒wipe out）
名 eradication 根絶

1436 **overlap**
[動 òʊvərlǽp 名 óʊvərlæ̀p]
□□□
ⓘ over-（上に）+ lap（重ねる）

動 重なり合う、一部が重複する
名 重なり、共通点

1437 **muddle**
[mʌ́dl]
□□□
ⓘ mud(d)（泥）+ -le（反復）

動 ① ～をごちゃ混ぜにする、混同する
②〈思考など〉を混乱させる
名 ごたごた、混乱

1438 **reckon**
[rékən]
□□□

動 ① …と思う、推測する
② ～をざっと数える、計算する

1439 **ingest**
[ɪnʤést]
□□□
ⓘ in-（中に）+ gest（運ぶ）

動 〈食品・薬品など〉を摂取する

1440 **reminiscent**
[rèmənísnt]
□□□
ⓘ re-（再び）+ minis(c)（心）+ -ent 形

形 連想させる、思い出させる
► reminiscent of ～ で「～を連想させる」という意味。
名 reminiscence 思い出話、回顧録

Track 120

The doctor **dispelled** my concerns about taking the medication.	医師はその薬を飲むことに関する私の不安を払拭した。
The flight **diverged** from its original path to avoid the storm.	その便は、嵐を避けるために元の経路から外れた。
Ketchup and mustard are the standard **condiments** added to hot dogs.	ケチャップとマスタードは、ホットドッグにかける定番の調味料だ。
It was **noble** of him to accept the blame for his employee's mistake.	彼が従業員のミスの責任を取ったのは立派だった。
So far all efforts to cure the disease have proven **futile**.	今までのところ、その病気を治療するあらゆる努力は失敗している。
The soil was **saturated** with salt water after the tsunami.	津波のあと、土壌は塩水に浸っていた。
Smallpox was **eradicated** thanks to great vaccines.	すぐれたワクチンのおかげで、天然痘は根絶された。
When two employees' responsibilities **overlap**, it can cause confusion about who should do a given task.	2人の従業員の担当業務が重なると、どちらがその業務を行うべきか混乱することがある。
Her client had **muddled** his personal and business expenses.	彼女のクライアントは、個人的な経費と仕事の経費をごちゃ混ぜにしていた。
He **reckons** that it will take about two hours to drive there.	彼は、そこまで車で2時間くらいかかると推測している。
Contact a doctor immediately if you accidentally **ingest** poison.	誤って毒物を摂取した場合は、直ちに医師に連絡してください。
The jacket is **reminiscent of** a Royal Air Force flight suit from the 1940s.	そのジャケットは、1940年代のイギリス空軍の航空服をほうふつとさせる。

14
40

1441 **budget** [bʌ́dʒət]
① budg (袋) + -et (小さい)
名 予算
形 安い、予算に合った

1442 **overall** [òuvərɔ́:l]
① over- (上に) + all (すべて)
形 全体の、総合的な
副 全体として

1443 **illegal** [ɪlí:gəl]
① il- (否定) + legal (合法の)
形 違法の、非合法の (≒unlawful) (⇔legal)
副 illegally 不法に

1444 **potential** [pəténʃəl]
① potent (能力) + -ial 形
形 (将来的に) 可能性のある、見込みのある (≒likely, possible)
名 可能性、見込み
副 potentially 可能性として

1445 **ban** [bǽn]
動 ～を禁止する (≒prohibit)
名 禁止
► ban A from *doing* (A が～することを禁じる) の形でよく出題される。

1446 **alternative** [ɔ:ltə́:rnətɪv]
① alternat (他の) + -ive 形
形 別の、代わりとなる
名 代わり (となるもの)
副 alternatively 代わりに、代替手段として

1447 **address** [ədrés]
① ad- (～に) + dress (まっすぐに)
動 ① 〈問題など〉に取り組む (≒deal with ～)
② ～に向けて演説する
名 ① 住所 ② あいさつ、演説

1448 **widespread** [wáɪdspréd]
① wide (広範囲に) + spread (広がった)
形 広範囲にわたる、普及している

1449 **consume** [kəns(j)ú:m]
① com- (完全に) + sume (取る)
動 ① ～を食べる、摂取する ② ～を消費する
名 consumption 消費；摂取
名 consumer 消費者

1450 **property** [prɑ́:pərti | prɔ́p-]
① proper (自分自身の) + -ty (状態)
名 ① 財産、所有物 ② 不動産、土地 ③ 特性
► ③の意味ではふつう複数形。

1451 **absorb** [əbzɔ́:rb]
① ab- (～から) + sorb (吸い込む)
動 ～を吸収する
► 水分や栄養だけでなく、会社、衝撃などを吸収するという意味でも使われる。
名 absorption 吸収

1452 **facility** [fəsíləti]
① facil (容易な) + -ity 名
名 設備、施設

Track 121

Make sure that development costs come in under **budget**.	開発費は予算内に収まるようにしてください。
Your **overall** physical health is affected by your mental health.	体全体の健康は、心の健康に影響される。
The man was caught selling **illegal** substances in an alley.	その男は路地で違法薬物を売っているところを捕まった。
We have identified several **potential** problems in your plan.	私たちは、あなたの計画にいくつかの潜在的な問題を発見した。
The university **banned** students **from** driv**ing** to the campus last year.	その大学は昨年、学生が車でキャンパスに来ることを禁止した。
There may be an **alternative** medicine you can try.	あなたが試すことができる代替薬があるかもしれません。
The government promised to **address** the suicide rate quickly.	政府は、自殺率の問題にすぐに対処すると約束した。
The earthquake caused **widespread** damage in the small island nation.	地震はその小さな島国に広範囲に及ぶ被害をもたらした。
Most people should **consume** lots of fruits and vegetables.	ほとんどの人は、果物や野菜をたくさん摂取するべきだ。
He was arrested for trying to sell stolen **property**.	彼は盗難品を売ろうとして逮捕された。
These towels can **absorb** a lot of water.	これらのタオルは、水をたくさん吸収することができる。
There are no sports **facilities** in this town.	この町にはスポーツ施設がない。

14
52

1453 **invest**
[ɪnvést]
ⓘ in-（中に）+ vest（服を着せる）

動（～を）投資する
名 investment 投資
名 investor 投資家

1454 **relatively**
[rélətɪvli]
ⓘ re-（元に）+ lat（運ぶ）+ -ive 形 + -ly 副

副 比較的
形 relative 比較上の；関連した

1455 **long-term**
[ló(ː)ŋtə́ːrm]

形 長期の（⇔short-term）

1456 **analyze**
[ǽnəlàɪz]
ⓘ ana-（上に）+ ly（解く）+ -ze 動

動 ～を分析する
名 analysis 分析
形 analytical 分析の
名 analyst アナリスト

1457 **medication**
[mèdəkéɪʃən]
ⓘ medi(c)（癒す）+ -ation 名

名 薬、薬物（治療）

1458 **regarding**
[rɪgáːrdɪŋ]
ⓘ re-（後ろに）+ gard（注意する）+ -ing 形

前 ～に関しての、～についての（≒concerning）

1459 **beneficial**
[bènəfíʃəl]
ⓘ bene（よく）+ fic（～にする）+ -ial 形

形 有益な、役に立つ（⇔detrimental, harmful）
名 benefit 利益
名 beneficiary 受益者

1460 **colleague**
[káːliːg | kɔ́l-]
ⓘ col-（共に）+ league（選ばれたもの）

名 同僚（≒coworker）

1461 **efficient**
[ɪfíʃənt]
ⓘ ef-（外に）+ fici（作る）+ -ent 形

形 効率のよい（⇔inefficient）
名 efficiency 効率
副 efficiently 効率的に

1462 **register**
[rédʒɪstər]
ⓘ re-（元に）+ gister（運ぶ）

動（～を）登録する
名 登録（表）
名 registration 登録

1463 **promotion**
[prəmóʊʃən]
ⓘ pro-（前方に）+ mot（動かす）+ -ion 名

名 ① 昇進（⇔demotion） ②（販売）促進
動 promote ～を促進する
形 promotional 昇進の、販売促進の

1464 **shift**
[ʃíft]

動 ～を転換する、移す
名 ① 転換、変化 ② 勤務時間、シフト

Track 122

The woman **invested** a lot of money in her business.	その女性は自らの会社に多額の資金を投資した。
Spring was **relatively** cool in that region this year.	今年の春は、その地域では比較的涼しかった。
He has just joined a **long-term** research project.	彼は長期的な研究プロジェクトに参加したところだ。
The scientists **analyzed** the test results carefully.	科学者たちは試験結果を注意深く分析した。
He has been feeling better since he started taking the **medication**.	その薬を飲み始めてから、彼は体調がよくなった。
We have a few questions **regarding** the incident.	この事件についていくつか疑問がある。
Regular exercise is **beneficial** to your health.	定期的な運動は健康に有益だ。
She does not have any problems with her **colleagues**.	彼女は同僚と何の問題も抱えていない。
They are looking for a more **efficient** way to generate electricity.	彼らは、より効率的な発電方法を探している。
He **registered** for a membership at the local gym.	彼は地元のジムの会員に登録した。
She got a **promotion** after years of hard work.	彼女は長年の努力の末に昇進を果たした。
The government **shifted** its attention to the upcoming election.	政府は目前に迫った選挙に関心を移した。

14/64

1465 **numerous**
[n(j)úːmərəs]
① numer (数)+ -ous (満ちた)

形 多数の、多くの
名 numeral 数字

1466 **candidate**
[kǽndədèɪt]

名 候補者
► 原義は「白衣をまとった者」。ローマ時代、公職の候補者は白衣を着たことから。

1467 **criticism**
[krítəsìzm]
① crit (判断する)+ -ic 形 + -ism 名

名 批評、批判
形 critical 批判的な
動 criticize ～を批判する

1468 **guarantee**
[gæ̀rəntíː] ▲ アクセント注意。

動 ～を保証する
名 ① 保証 ② 保証書 (≒warranty)

1469 **consequently**
[kɑ́ːnsəkwèntli | kɔ́nsɪkwənt-]
① con- (共に)+ sequ (ついていく)+ -ent 形 + -ly 副

副 その結果、したがって (≒therefore, as a result)
名 consequence 結果、結末
形 consequent 結果として起こる

1470 **agricultural**
[æ̀grɪkʌ́ltʃərəl]
① agri (畑)+ cultur (耕す)+ -al 形

形 農業の
名 agriculture 農業

1471 **reduction**
[rɪdʌ́kʃən]
① re- (元に)+ duct (導く)+ -ion 名

名 減少；割引；削減
動 reduce ～を減少させる

1472 **requirement**
[rɪkwáɪərmənt]
① re- (再び)+ quire (求める)+ -ment 名

名 ① 必要条件 ② 必要なもの、必需品
動 require ～を要求する

1473 **enormous**
[ɪnɔ́ːrməs]
① e- (外に)+ norm (尺度)+ -ous 形

形 巨大な、莫大な (≒huge)
副 enormously 非常に、ものすごく

1474 **session**
[séʃən]
① sess (座る)+ -ion 名

名 ① 会合、集会 ② (ある活動を行う) 時間、期間 ③ 学期、授業時間

1475 **affordable**
[əfɔ́ːrdəbl]

形 手ごろな価格の、安価な (≒inexpensive)

1476 **lessen**
[lésn]
① less (より少ない)+ -en (～にする)

動 ① ～を少なくする、減らす (≒diminish) ② 減少する、減る
形 less より少ない

Track 123

There are **numerous** different streaming services available.	利用できるストリーミングサービスには**数多く**の種類がある。
All **candidates** for the position must attend an interview within the next week.	その職の**候補者**は全員、来週中に面接を受けなければなりません。
She has never been good at accepting constructive **criticism**.	彼女は建設的な**批判**を受け入れるのがずっと得意ではない。
We **guarantee** your satisfaction or your money back.	当店では、お客さまにご満足いただけなければ、返金を**お約束します**。
He lost his job. **Consequently**, he is short on money.	彼は失業した。**その結果**、お金が足りない。
The government provides a lot of support to the **agricultural** industry.	政府は**農業**に対して多くの支援を提供している。
The art program was canceled due to the **reduction** of the school's budget.	その美術プログラムは学校の予算**削減**のために中止になった。
Being over 20 is a **requirement** to join this club.	20 歳以上であることが、このクラブに加入するための**要件**だ。
That series gained **enormous** popularity after its movie adaptation.	そのシリーズは映画化されたあと、**絶大**な人気を博した。
Training **sessions** for employees will be held twice a year.	従業員向けの研修**会**は、年に 2 回開かれる。
Every year, personal computers become more **affordable**.	年々、パソコンは**手ごろな価格**になっている。
They turned vegan to **lessen** their environmental impact.	彼らは、環境への影響を**軽減する**ためにビーガンになった。

14
76

1477 **insurance**
[ɪnʃúərəns]
① in-（中に）+ sur（安全な）+ -ance 名

名 保険
動 insure ～に保険をかける

1478 **oppose**
[əpóuz]
① op-（反対に）+ pose（置く）

動 ～に反対する
► be opposed to ～（～に反対している）という形も出題される。
名 opposition 反対
形 opposite 反対の

1479 **deposit**
[dɪpɑ́:zət | -pɔ́z-]
① de-（下に）+ posit（置く）

名 ① 預金、預け入れ
② 保証金、手付金（≒down payment）
③ 堆積物
動 ～を堆積させる

1480 **costly**
[kɔ́(:)s*t*li]

形 費用のかかる、高価な（≒expensive）

1481 **domestic**
[dəméstɪk]
① dom（家）+ -estic 形

形 ① 国内の（⇔foreign）
② 家庭の ③ 人に飼われている（⇔wild）
動 domesticate〈動物〉を家畜化する
名 domestication 家畜化

1482 **detect**
[dɪtékt]
① de-（分離）+ tect（覆う）

動 ～を検出する、発見する（≒discover）
名 detection 検出、発見
形 detectable 検出できる
名 detective 刑事；探偵

1483 **awareness**
[əwéərnəs]
① a-（～に）+ ware（注意）+ -ness 名

名 意識、認知
形 aware 意識した

1484 **strategy**
[strǽtədʒi]

名 戦略、方策
►「（個々の）戦術」は tactics と言う。
形 strategic 戦略上の、戦略的な

1485 **priority**
[praɪɔ́:rəti | -ɔ́r-]
① prior（より先の）+ -ity 名

名 ① 優先事項 ② 優先（権）
► 形容詞的に「優先的な」という意味で使われることもある。
形 prior 優先の、前の
動 prioritize ～を優先させる

1486 **representative**
[rèprɪzéntətɪv]

名 ①（客に対応する）販売員、担当者 ② 代表者
動 represent ～を代表する；～を表す
名 representation 代表（すること）

1487 **outcome**
[áutkʌ̀m]
① out-（外に）+ come（出てきたもの）

名 結果、成果（≒result）

1488 **preserve**
[prɪzə́:*r*v]
① pre-（前もって）+ serve（保つ）

動 ① ～を保存する、保護する
②〈水準など〉を保つ、維持する（≒maintain）
名 自然保護区
名 preservation 保存

Track
124

Car **insurance** is more expensive for young, inexperienced drivers.

自動車保険は若く経験の浅いドライバーのほうが値段が高い。

Two of six city council members **opposed** the new regulation.

市議会議員６人のうち２人が新しい規則に反対した。

The **deposit** will arrive in our bank account next week.

預金は来週、銀行口座に入金されます。

The manager made some **costly** mistakes, and she was fired as a result.

部長は大きな損失を出すミスを犯し、その結果、首になった。

Domestic fuel prices are continuing to go up.

国内の燃料価格は上昇を続けている。

The police dogs did not **detect** any drugs in the bags.

警察犬は袋の中から薬物を検出しなかった。

The aim of the event is to raise **awareness** of LGBTQ+ rights.

そのイベントの目的は、LGBTQ+ の権利に関する認知度を高めることだ。

Their **strategy** is to buy any company that might become a major competitor.

彼らの戦略は、主要な競争相手になりそうな会社であれば買収してしまうというものだ。

Customer satisfaction is one of our top **priorities**.

お客さまの満足は、わが社の最優先事項の一つだ。

I had to wait 30 minutes to speak with a customer service **representative**.

カスタマーサービスの担当者と話をするのに 30 分待たなければならなかった。

The **outcome** of today's meeting will be announced tomorrow.

今日の会議の結果は、明日発表される。

The ancient people used salt to **preserve** their meat.

古代の人々は肉を保存するのに塩を使った。

14
88

1489 **luxury** [lʌ́gʒəri | lʌ́kʃəri]
名 ① 豪華さ、ぜいたく；[形容詞的に] 豪華な、ぜいたくな ② ぜいたく品
形 luxurious 豪華な、ぜいたくな

1490 **reminder** [rɪmáɪndər]
① re- (再び) + mind (心) + -er (人)
名 思い出させるもの、注意、メモ
動 remind ～に思い出させる

1491 **manufacture** [mæ̀njəfǽktʃər]
① manu (手) + fact (作る) + -ure 動
動 ～を製造する (≒produce)
名 製造
名 manufacturing 製造業
名 manufacturer 製造業者、メーカー

1492 **extend** [ɪksténd]
① ex- (外に) + tend (伸ばす)
動 ①〈影響・支配などが〉及ぶ；〈影響・支配など〉を拡大する ②〈土地などが〉広がる ③〈期間が〉延びる；〈期間〉を延ばす
名 extension 拡大；延長；(電話の) 内線

1493 **qualified** [kwɑ́ːləfàɪd | kwɔ́lɪ-]
① quali (何らかの資格) + -fi 動 + -ed 形
形 資格のある、適任の、能力のある
動 qualify ～に資格を与える
名 qualification 資格

1494 **fossil** [fɑ́ːsl | fɔ́s-]
名 化石

1495 **corporation** [kɔ̀ːrpəréɪʃən]
① corpor (体) + -ation 名
名 ① 企業、株式会社 ② 法人
► 特に大企業を指す。
形 corporate 企業の

1496 **mine** [máɪn]
名 ① 鉱山 ② 地雷
動 ～を採掘する、掘り出す
名 miner 鉱夫

1497 **artificial** [ɑ̀ːrtəfíʃəl]
① arti (技術) + fic (作る) + -ial 形
形 人工の、人工的な (⇔natural)
副 artificially 人工的に

1498 **landscape** [lǽndskèɪp]
① land (土地) + scape (風景)
名 ① (一目で見渡せる陸地の) 風景、景観 (≒scenery) ② (政治的・社会的) 情勢、状況
動 ～の景観をよくする
名 landscaper 造園家

1499 **minimum** [mínɪməm]
① mini (小さい) + -mum (最上級)
形 最小限の、最低限の (≒minimal) (⇔maximum)
名 最小限、最低限

1500 **executive** [ɪgzékjətɪv]
① execut (執行する) + -ive 形
名 経営幹部、重役
形 経営する、執行権を持つ

Track 125

If I were a billionaire, I would buy 10 different **luxury** cars.	もしも億万長者なら、いろいろな高級車を10台買うのだが。
Please write a **reminder** to water the plants every week.	毎週植物に水をやるよう、注意喚起を書いてください。
Their company **manufactures** auto parts.	彼らの会社では自動車部品を製造している。
We will **extend** our services to the rest of the country.	わが社はサービスを全国に拡大する予定です。
She is more than **qualified** to teach this course.	彼女はこのコースを教えるのに十二分の資格がある。
The archaeologists found several new **fossils** at the site.	考古学者たちはその発掘現場でいくつかの新しい化石を発見した。
She and her business partner hired a lawyer to form the **corporation**.	彼女とビジネスパートナーは弁護士を雇い、会社を設立した。
Her father and grandfather both worked in the coal **mines** in Wales.	彼女の父と祖父は、2人ともウェールズの炭鉱で働いていた。
They decided to use **artificial** flowers at their wedding.	彼らは結婚式で造花を使うことにした。
The **landscape** has changed over the past 30 years.	この30年で風景は変わった。
Please be sure to note the **minimum** requirements for applying for this job.	この仕事に応募する最低条件にご注意ください。
The **executives** all agreed to sell the company.	役員は全員、会社を売却することに同意した。

15
00

1501 **characteristic** [kæ̀rəktərístɪk]

名 特徴、特色（≒trait）
形 特有の、特徴的な
► characteristic of ～「～に特有の」の形でも出題されている。
動 characterize ～を特徴づける

1502 **immune** [ɪmjúːn]

形 免疫のある
► immune to ～ で「～に対して免疫のある」という意味。
名 immunity 免疫（力）
動 immunize ～に免疫力をつける

1503 **worsen** [wə́ːrsn]

① worse（より悪い）+ -(e)n（～にする）

動 ① 悪化する（≒deteriorate）（⇔improve）
② ～を悪化させる

1504 **prey** [préɪ]

名 えじき、獲物（⇔predator）
動 捕食する
► prey on ～（～を捕食する）という表現も覚えておこう。

1505 **applicant** [ǽplɪkənt]

① applic（申し込む）+ -ant（人）

名 応募者
動 apply 応募する
名 application 応募

1506 **toxic** [tɑ́ːksɪk | tɔ́ks-]

① tox（毒）+ -ic 形

形 毒性のある、有毒な（≒poisonous）
名 toxin 毒（素）

1507 **intense** [ɪnténs]

① in-（中に）+ tense（伸ばす）

形 ①〈感情・運動などが〉激しい
②〈熱・光などが〉強烈な
名 intensity 激しさ；強烈さ　形 intensive 集中的な
動 intensify ～を増強する、激しくする

1508 **productivity** [prədʌktívəti | prɔ̀-]

① pro-（前方に）+ duct（導く）+ -ivi 形 + -ty 名

名 生産性
形 productive 生産的な
動 produce ～を生み出す、生産する

1509 **relocate** [rìːlóʊkeɪt | -ləʊkéɪt]

① re-（再び）+ loc（場所）+ -ate（～にする）

動 移転する、移住する；～を移転［移住］させる
名 relocation 移転、移住

1510 **divorce** [dɪvɔ́ːrs]

① di-（分離）+ vorce（向きを変える）

名 離婚
動 ～と離婚する
► get divorced（離婚する）という表現もある。

1511 **nonetheless** [nʌ̀nðəlés]

副 それにもかかわらず（≒nevertheless）

1512 **clue** [klúː]

名（問題などを解く）手がかり、糸口

Track 126

Twins share many of the same biological **characteristics**.	双子は、多くの同じ生物学的特徴を共有している。
About five percent of people are **immune to** this disease.	約５パーセントの人々がこの病気に対して免疫を持っている。
The weather only **worsened** as the day progressed.	日がたつにつれ、天気は悪化の一途をたどった。
The tiger stalked its **prey** before attacking.	そのトラは獲物に忍び寄り、襲いかかった。
Only **applicants** who hand in all forms will be considered.	すべての書類を提出した応募者のみが選考の対象となる。
These two substances are **toxic** if mixed together.	これら２つの物質は、混ぜると有毒だ。
She has suffered from **intense** headaches her whole life.	彼女は生まれてからずっと激しい頭痛に悩まされてきた。
Happy workers generally increase a company's **productivity**.	仕事に満足している社員は、通常、会社の生産性を向上させる。
He was forced to **relocate** because of his job.	彼は仕事のために引っ越さなければならなかった。
The couple decided to get a **divorce** soon after marrying.	そのカップルは結婚してすぐに離婚を決意した。
The movie was confusing, but entertaining **nonetheless**.	その映画はわかりづらかったが、それでも楽しめた。
We have no **clue** how to fix this issue.	この問題を解決する手がかりがない。

15
12

1513 **warehouse**
[wéərhàʊs]
ⓘ ware (商品) + house (置き場)

名 倉庫 (≒storehouse, depot)

1514 **substantial**
[səbstǽnʃəl]
ⓘ substant (実質) + -ial 形

形 相当な、かなりの (≒considerable)
副 substantially 相当に、かなり
名 substance 物質；内容、実質

1515 **temporary**
[témpərèri | -rəri]
ⓘ tempor (時間) + -ary 形

形 一時的な、臨時の (⇔permanent)
副 temporarily 一時的に

1516 **supervise**
[súːpərvàɪz]
ⓘ super (上から) + vise (見る)

動 〈人・作業など〉を監督する、管理する
名 supervision 監督、管理
名 supervisor 監督者、管理者

1517 **subject**
[sʌ́bdʒekt]
ⓘ sub- (下に) + ject (投げられたもの)

名 ① 被験者 ② 主題、テーマ
形 受けやすい
► be subject to ～「～の影響を受ける」の形でも使われる。

1518 **participation**
[pàːrtɪsəpéɪʃən]
ⓘ parti (部分) + cip (取る) + -ation 名

名 参加、加入、関与
動 participate 参加する
名 participant 参加者

1519 **sensitive**
[sénsətɪv]
ⓘ sens (感じる) + -itive 形

形 ① 敏感な、影響を受けやすい (⇔insensitive)
② 微妙な、細心の注意を要する
名 sensitivity 細やかさ、感受性

1520 **pottery**
[páːtəri | pɔ́t-]
ⓘ pot(t) (陶磁器を作る) + -ery (場所)

名 ① 陶器類 ② 陶芸
► 原義は「製陶場」。
名 potter 陶工

1521 **overcome**
[òʊvərkʌ́m]
ⓘ over- (越えて) + come (来る)

動 ① 〈困難など〉を乗り越える、克服する (≒conquer)
② ～を圧倒する

1522 **removal**
[rɪmúːvl]
ⓘ re- (再び) + mov (動かす) + -al 名

名 (不要なものの) 除去、撤去、摘出
動 remove ～を取り除く

1523 **crisis**
[kráɪsɪs]

名 危機
► 複数形は crises。
形 critical 批判的な；危機的な

1524 **statistics**
[stətístɪks]
ⓘ statist (状態) + -ics (学問)

名 統計
► 複数扱い。
形 statistical 統計の、統計上の

Track 127

The owners are currently renting the **warehouse** to an online retailer.	オーナーたちは現在、その倉庫をオンライン小売業者に貸している。
She spent a **substantial** amount of time studying.	彼女はかなりの時間を勉強に費やした。
Temporary housing is not very comfortable to live in.	仮設住宅は住み心地があまりよくない。
His job is to **supervise** the training of new staff.	彼の仕事は、新入社員の研修を管理することだ。
The researchers recruited **subjects** for their surveys.	その研究者たちは調査の被験者を募集した。
Even the teams that lose are given a trophy for **participation**.	負けたチームにも参加賞のトロフィーが贈られる。
She is **sensitive** to unexpected changes in temperature.	彼女は予想外の気温の変化に敏感だ。
Some of the oldest **pottery** in the world is at this museum.	この博物館には世界最古の陶器のいくつかがある。
She still has not **overcome** her fear of dogs.	彼女はまだ犬に対する恐怖を克服していない。
All the old computers are scheduled for **removal** tomorrow.	古いコンピュータは明日すべて撤去する予定だ。
The province's health care system is in a **crisis**.	州の医療制度は危機的状況にある。
Statistics must be analyzed within a specific context.	統計は、特定の文脈の中で分析する必要がある。

15
24

1525 **engage**
[ɪngéɪdʒ]
① en-（中に）+ gage（誓約）

動 従事する、携わる
► be engaged to ～（～と婚約している）、be engaged in ～（～に携わっている）も重要。
名 engagement 婚約；約束

1526 **opponent**
[əpóʊnənt]
① op-（～に対して）+ pon（置く）+ -ent（人）

名 ①（試合などの）相手、対戦者（≒adversary）
②（計画・考えなどに対する）反対者
動 oppose ～に反対する；～に敵対する

1527 **competitive**
[kəmpétətɪv]
① com-（共に）+ peti（求める）+ -tive 形

形 ① 競争の、競技の；競争の激しい
②〈価格などが〉競争力のある
動 compete 競争する　名 competition 競争
名 competitor 競争相手

1528 **shrink**
[ʃríŋk]

動 縮む、縮小する
名 shrinkage 縮小

1529 **intake**
[íntèɪk]

名（食べ物などの）摂取（量）
► take in（〈食べ物・栄養など〉を摂取する）という表現も覚えておこう。

1530 **ongoing**
[ɑ́:ngòʊɪŋ | ɔ́n-]

形 進行中の、継続している

1531 **inspection**
[ɪnspékʃən]
① in-（中を）+ spect（見る）+ -ion 名

名 ① 検査、点検　② 立入検査、査察
動 inspect ～を調査する
名 inspector 調査官

1532 **problematic**
[prɑ̀:bləmǽtɪk | prɔ̀b-]

形 問題のある、解決の難しい

1533 **forbid**
[fərbíd]
① for-（禁止）+ bid（命令する）

動 〈権威者・法などが〉～を禁じる、許さない（⇔permit）

1534 **finance**
[名 fáɪnæns 動 fənǽns | faɪnǽns]
① fin（終わる、決算する）+ -ance 名

名 ① [finances] 資金、財源　② 財政、金融
動 ～に資金を融通する
形 financial 財政の

1535 **theft**
[θéft]

名 盗み、窃盗（≒stealing）
►「こっそり盗むこと」。脅しや暴力を使っての「強盗」は robbery。
名 thief 泥棒

1536 **primarily**
[praɪmérəli]
① prim（第一の）+ -ary 形

副 主として、第一に（≒mainly）
形 primary 主要な

Track 128

Many people were arrested for **engaging** in the protests.	多くの人々がその抗議運動に加わって逮捕された。
He faced all of his **opponents** bravely and with confidence.	彼はすべての対戦相手に、勇敢に自信を持って立ち向かった。
To survive in this **competitive** industry requires significant effort.	この競争の激しい業界で生き残るには、多大な努力が必要だ。
The younger population is expected to **shrink** drastically.	若年人口は劇的に減少すると予想されている。
The doctor advised her to limit her sugar **intake**.	医師は彼女に、糖分の摂取を制限するように忠告した。
There is an **ongoing** investigation into his murder.	彼が殺害された事件については、捜査が進行中だ。
The restaurant was shut down following a health **inspection**.	そのレストランは、衛生検査のあと閉店した。
Making an accurate analysis is **problematic** with so little data.	そんなにわずかなデータで正確な分析を行うことは困難だ。
The use of flash photography is strictly **forbidden** as it upsets the animals.	動物を驚かせるので、フラッシュ撮影は固く禁じられています。
These scholarships are for individuals with limited **finances**.	これらの奨学金は、資金が限られている人を対象としている。
The **theft** at the town's museum shocked everyone.	町の美術館での盗難に誰もがショックを受けた。
The beach town is **primarily** visited by tourists living in the nearby city.	その海辺の町には、主に近くの市に住む観光客が訪れる。

15/36

1537 **contribution**
[kɑ̀:ntrəbjú:ʃən | kɔ̀n-]
① con- (共に) + tribut (与える) + -ion 名

名 ① 貢献、寄与 ② 寄付 (金)、寄贈 (品)
動 contribute 貢献する
名 contributor 貢献者；献金者

1538 **protective**
[prətéktɪv]
① pro- (前方を) + tect (覆う) + -ive 形

形 ① 保護する、保護用の ② かばう、守る
動 protect ～を保護する
名 protection 保護

1539 **uncover**
[ʌnkʌ́vər]
① un- (否定) + cover (覆う)

動 ① ～を発掘する、発見する
② ～を暴露する、明らかにする (≒reveal)

1540 **existence**
[ɪgzístəns]
① ex- (外に) + ist (立つ) + -ence 名

名 存在
動 exist 存在する

1541 **possession**
[pəzéʃən]

名 ① 所有物 (≒belongings) ② 所有、占有
► ①の意味ではふつう複数形で使う。
動 possess ～を所有する
形 possessive 独占欲 [所有欲] の強い

1542 **alert**
[ələ́:rt]

形 警戒した、油断のない
動 〈人〉に警報を出す、警告する
名 alertness 用心深さ、注意力

1543 **hybrid**
[háɪbrɪd]

名 ① 混成種 ② ハイブリッド車
形 混成の、ハイブリッドの

1544 **isolate**
[áɪsəlèɪt]
① isol (島) + -ate 動

動 ～を分離する、孤立させる
形 isolated 孤立した
名 isolation 孤立

1545 **reference**
[réfərəns]
① re- (元に) + fer (運ぶ) + -ence 名

名 ① 参照、参考 ② 言及 (≒mention) ③ 推薦状

1546 **storage**
[stɔ́:rɪdʒ]
① stor (貯蔵する) + -age 名

名 保管、貯蔵；保管スペース
動 store ～を貯蔵する

1547 **impressive**
[ɪmprésɪv]
① im- (中に) + press (押す) + -ive 形

形 印象的な、深い感銘を与える
名 impression 印象
副 impressively 印象深く
動 impress 〈人〉に感銘を与える

1548 **wilderness**
[wíldərnəs] ▲ 発音注意。
① wild (野生の) + der (動物) + -ness 名

名 荒野、手つかずの自然

Track 129

He mentioned the members' valuable **contributions** to the project.	彼はメンバーたちのプロジェクトに対する貴重な貢献に言及した。
Protective measures were put in place to keep workers safe.	作業員の安全を確保するために安全対策が講じられた。
Archaeologists **uncovered** evidence that the area was home to an ancient civilization.	考古学者たちは、その地域に古代文明があったことを示す証拠を発見した。
The **existence** of ghosts has not been proven by science.	幽霊の存在は科学によって証明されていない。
He left all his **possessions** behind when he moved.	引っ越すとき、彼はすべての持ち物を残してきた。
An **alert** firefighter heard the cries of a child.	注意深い消防士が子どもの泣き声を聞いた。
Ligers are **hybrids** of tigers and lions.	ライガーはトラとライオンの交配種だ。
The prisoner was **isolated** in a separate cell.	その囚人は別の監房に隔離された。
You can use these books for future **reference**.	これらの書籍は、今後の参考に使うことができる。
This room is primarily used for **storage** of excess goods.	この部屋は主に、余剰品の保管に使われている。
Mount Rushmore is quite an **impressive** sight.	ラシュモア山の景色はかなり印象的だ。
She was lost in the **wilderness** for several days.	彼女は数日間荒野で迷子になった。

15
48

1549 **ultimately**
[ʌ́ltəmətli]
① ultim (最終の) + ate 形 + -ly 副

副 ① 究極的には、結局のところ
② 結局、最終的に (≒finally, eventually)
形 ultimate 究極の

1550 **satellite**
[sǽtəlàɪt]

名 ① 人工衛星 ② (天体の) 衛星

1551 **plantation**
[plæntéɪʃən | plɑːn-]
① plant (植える) + -ation 名

名 ① (熱帯地方の) 大農園、大農場
② 植林地、造林地

1552 **outbreak**
[áutbrèɪk]

名 (伝染病・戦争などの) 発生、勃発
► break out (急に発生する、勃発する) という表現も覚えておこう。

1553 **arise**
[əráɪz]
① a- (〜から) + rise (立つ)

動 ① 〈問題が〉生じる (≒occur)
② 〈状況が〉発生する

1554 **investigation**
[ɪnvèstəgéɪʃən]
① in- (中に) + vestig (足跡をたどる) + -ation 名

名 取り調べ、調査
動 investigate 〜を (詳細に) 調査する

1555 **fluid**
[flúːɪd]
① flu (流れる) + -id (状態)

名 ① 液体、流動体 ② 分泌液
► liquid (液体) と gas (気体) の総称だが、ふつうは液体のほうを指す。

1556 **checkup**
[ʧékʌ̀p]

名 健康診断
► リスニングでよく登場する。

1557 **permanently**
[pə́ːrmənəntli]
① per- (通って) + man (留まる) + -ent 形 + -ly 副

副 永久に、永続的に (⇔temporarily)
形 permanent 永遠の

1558 **debt**
[dét]

名 負債、借金 (≒liability)
► get into debt で「(使いすぎて) 借金をする」という意味。

1559 **equality**
[ɪkwɑ́ːləti | -kwɔ́l-]
① equ (等しい) + -ality 名

名 平等 (⇔inequality)
形 equal 平等な

1560 **moisture**
[mɔ́ɪsʧər]
① moist (水の) + -ure (状態)

名 水分、湿気
形 moist 湿った
動 moisten 〜を湿らせる

Track 130

Ultimately, there is nothing we can do without the necessary permits.	**結局のところ**、必要な許可がなければ私たちは何もできない。
The **satellite** burned up when it reentered the atmosphere.	その**人工衛星**は、大気圏に再突入したときに燃え尽きた。
There used to be many **plantations** in the American South.	アメリカ南部にはかつて多くの**大農園**があった。
The **outbreak** of Spanish flu killed many people.	スペイン風邪の**発生**で、多くの人が亡くなった。
New problems **arose** when they tested the vehicle's offroad capabilities.	その車のオフロード性能をテストしていて、新たな問題が**発生した**。
The **investigation** into the case did not provide any results.	その事件の**捜査**では、何の結果も得られなかった。
She noticed a red **fluid** was leaking from her car's engine.	彼女は車のエンジンから赤い**液体**が漏れていることに気づいた。
She has a **checkup** with her doctor every year.	彼女は毎年、主治医による**健康診断**を受けている。
She loved Portugal so much that she stayed there **permanently**.	彼女はポルトガルが大好きで、その地に**永住した**。
He **got into debt** because of a gambling problem.	彼はギャンブル依存で**借金を抱えた**。
Pay **equality** remains a problem in many workplaces today.	賃金の**平等**は、今日でも多くの職場で問題となっている。
The air in this region contains a lot of **moisture**.	この地域の空気は**湿気**が多い。

15
60

1561 **multiple**
[mʌ́ltəpl]
① multi（多くの）+ ple（重ねる）

形 多数の、複数の
動 multiply ～を増やす

1562 **workforce**
[wə́ːrkfɔ̀ːrs]

名 ①（国・地域の）労働力、労働人口（≒labor force）
②全従業員

1563 **intensive**
[ɪnténsɪv]
① in-（中に）+ tens（伸ばす）+ -ive 形

形 集中的な ► energy-intensive（エネルギー集約型の、エネルギーを大量に使う）のような複合語の使い方もある。
副 intensively 集中的に
動 intensify ～を強化する、増大する

1564 **define**
[dɪfáɪn]
① de-（下に）+ fine（限界）

動 ①～を定義する
②～を明確にする、はっきりさせる
名 definition 定義　形 definite 明確な
形 defined 〈輪郭などが〉はっきりした

1565 **vegetation**
[vèʤətéɪʃən]
① veget（植物のように成長する）+ -ation 名

名（ある地域に生育する）植物、植生

1566 **fame**
[féɪm]

名 名声（≒reputation）
形 famous 有名な

1567 **row**
[róʊ]

名 列、並び
► in a row で「続けて、連続して」という意味。

1568 **urge**
[ə́ːrʤ]

動 ～に強く勧める
名 衝動、本能
► urge A to *do* で「Aに～するように強く勧める」という意味。

1569 **implement**
[動 ímpləmènt　名 ímpləmənt]
① im-（中に）+ ple（満たす）+ -ment 名

動 〈計画・政策など〉を実行する、履行する（≒carry out, execute）（⇔cancel）
名 道具、用具
名 implementation 実行

1570 **due**
[d(j)úː]

形 〈支払い・提出などが〉期限の来た
► due date（（支払いなどの）締切日）という表現も覚えておこう。

1571 **behavioral**
[bɪhéɪvjərəl]
① behavior（行動）+ -al 形

形 行動の、行動に関する
動 behave 振る舞う
名 behavior 行動、態度

1572 **leverage**
[lévərɪʤ]
① lever（てこ）+ -age（動作）

名 ①影響力、効力（≒influence, power）
②てこの力

Track 131

He has visited Paris **multiple** times for work.	彼は仕事で複数回パリを訪れたことがある。
Over one million young people are expected to join the **workforce** this year.	今年は100万人以上の若者が労働力に加わると予想されている。
Our school provides an **intensive** French language course.	当校では、フランス語の集中コースを提供しています。
The dictionary **defines** the word as "too much of something."	辞書はその単語を「多すぎる何か」と定義している。
The **vegetation** in this forest is very thick.	この森は植物が、非常に密生している。
Fame has the potential to ruin a person.	名声は人を駄目にする可能性がある。
Their team won the championship three years **in a row**.	彼らのチームは3年連続で優勝した。
The couple were **urged to** write wills by their lawyer.	その夫婦は遺言書を書くよう弁護士から促された。
The new tax filing system was **implemented** last week.	先週から、新しい納税申告制度が実施された。
His assignment is **due** at the end of the week.	彼の課題は週末が締め切りだ。
Not all **behavioral** problems can be solved with discipline.	問題行動のすべてがしつけで解決できるわけではない。
He will be able to succeed because he has a lot of **leverage** in the party.	彼は党内に大きな影響力を持っているので、成功できるだろう。

1573 **bargain** □□□
[bá:rgən | -gɪn]

名 格安品、掘り出し物；[形容詞的に] 格安の
動 交渉する、商談する
► 「特売」は sale と言う。

1574 **populate** □□□
[pá:pjəlèɪt | pɔ́p-]
ⓘ popul (人々)+ -ate (～にする)

動 〈場所〉に居住する、生息する (≒inhabit)
► be populated by～ (～が住む) の形で使われることも多い。
名 population 人口
形 populous 人口の多い

1575 **incredible** □□□
[ɪnkrédəbl]
ⓘ in- (否定)+ cred (信じる)+ -ible (できる)

形 ① 信じられない (ほどの)、信じがたい (≒unbelievable)
② 素晴らしい、最高の (≒fantastic)
副 incredibly 信じられないほどに

1576 **infant** □□□
[ínfənt]
ⓘ in- (否定)+ fant (話す)

名 幼児、乳児
形 幼児の、幼少の
名 infancy 幼児期

1577 **overly** □□□
[óʊvərli]

副 過度に、あまりにも (≒excessively)
► 形容詞の前で使う。

1578 **premium** □□□
[prí:miəm]
ⓘ pre- (前に)+ mium (買う)

形 高級な、高品質の
名 保険料、(保険の) 掛け金

1579 **voucher** □□□
[váʊtʃər]
ⓘ vouch (保証する)+ -er (もの)

名 (商品・サービスなどの) 引換券、クーポン

1580 **well-being** □□□
[wélbí:ɪŋ]

名 幸福、健康

1581 **significance** □□□
[sɪgnífɪkəns]
ⓘ sign(i) (印をつける) + -fic 動 + -ance 名

名 ① 意義、意味 (≒meaning)
② 重要性 (≒importance)
形 significant 重要な、意義深い
動 signify 重要である

1582 **approximately** □□□
[əprá:ksəmətli | əprɔ́ks-]
ⓘ ap- (～に)+ proxim (近く)+ -ate 形 + -ly 副

副 およそ、約 (≒about, around)
形 approximate おおよその

1583 **routine** □□□
[ru:tí:n]
ⓘ route (道)+ -ine 名

形 決まりきった、いつもの
名 日課、いつものやり方
副 routinely いつものように

1584 **burial** □□□
[bériəl]
ⓘ buri (埋める)+ -al 名

名 埋葬、(埋葬による) 葬儀
動 bury 〈死者〉を埋葬する

Track 132

He found a real **bargain** at the supermarket.	彼はスーパーですごい掘り出し物を見つけた。
A variety of interesting aquatic species **populate** Lake Biwa.	琵琶湖にはさまざまな興味深い水生生物が生息している。
He described the **incredible** difficulty of landing a jet on a moving ship.	彼は、動いている船にジェット機を着陸させることの信じられないほどの難しさについて説明した。
Infants can begin eating solid foods at around six months old.	乳児は、生後６か月ごろから固形物を食べ始めることができる。
Our country is **overly** dependent on imported produce.	わが国は、輸入農産物に過度に依存している。
We only sell **premium** food products at our store.	当店では高品質な食品のみを販売しています。
This **voucher** will give you a discount on your drink.	このクーポン券を使うと飲み物が割引になります。
You must take care of your emotional **well-being** too.	心の健康にも気を配る必要がある。
Ancient cave paintings may have had religious **significance**.	古代の洞窟壁画には、宗教的な意味があった可能性がある。
It will take me **approximately** three days to edit the video.	その動画の編集には3日くらいかかる。
Routine inspections will be conducted at all facilities next week.	来週、すべての施設で定期点検が実施される。
She was too upset to attend the **burial**.	彼女は動揺のあまり、埋葬に立ち会うことができなかった。

15
84

1585 **likewise**
[láɪkwàɪz]

副 ① 同様に (≒similarly)
② そのうえ、また (≒also)

1586 **pedestrian**
[pədéstriən]
ⓘ pedestr (歩いていく)+ -ian (人)

名 歩行者
形 歩行者の、歩行者専用の

1587 **bully**
[bʊ́li]

動 ~をいじめる
名 いじめっ子
► 「いじめ」は bullying と言う。

1588 **strand**
[strǽnd]

名 (ひも・ロープなどを構成する) 糸、繊維
► 同じつづりの動詞 strand「~を座礁させる;~を立ち往生させる」も出題されている。

1589 **knowledgeable**
[nɑ́ːlɪdʒəbl | nɔ́l-]
ⓘ know (知る)+ ledge (行為)+ -able (できる)

形 精通した、熟知した;博識な (≒well-informed)
名 knowledge 知識

1590 **legislation**
[lèdʒɪsléɪʃən]
ⓘ legis (法律)+ lation (運ぶこと)

名 法律、立法
動 legislate 〈法律〉を制定する
形 legislative 立法の
名 legislator 立法者;国会議員

1591 **climatic**
[klaɪmǽtɪk]

形 気候 (上) の、風土的な
名 climate 気候

1592 **sewage**
[súːɪdʒ] ▲ 発音注意。
ⓘ sew (排水する)+ -age 名

名 下水、汚水
名 sewer (地下の) 下水道

1593 **makeup**
[méɪkʌ̀p]

名 ① 構造、構成 (≒structure) ② 追試、再試験
► ②の意味は makeup test とも言う。

1594 **justify**
[dʒʌ́stəfàɪ]
ⓘ just (正しい)+ -ify (~にする)

動 ~を正当化する、弁明する
形 justified 理にかなった
形 justifiable 正当化できる
名 justification 正当化

1595 **curious**
[kjʊ́əriəs]
ⓘ cur (注意)+ -ious (満ちた)

形 好奇心の強い、せんさく好きな
名 curiosity 好奇心

1596 **cuisine**
[kwɪzíːn]

名 (特定の地域・文化の) 料理

Track 133

I'm packing an umbrella, and you should do **likewise**.	私は傘を持っていきます。あなたもそうするといいですよ。
Drive slowly, because there are many **pedestrians** in this area.	この辺りは歩行者が多いので、ゆっくり運転しなさい。
He felt bad for **bullying** his classmate during his childhood.	彼は幼いころに同級生をいじめたことを悔やんでいた。
There was a **strand** of hair in her soup.	彼女のスープに１本の髪の毛が浮いていた。
Her father is very **knowledgeable** about various bees.	彼女の父親は、さまざまなミツバチについてとても詳しい。
The country passed new **legislation** to protect several forests.	その国は、いくつかの森林を保護するために新たな法律を成立させた。
Even more **climatic** changes are expected in coming years.	今後数年間でさらなる気候の変化が予想される。
The town does not have its own **sewage** system.	その町には独自の下水道システムがない。
The genetic **makeup** of those two animals is very similar.	その２つの動物の遺伝子の構成はとても似ている。
Her son tried to **justify** why he stole the money.	彼女の息子は、金を盗んだ理由を正当化しようとした。
The little girl is very **curious** about her surroundings.	その小さな女の子は、周りのことにとても好奇心がある。
That restaurant is famous for its Vietnamese **cuisine**.	そのレストランはベトナム料理で有名だ。

15
96

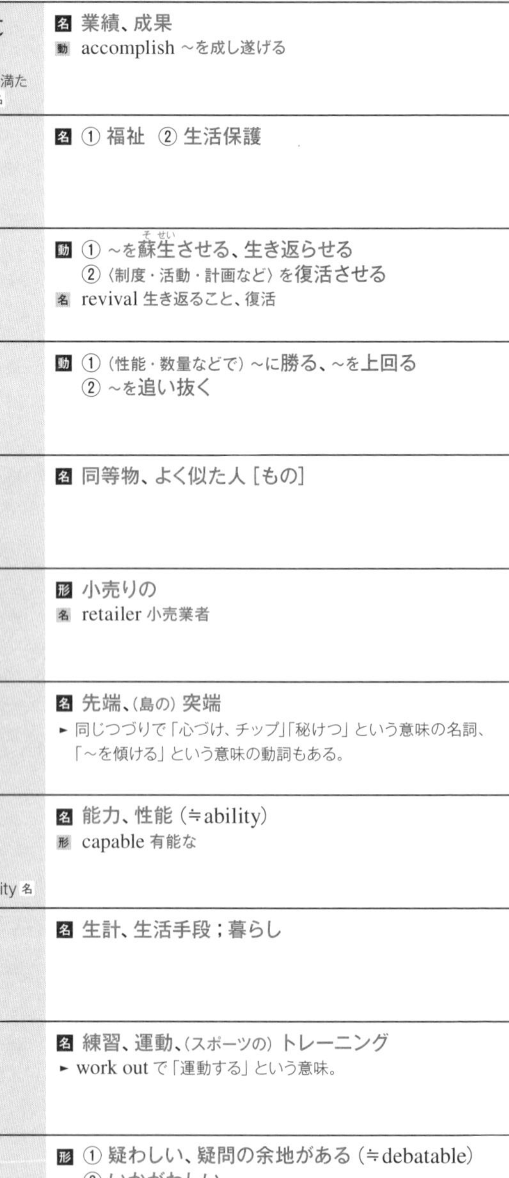

1597 **accomplishment** [əkɑ́:mplɪʃmənt | əkʌ́m-]
ⓘ ac-（～に）+ com-（共に）+ pl（満たす）+ -ish（～にする）+ -ment 名

名 業績、成果
動 accomplish ～を成し遂げる

1598 **welfare** [wélfèər]
ⓘ wel（よく）+ fare（行く）

名 ① 福祉　② 生活保護

1599 **revive** [rɪváɪv]
ⓘ re-（再び）+ vive（生きる）

動 ① ～を蘇生(そせい)させる、生き返らせる
② 〈制度・活動・計画など〉を復活させる
名 revival 生き返ること、復活

1600 **overtake** [òʊvərtéɪk]
ⓘ over-（超えて）+ take（取る）

動 ①（性能・数量などで）～に勝る、～を上回る
② ～を追い抜く

1601 **counterpart** [káʊntərpɑ̀:rt]
ⓘ counter-（反対）+ part（部分）

名 同等物、よく似た人［もの］

1602 **retail** [rí:tèɪl]
ⓘ re-（再び）+ tail（切る）

形 小売りの
名 retailer 小売業者

1603 **tip** [típ]

名 先端、（島の）突端
► 同じつづりで「心づけ、チップ」「秘けつ」という意味の名詞、「～を傾ける」という意味の動詞もある。

1604 **capability** [kèɪpəbíləti]
ⓘ cap（つかむ）+ -abil（できる）+ ity 名

名 能力、性能（≒ability）
形 capable 有能な

1605 **livelihood** [láɪvlihʊ̀d]

名 生計、生活手段；暮らし

1606 **workout** [wə́:rkàʊt]

名 練習、運動、（スポーツの）トレーニング
► work out で「運動する」という意味。

1607 **questionable** [kwéstʃənəbl]
ⓘ question（疑う）+ -able（べき）

形 ① 疑わしい、疑問の余地がある（≒debatable）
② いかがわしい

1608 **straightforward** [strèɪtfɔ́:rwərd]

形 わかりやすい、簡単な（⇔complicated）

Track 134

16 ▸ 08

The article listed many of her professional **accomplishments**.	その記事には、彼女の仕事上の業績が多数挙げられていた。
The **welfare** system needs significant improvements to continue helping people.	福祉制度は、人々を助け続けるために大幅な改善が必要だ。
Sadly, the doctors were unable to **revive** the patient.	残念ながら、医師たちはその患者を生き返らせることはできなかった。
This smartphone has now **overtaken** the popularity of all other models.	このスマートフォンは今や、ほかのすべての機種の人気を凌駕している。
We will have to discuss this matter with our Finnish **counterpart**.	この件については、フィンランドのカウンターパートと話し合う必要がある。
Many **retail** shops are suffering because of inflation.	多くの小売店がインフレで苦しんでいる。
She cut the **tip** of her finger while chopping carrots.	彼女はニンジンを刻んでいて指先を切った。
This factory has the **capability** to produce 2,000 units per day.	この工場は1日に2,000ユニットを生産する能力がある。
The recession caused problems for many people's **livelihoods**.	不況で多くの人々の生計に問題が生じた。
He does an intense **workout** three days per week.	彼は週に3日、激しい運動を行っている。
Her testimony in court was of **questionable** quality.	法廷での彼女の証言は疑わしいものだった。
We strive to give all of our products a **straightforward** design.	わが社は、すべての製品にわかりやすいデザインを施すよう努めている。

1609 **indigenous**
[ɪndíʤənəs]

形 (ある土地に) 固有の、先住の (≒native)

1610 **fortune**
[fɔ́ːrtʃən]

名 ① 大金、財産 ② 運、幸運 (≒luck)
形 fortunate 幸運な
副 fortunately 運よく

1611 **modernization**
[mɑ̀ːdərnəzéɪʃən | mɔ̀dənaɪ-]
① modern (近代) + -iz 動 + -ation 名

名 近代化、現代化
形 modern 近代的な、現代的な
動 modernize ～を近代化する
名 modernity 近代性、現代性

1612 **profession**
[prəféʃən]
① pro- (前に) + fess (認める) + -ion 名

名 職業、専門職
形 professional 職業の、専門職の；プロの

1613 **roam**
[róʊm]

動 (～を) 歩き回る、放浪する (≒wander)

1614 **fancy**
[fǽnsi]

形 ① 高級な、豪華な ② 装飾の多い、派手な
名 好み、愛好

1615 **dairy**
[déəri]

形 乳製品の
名 [集合的に]乳製品

1616 **lawsuit**
[lɔ́ːsùːt]

名 (民事) 訴訟 (≒suit)

1617 **fake**
[féɪk]

形 偽の、偽造の (≒counterfeit) (⇔genuine)
名 偽物 (≒counterfeit)

1618 **recipient**
[rɪsípiənt]
① re- (元に) + cip (受ける) + -ient 名

名 受け手、受益者

1619 **definitely**
[défənətli]
① de- (下に) + fin (限界) + -ite 形 + -ly 副

副 確かに、間違いなく
動 define ～を定義する；～を明確にする
名 definition 定義
形 definite 明確な

1620 **slavery**
[sléɪvəri]
① slave (奴隷) + -ry (状態)

名 奴隷制度

Track 135

The insect is not **indigenous** to this area.	その昆虫はこの地域に固有ではない。
That car must have cost you a **fortune** to buy.	その車は買うのにずいぶんお金がかかったでしょう。
The **modernization** of the area was welcomed by everyone.	その地域の近代化は誰からも歓迎された。
She wants to enter a scientific **profession** when she graduates.	彼女は卒業したら科学に関わる職に就きたいと思っている。
A bear was spotted **roaming** around the restaurant.	クマがそのレストランの周りを歩き回っているのが目撃された。
His wife took him to a **fancy** restaurant for their anniversary.	妻は、結婚記念日に彼を高級レストランに連れて行った。
She is unable to eat any **dairy** products.	彼女は乳製品が一切食べられない。
The company is facing a **lawsuit** for unsafe working conditions.	その会社は、危険な労働環境に関して訴訟を起こされている。
An expert confirmed that the painting was **fake**.	その絵が偽物であることを専門家が確認した。
The **recipients** of the award will be contacted by phone.	受賞者には電話にてご連絡差し上げます。
The new chair is **definitely** more comfortable, but it is still not perfect.	新しいいすの方が確かに快適だが、まだ完ぺきではない。
Slavery was abolished in the United States in 1865.	1865 年、アメリカで奴隷制が廃止された。

16–20

1621 **stability**
[stəbíləti]
ⓘ st（立つ）+ -abil（できる）+ -ity 名

名 安定（⇔instability）
形 stable 安定した
動 stabilize ～を安定させる

1622 **chronic**
[krá:nɪk | krɔ́n-]
ⓘ chron（時間）+ -ic 形

形〈病気が〉慢性の（⇔acute）

1623 **clinical**
[klínɪkl]

形 臨床の
副 clinically 臨床的に
名 clinic 診療所

1624 **outstanding**
[àʊtstǽndɪŋ]

形 傑出した、特にすぐれた（≒excellent）
► stand out（傑出している）という表現も覚えておこう。

1625 **faith**
[féɪθ]

名 ① 宗教、信仰 ② 信頼、信用（≒trust）
形 faithful 信心深い

1626 **bond**
[bá:nd | bɔ́nd]

名 ① きずな、結びつき ②（化学）結合

1627 **kidnap**
[kídnæp]

動〈人〉を誘拐する
名 kidnapping 誘拐
名 kidnapper 誘拐犯、人さらい

1628 **allowance**
[əláʊəns]
ⓘ allow（与える）+ -ance 名

名 ①（子どもの）小遣い
②（定期的に支給される）手当て

1629 **province**
[prá:vɪns | prɔ́v-]

名（カナダなどの）州、（中国の）省
形 provincial 地方の

1630 **loyalty**
[lɔ́ɪəlti]
ⓘ loy（法律）+ -al 形 + -ty 名

名 誠実、忠誠（心）
► loyalty card（（常連客向け）ポイントカード）という表現も覚えておこう。
形 loyal 誠実な、忠実な 副 loyally 誠実に

1631 **noticeable**
[nóʊtəsəbl]
ⓘ not（印をつける）+ -ice 動 + -able（できる）

形 目立つ、顕著な
副 noticeably 目立って

1632 **sector**
[séktər]
ⓘ sect（切る）+ -or（もの）

名（事業・産業の）部門、分野

She was stressed because her family did not have any financial **stability**.	家庭の財政が**安定**していなかったので、彼女はストレスがたまっていた。
She suffers from **chronic** pain all over her body.	彼女は全身に**慢性的な**痛みを抱えている。
The drug passed all of its **clinical** trials.	その薬は**臨床**試験にすべて合格した。
He did an **outstanding** job on his presentation.	彼は**素晴らしい**プレゼンを行った。
People of all **faiths** are allowed to use this space.	あらゆる**信仰**を持つ人々がこのスペースを使用することができる。
She has always had a special **bond** with her sister.	彼女は妹とずっと特別な**きずな**で結ばれてきた。
The child was **kidnapped** but eventually returned unharmed.	その子どもは**誘拐され**たが、最終的に無事に戻ってきた。
He gets an **allowance** for washing the dishes every day.	彼は毎日皿洗いをして**小遣い**をもらっている。
There is a serious shortage of doctors in the **province**.	その**州**では医師の不足が深刻だ。
She showed her **loyalty** to the king by fighting bravely.	彼女は勇敢に戦うことで王への**忠誠**を示した。
Luckily, the stain on his shirt was not too **noticeable**.	幸いなことに、彼のシャツの染みはあまり**目立た**なかった。
The tourism **sector** took a major hit during the pandemic.	パンデミックの期間、観光**部門**は大きな打撃を受けた。

1633 **highlight** [háɪlàɪt]

動 ～を強調する、目立たせる（≒emphasize）
名 （催し物などの）最も興味を引くもの、目玉
► highlighter は「蛍光ペン」という意味。

1634 **gender** [ʤéndər]

名 （社会的・文化的）性別、ジェンダー
► sex は「（生物学的）性別」。

1635 **enthusiastic** [ɪnθ(j)ùːziǽstɪk]

! en-（中に）+ thus(i)（神）+ -astic 形

形 熱中した、熱狂的な
副 enthusiastically 熱心に
名 enthusiasm 熱意、熱中
名 enthusiast 熱狂者

1636 **technically** [téknɪklli]

副 ① 技術的には ② 専門的には、厳密に言えば
名 technique（専門）技術
形 technical 技術的な

1637 **recognition** [rèkəgníʃən]

! re-（再び）+ cogni（知る）+ -tion 名

名 ① 認知、（事実・価値を）認識すること ② （人・ものを見て）それとわかること、見［聞き］覚え
動 recognize ～を認識する
形 recognizable 認識［識別］できる

1638 **firsthand** [fə́ːrsthǽnd]

形 じかの、直接の
副 直接（に）

1639 **overestimate** [動 òuvəréstəmèɪt 名 òuvəréstəmət]

! over-（越えて）+ estimate（評価する）

動 ～を過大評価する（⇔underestimate）
名 過大評価

1640 **consistency** [kənsístənsi]

! con-（共に）+ sist（立つ）+ -ency 名

名 （方針・行動などの）一貫性
形 consistent 一貫した
副 consistently 一貫して

1641 **eligible** [éləʤəbl]

! e-（外に）+ lig（選ぶ）+ -ible（できる）

形 資格のある、適格な（⇔ineligible）
名 eligibility 適格（性）

1642 **intermediate** [ìntərmíːdiət]

! inter-（～の間）+ medi（中間）+ -ate 形

形 ① 〈程度が〉中級の ② 中間の、間にある
名 中級者
形名 intermediary 仲介の、媒介の；仲介者、媒介者

1643 **deserve** [dɪzə́ːrv]

! de-（完全に）+ serve（役立つ）

動 ～に値する（≒merit）

1644 **invaluable** [ɪnvǽljuəbl]

! in-（否定）+ valu（評価する）+ -able（できる）

形 非常に貴重な、計り知れない価値のある
► valuable とほぼ同義だが、invaluable のほうが意味が強い。

Track 137

The speech **highlighted** the importance of protecting the world's rainforests.	そのスピーチは世界の熱帯雨林を保護する重要性を強調していた。
Please indicate your name, age, and **gender** on the form.	氏名、年齢、性別を用紙に明記してください。
She is an **enthusiastic** collector of rare coins.	彼女は珍しいコインの熱心なコレクターだ。
Her piano performance was **technically** impressive, but it lacked feeling.	彼女のピアノの演奏は技術的には素晴らしかったが、情感が欠けていた。
She gained international **recognition** after her book came out.	本が出版されたあと、彼女は世界的に認知された。
Without any **firsthand** experience, he was unable to get hired.	実務経験がなかったために、彼は雇われなかった。
She was **overestimating** her ability when she promised to finish in two days.	2日で終わらせると約束したとき、彼女は自分の力を過大評価していた。
Sometimes he plays really well, but he needs to improve his **consistency**.	彼はときどきとてもいいプレーをするが、一貫性を高める必要がある。
In three years, she will be **eligible** for retirement.	3年後に彼女は定年退職の資格を得る。
He speaks Cantonese and Swedish at an **intermediate** level.	彼は中級レベルの広東語とスウェーデン語を話す。
She is a great director who **deserves** praise.	彼女は称賛に値する偉大な監督だ。
His extensive IT experience was **invaluable** to the project.	彼のITに関する豊富な経験は、そのプロジェクトにとって非常に貴重なものだった。

16/44

1645 **latitude**
[lǽtət(j)ùːd]

名 ① 緯度 ② 自由、裁量
► 「経度」は longitude と言う。

1646 **tense**
[téns]

形 ① 〈人が〉緊張した ② 〈状況などが〉張り詰めた
► ten(s) は「伸ばす、張る」を意味する語根。
名 tension 緊張

1647 **outlet**
[áʊtlèt]

名 ① 直販店；販路 ② コンセント（≒socket）

1648 **compassion**
[kəmpǽʃən]
ⓘ com-（共に）+ passion（感情）

名 同情、思いやり
形 compassionate 思いやりのある

1649 **returnee**
[rɪtə̀ːrníː] ▲ アクセント注意。
ⓘ return（帰る）+ -ee（行為者）

名 帰国者、帰国子女、帰還者
► アメリカ英語。イギリス英語では returner と言う。

1650 **offspring**
[ɔ́(ː)fsprɪ̀ŋ]
ⓘ off-（外に）+ spring（飛び出る）

名 （人・動物の）子、子孫
► 複数形も offspring（単複同形）。

1651 **debris**
[dəbríː]

名 がれき、残骸
► 語末の s は発音しない。

1652 **peer**
[píər]

名 （地位・年齢などが）同等の人、仲間；同級生

1653 **script**
[skrípt]

名 文字（体系）
動 ～の脚本を書く

1654 **convention**
[kənvénʃən]
ⓘ con-（共に）+ ven（来る）+ -tion 名

名 ① （各種団体による定期的な）大会、集会
② 慣習、しきたり
動 convene 〈人・会議など〉を招集する
形 conventional 伝統的な、従来の

1655 **discipline**
[dísəplən]

名 ① 学科、学問分野 ② 訓練、しつけ

1656 **notable**
[nóʊtəbl]
ⓘ not（印をつける）+ -able（できる）

形 注目に値する（≒remarkable）
動 note ～に注意する、注目する

Track 138

Tokyo is located at roughly the same **latitude** as Los Angeles.	東京はロサンゼルスとほとんど同じ**緯度**に位置している。
She was **tense** before her interview.	彼女は面接の前、**緊張して**いた。
You can get items at a discount at this **outlet**.	この**直販店**では商品を割引価格で買うことができる。
The teacher has **compassion** for all of her students.	その教師は生徒全員に対して**思いやりの気持ち**を持っている。
Returnees can sometimes have an identity crisis upon returning.	**帰国子女**は、帰国後、アイデンティティの危機に陥ることがある。
The disease has no risk of being transferred from a parent to their **offspring**.	この病気は親から**子**にうつる恐れはない。
After the storm, volunteers removed **debris** from the beach.	嵐のあと、ボランティアたちはビーチの**がれき**を撤去した。
The boy is popular among his **peers**.	その少年は**仲間**うちで人気がある。
Vietnamese was historically written using a **script** that contained Chinese characters.	ベトナム語は歴史的に、漢字を含む**文字**を使って書かれていた。
They held a huge comic **convention** at the arena.	そのアリーナでは大規模な漫画の**大会**が開催された。
Students from several different **disciplines** attended the lecture.	その講義にはいくつか異なる**分野**の学生が出席した。
Her achievements in engineering are **notable** for her age.	工学における彼女の業績は、年齢的にも**注目に値する**。

16
56

1657 **buildup** [bíldʌ̀p]

名 (量・レベルなどの) 増加、高まり (≒increase)

1658 **acceptance** [əkséptəns]

① ac- (〜に) + cept (取る) + -ance 名

名 受け入れること、容認 (⇔rejection)
動 accept 〜を受け入れる
形 acceptable 容認できる

1659 **outset** [áʊtsèt]

名 最初、出だし (≒beginning)
► set out (始める) からできた語。

1660 **poll** [póʊl]

名 世論調査、アンケート (≒survey)
動 〜に世論調査を行う

1661 **longevity** [lɑːndʒévəti | lɔn-]

① long (長い) + ev (年齢) + -ity (状態)

名 ① 長寿 ② 寿命

1662 **mortgage** [mɔ́ːrgɪdʒ] ⚠ 発音注意。

① mort (死) + gage (誓約)

名 住宅ローン
動 〜を抵当に入れる

1663 **acclaim** [əkléɪm]

① ac- (〜に) + claim (叫ぶ)

名 (人・業績に対する) 称賛、歓呼
動 〜を称賛する
名 acclamation 称賛

1664 **criterion** [kraɪtíəriən]

名 標準、基準
► 複数形は criteria。

1665 **comprehensive** [kɑ̀ːmprɪhénsɪv | kɔ̀m-]

① com- (完全に) + prehens (つかむ) + -ive 形

形 包括的な、網羅的な (≒thorough)
動 comprehend 〜を含む、包括する

1666 **spell** [spél]

名 (天候の) 一続きの期間
► 同じつづりで「〈語〉をつづる」という意味の動詞もある。

1667 **disband** [dɪsbǽnd]

① dis- (否定) + band (団結する)

動 〈組織などが〉解散する；〈組織など〉を解散する

1668 **excel** [ɪksél]

① ex- (外に) + cel (そびえ立つ)

動 (ほかより) すぐれる
形 excellent 素晴らしい
名 excellence 素晴らしさ

Track 139

The **buildup** of carbon monoxide inside of an enclosed area is very dangerous.	密閉空間の内部で一酸化炭素が増加すると非常に危険だ。
Immigrants started getting more **acceptance** in the local community.	その地域社会では、これまで以上に移民が受け入れられ始めた。
This project was full of problems from the **outset**.	このプロジェクトは最初から問題だらけだった。
The company took a **poll** on customer satisfaction.	その会社は、顧客満足度に関するアンケートを行った。
The elderly residents of Okinawa are famous for their **longevity**.	沖縄の高齢者は長寿で有名だ。
It will take 10 more years to pay off the **mortgage** on this home.	この家の住宅ローンを完済するにはあと 10 年かかる。
His latest novel has received a great deal of critical **acclaim**.	彼の最新小説は、批評家から多くの高い評価を得ている。
All **criteria** must be met for applications to be considered.	申し込みが考慮の対象になるには、すべての基準を満たす必要がある。
This book is a **comprehensive** guide to Korean pottery.	この本は、韓国の陶器に関する包括的な手引きだ。
The dry **spell** has caused many crops to die.	日照り続きで多くの作物が枯れた。
The K-pop idol group **disbanded** after releasing their second album.	その K-POP のアイドルグループは 2 枚目のアルバムをリリースしたあと、解散した。
He has always **excelled** at playing musical instruments.	彼は昔から楽器の演奏がすぐれている。

16
68

1669 **leftover**
[léftòuvər]
名 ①（料理の）残り物 ②（過去の）名残、遺物

1670 **prerequisite**
[prìːrékwəzɪt]
名 必要条件、前提条件（≒precondition）

1671 **humiliate**
[hjuːmílièɪt]
① humili（卑しい）+ -ate（～にする）
動〈人〉に恥をかかせる
名 humiliation 屈辱

1672 **temper**
[témpər]
名 ① 冷静、平常心 ②（一時的な）気分、機嫌
► lose *one's* temper で「カッとなる」という意味。

1673 **soar**
[sɔ́ːr]
① s-（外に）+ oar（風）
動 ①〈数値・温度・価格などが〉急上昇する（⇔plunge）
②（空高く）舞い上がる

1674 **rigorous**
[rígərəs]
① rigor（厳格）+ -ous（満ちた）
形 厳しい、厳格な（≒strict）

1675 **strenuous**
[strénjuəs]
① strenu（強さ）+ -ous（満ちた）
形〈運動などが〉激しい；大変な努力を要する

1676 **premise**
[prémɪs]
① pre-（前に）+ mise（置く）
名 ① 前提、根拠 ②（建物の）敷地、構内
► ②の意味ではふつう複数形。

1677 **outlive**
[àutlív]
動 ～より長生きする（≒survive）

1678 **expenditure**
[ɪkspéndɪtʃər]
① ex-（外に）+ pend（支払う）+ iture 名
名 費用（≒cost）
動 expend ～を費やす

1679 **impersonal**
[ɪmpə́ːrsənl]
① im-（否定）+ person（人間）+ -al 形
形 人間味のない、機械的な

1680 **speculation**
[spèkjəléɪʃən]
① specul（観察する）+ -ation 名
名 推測、憶測
動 speculate（…だと）推測する

Track 140

She usually eats **leftovers** for lunch.	彼女は普段、昼食に残り物を食べる。
There are several **prerequisites** to applying for a loan.	ローンの申請にはいくつかの必要条件がある。
She was **humiliated** when she tripped on the escalator.	彼女はエスカレーターでつまずいて、恥をかいた。
He always **loses his temper** over the smallest things.	彼はいつも、どうでもいいことでカッとなる。
Supply chain disruptions have caused the prices of imported goods to **soar**.	サプライチェーンの混乱により、輸入品の価格が急騰している。
Rigorous training will be provided for this job.	この仕事には、厳しい訓練が提供される。
Do not do any **strenuous** activity after your shot.	注射を打ったあとは激しい運動をしないでください。
The **premise** of your idea is good, but not feasible.	あなたのアイデアの前提はよいが、実現可能ではない。
It is every parent's hope that their child will **outlive** them.	子どもが自分より長生きしてくれることは、親なら誰でも願うことだ。
Military **expenditures** are only continuing to increase in the country.	この国の軍事費は増加の一途をたどっている。
Claire did not like working for a large, **impersonal** company.	クレアは大きくて人間味のない会社で働くのが好きではなかった。
There is **speculation** that they will release a new game this year.	彼らが今年新しいゲームをリリースするという憶測が流れている。

16/80

コラム 語根のイメージをつかむ 1

本文の語源欄には多くの語根が登場しますが、ここではいくつかの代表的な語根を取り上げ、それを構成要素とするさまざまな単語の具体例をご紹介します。♀で取り上げたやさしめの単語を手がかりに、語根のイメージをつかんでください。

■ cas / cid …「落ちる、起こる」

♀ accident（事故）とは、要するに「身に降りかかったこと」。case（事件）も同語源語。

casualty 被害を受けたもの
in**cid**ental 偶発的な
oc**cas**ional たまの、時折の
coin**cid**e 同時に起こる
in**cid**ence （病気などの）発生

■ cap / cat / cup …「つかむ」

♀ 一番おなじみなのは catch（～をつかまえる）。

capacity 能力
oc**cup**ancy （土地・家などの）占有、居住
caption （写真などの）説明文、キャプション
captive 捕らえられた
capability 能力、性能

■ ced / cess …「行く」

♀ access（接近、近づく方法）は、〈ac-（～に）＋cess（行く）〉からできた語。

pre**ced**ent 前例、洗例
ex**cess**ive 過度の、極端な
suc**cess**or 後任者、後継者
pro**cess**ion 行列
pro**ced**ure 手続き、方法
re**ced**e 遠のく、去っていく

■ clus / clud / clos …「閉じる」

♀ 一番おなじみなのは close（～を閉じる）。さまざまな接辞がついて多様な意味を表す。

in**clus**ion 含めること、包含
con**clud**e ～だと結論を下す、断定する
se**clud**ed 人けのない
dis**clos**ure 公開、発表
ex**clus**ive 高級な、排他的な
pre**clud**e ～を妨げる
en**clos**e ～を同封する

■ cord / cour …「心」

♀ record（記録）は〈re-（再び）+cord（心）〉で、「心に戻ってくる（もの）」が原義。

ac**cord** 一致、合意
cordial 心からの、友好的な
dis**cour**aging がっかりさせるような
dis**cord** 不一致、不調和

■ dic / dict / dit …「言う」

♀ dictionary（辞書）は、〈diction（言い方）+-ary（場所）〉からできた語。

pre**dict** ～を予測する、予言する
de**dic**ated 献身的な、打ち込んでいる
contra**dict**ory 矛盾した
dictate ～を命令する、指図する
con**dit**ional 条件つきの

Part 2

熟語

熟語は、以下の優先順位を基に配列されています。

① 筆記大問 1 で正解になった句動詞の頻度
② 筆記大問 1 で誤答になった句動詞の頻度

一部、長文で登場した句動詞も収録しています。筆記大問 1 の選択肢として出題された句動詞が長文などで登場するケースもあります。

試験まで時間がない場合は、出題確率の高い Unit 15（可能であれば Unit 16）の句動詞まで目を通しましょう。

1681 **fall back on ~**

～に頼る、～を当てにする

Even if the business fails, they have money to **fall back on**.

たとえ事業に失敗しても、彼らには頼ることのできる資金がある。

1682 **hold off**

① すぐにしない（で待つ）
②〈雨・雪などが〉降らずにいる
► ①の意味では hold off on *do*ing の形で使う。

She is **holding off on** buying groceries until she gets paid.

彼女は給料をもらうまで食料品を買うのを控えている。

1683 **rule out**

〈可能性など〉を排除［除外］する（≒exclude）

We cannot **rule out** the possibility of his innocence.

私たちは、彼が無実である可能性を排除することはできない。

1684 **fall for ~**

〈策略・宣伝など〉にだまされる、引っかかる

They **fell for** the false promises of the politician.

彼らはその政治家の偽りの約束にだまされた。

1685 **miss out**

①（機会・楽しいことなどを）逃す、経験し損なう
②（うっかり・意図的に）～を飛ばす、抜かす
► ①の意味では miss out on ～ の形で使う。

Don't **miss out on** all the fun by staying home!

家にいてすべての楽しみを見逃してはいけません！

1686 **come down with ~**

〈軽い病気〉にかかる

She **came down with** a cold right before the ceremony.

彼女は式の直前に風邪をひいた。

1687 **shake up**

①〈組織など〉を改革［再編］する　②～を動揺させる　► shake-up（（組織・体制の）改革、刷新）という語も覚えておこう。

The new sales manager wanted to **shake up** the department.

新しい営業部長は、部を改革したいと考えていた。

Track 141

1688 **hold out**

① 〈人が〉持ちこたえる、頑張る
② 〈ものの供給などが〉持つ
③ [hold out ~]〈機会・可能性など〉を与える

The union **held out** until their demands were met.

組合は自分たちの要求が満たされるまで頑張った。

1689 **let up**

① 気を緩める、手を抜く
② 〈風雨・痛みなどが〉和らぐ、弱まる

You're almost there, so don't **let up** now.

ゴールはあと少しだから、気を抜かないで。

1690 **call for ~**

① ~を必要とする（≒require）
② ~を要求する（≒demand）

This position **calls for** full commitment to our company's ideals.

この役職では、わが社の理想に全面的にコミットすることが求められる。

1691 **come into ~**

① 〈金・財産など〉を相続する（≒inherit）
② 〈ある状態など〉になる

She **came into** some money when her grandfather died.

祖父が亡くなったとき、彼女はいくらかのお金を手に入れた。

1692 **dispose of ~**

① 〈不要物など〉を処分する、処理する（≒get rid of ~）
② 〈問題など〉を解決する

Please make sure to properly **dispose of** dangerous chemicals.

危険な化学物質は必ず適切に廃棄してください。

1693 **chip in**

〈仲間などが〉金を出し合う

Everyone **chipped in** to help pay for his Christmas present.

彼にクリスマスプレゼントを買うために皆がお金を出し合った。

1694 **stick with ~**

〈方針など〉を変えない、~にこだわる

They decided to **stick with** their original marketing plan.

彼らは当初のマーケティングプランを変えずにいくことにした。

1695 **go for ~**

① ~を手に入れようとする ② ~が欲しい
► ②の意味では I would [could] go for ~ の形で使う。

You should **go for** the new management position that opened up.

あなたは空いたばかりの管理職のポストを狙うべきです。

1696 **make off with ~**

〈もの〉を持ち去る、盗む；〈人〉を誘拐する（≒make away with ~）

The robbers **made off with** over $200,000 in cash.

強盗は現金20万ドル以上を奪って逃げた。

1697 **cover for ~**

〈人〉の代わりを務める

She sometimes **covers for** other employees when they are sick.

彼女はときどき、ほかの従業員が病気のときに代わりに入る。

1698 **bring on**

〈病気・災害など〉を引き起こす（≒cause）

Lack of sleep can **bring on** many health problems.

睡眠不足は多くの健康問題を引き起こす可能性がある。

1699 **stick around**

居残る、その場でしばらく待つ

A few people **stuck around** after the show in hopes of meeting the actors.

俳優に会えることを期待して、何人かの人がショーのあとも残っていた。

1700 **fall on ~**

① 〈責任・費用などが〉〈人〉に降りかかる、課せられる
② 〈日付が〉〈曜日〉にあたる

The responsibility to fix this problem **falls on** you.

この問題を解決する責任は、あなたにあります。

1701 **catch on**

理解し始める

Once we started playing the new game, I **caught on** pretty quickly.

その新しいゲームをプレーし始めると、私は結構すぐにやり方がわかった。

Track 142

1702
set off

① (旅行などに) 出発する (≒set out)
② ~を引き起こす (≒trigger)

They **set off** on a journey across the world.

彼らは世界中を旅する旅に出た。

1703
win over

~を説得して味方につける、説き伏せる

It took her boyfriend a while to **win over** her parents.

ボーイフレンドが彼女の両親に気に入られるまで、しばらく時間がかかった。

1704
fall through

〈計画などが〉失敗に終わる

Our plans **fell through** at the last minute.

私たちの計画は土壇場になって失敗した。

1705
track down

~を追跡して捕まえる、追い詰める

Police are working hard to **track down** the person responsible for the crime.

警察はその犯罪の首謀者を懸命に追跡している。

1706
sell out

① 信念を曲げる、裏切る
② ~を売り切る、売り尽くす
③ 売り切れる

The singer was accused of **selling out** when he started making pop music.

ポップミュージックを作り始めたとき、その歌手は節を曲げたと非難された。

1707
drag on

長引く、だらだら続く

The CEO's speech **dragged on** for hours.

CEO のスピーチは何時間もだらだらと続いた。

1708
die down

〈雨・風・音などが〉弱まる

Let's go to the store after the rain **dies down**.

雨が弱くなったら、その店に行こう。

1708

1709 □□□ **break down**

① 〈説得・圧力などに〉屈する
② 〈機械などが〉故障する
③ 分解される

Her daughter finally **broke down** and admitted to skipping school.

彼女の娘はついに折れ、学校をサボったことを認めた。

1710 □□□ **make up**

① 仲直りする
② 〈部分が〉～を構成する、占める

They finally **made up** after talking about their feelings.

彼らは自分の気持ちを話し合い、最後は仲直りした。

1711 □□□ **call off**

〈計画など〉を中止する、とりやめる（≒cancel）

The event was **called off** because of bad weather.

悪天候のため、そのイベントは中止された。

1712 □□□ **live up to ～**

〈期待など〉に沿う

Don’t bother trying to **live up to** others’ expectations.

無理して人の期待に応えようとする必要はありません。

1713 □□□ **bring up**

① 〈話題など〉を持ち出す、提起する
② 〈子ども・ペットなど〉を育てる（≒raise）

She **brought up** rent costs at the meeting with the real estate agent.

彼女は不動産屋との打ち合わせで家賃の話を持ち出した。

1714 □□□ **sum up**

～を要約する、かいつまんで話す

The first few paragraphs **summed up** the findings of the research.

最初の数段落は、調査結果を要約していた。

1715 □□□ **split up**

① 〈夫婦・カップルが〉別れる
② 分かれる、分割される

The couple **split up** only a month after getting married.

そのカップルは結婚してたった１か月で別れた。

Track 143

1716 **stick up for ~**
〈他人が支持しないもの〉を支持する、擁護する

She **stuck up for** her friend when he was bullied.
友人がいじめられていたとき、彼女は友人をかばった。

1717 **step down**
(職・地位などを)辞職する、降りる(≒resign)

The CEO of the company **stepped down** last week.
その会社のCEOは先週辞任した。

1718 **give out**
① 〈装置・体の一部などが〉動かなくなる、故障する ② ~を配る、配布する

After 15 years of use, the car's engine finally **gave out**.
15年間使ってきた車のエンジンがついに壊れた。

1719 **burn out**
燃え尽きる;~を燃やし尽くす
► burnout(燃え尽き症候群)という語も覚えておこう。

He **burned out** from working three jobs for so long.
彼は長い間3つの仕事を掛け持ちしていて燃え尽き症候群になった。

1720 **rough up**
〈人〉に暴力をふるう

The police officer was suspended for **roughing up** a suspect during questioning.
その警察官は取り調べ中の容疑者に乱暴を働いたとして、停職処分になった。

1721 **draw on ~**
〈知識・経験など〉を生かす

She **drew on** her knowledge of coding to create the website.
彼女はコーディングの知識を生かしてウェブサイトを作った。

1722 **back off**
① 口出し[干渉]をやめる
② 後退する、後ずさりする

He wants them to **back off** and leave him alone.
彼は、彼らに口出しをやめて、そっとしておいてほしいと思っている。

1722

1723 □□□

hold back

① ためらう、ちゅうちょする
② 〈感情・涙など〉を抑える

If you have an idea in a meeting, don't **hold back**.

会議中に考えが浮かんだら、遠慮しないでください。

1724 □□□

knock down

① 〈建物・機械など〉を取り壊す、解体する（≒demolish）
② 〈人〉を倒す

They **knocked down** several houses to build the new expressway.

新しい高速道路建設のため、いくつかの家が取り壊された。

1725 □□□

round up

① 〈人・動物たち〉を駆り集める
② 〈集団〉を検挙する

The dog **rounded up** all the sheep in the pasture.

その犬は牧草地のヒツジをすべて駆り集めた。

1726 □□□

see through ~

① 〈うそなど〉を見抜く
② ~を透かして見る

She **saw through** her boyfriend's lies right away.

彼女はボーイフレンドのうそをすぐに見破った。

1727 □□□

map out

〈計画〉を立てる、~を綿密に計画する

Let's **map out** what we'll do during the next campaign.

次のキャンペーンで何をするか計画を立てよう。

1728 □□□

bring out

① 〈才能・特徴など〉を引き出す
② ~を持ち出す、取り出す
③ 〈本・商品など〉を新しく出す

He **brings out** the best in the people on his team.

彼はチームの人たちの一番いいところを引き出す。

1729 □□□

feel for ~

〈人〉に同情する、〈人〉を気の毒に思う

She **feels for** the homeless people she sees every day.

彼女は、毎日目にするホームレスの人々に同情している。

1730 **pile in**

どやどやと中に入る

Everyone **piled in** when the train's doors opened.

電車のドアが開くと、皆がどやどやと乗り込んだ。

1731 **wrap up**

〈仕事・議論など〉を終える、やり遂げる（≒finish）

They **wrapped up** the meeting at around 4 p.m.

彼らは午後4時ごろに会議を終えた。

1732 **pass off**

〈偽物〉をつかませる

The shop owner was fined for trying to **pass off** copies of paintings as originals.

その店の主人は、絵画の複製品を本物としてつかませようとして、罰金を科された。

1733 **take in**

① ～を見に行く、見物する ②〈人〉をだます ③〈食べ物・水・栄養など〉を摂取する

► ①の意味では目的語はふつうinの後ろに置かれる。

He **took in** many sights on his vacation.

彼は休暇中に多くの名所を訪れた。

1734 **leave off**

やめる、中断する

Do you remember where we **left off** yesterday?

昨日どこで中断したか、覚えていますか。

1735 **jump at ～**

〈チャンスなど〉に飛びつく

She **jumped at** the chance to study abroad.

彼女は留学するチャンスに飛びついた。

1736 **kick off**

～を始める；始まる

► kickoff（開始）という語も覚えておこう。

They **kicked off** the event with a speech by the company president.

イベントはその企業の社長のスピーチで始まった。

1737 **grow out of ~**

① 成長して〈癖・興味〉がなくなる
② ~から発展して生じる

She **grew out of** chewing on her fingernails.

彼女は大きくなって爪をかむのをやめた。

1738 **dish out**

~を（よく考えずに）配る、与える

Few people can just **dish out** $1,000 without thinking about it.

何も考えずに1,000ドルぽんと出せる人はほとんどいない。

1739 **cut back on ~**

~を削減する、減らす

He decided to **cut back on** eating out.

彼は外食を控えることにした。

1740 **make up for ~**

~を補う、つぐなう（≒compensate for ~）

Nothing can **make up for** the promise you broke.

あなたが破った約束は、どんなものをもってしても埋め合わせることはできない。

1741 **go over ~**

① ~を復習する、見直す
② ~を検討する、詳しく調べる

He did not have time to **go over** his essay before turning it in.

彼には提出前に論文を見直す時間がなかった。

1742 **give away**

① 〈秘密など〉をもらす、暴露する（≒reveal）
② ~を（~に）ただでやる

The critic's review **gave away** all the plot points.

その評論家のレビューはすべての筋書きの要点をネタばらしした。

1743 **keep up**

① （周りに）遅れずについていく ② 〈物事〉をやり続ける、頑張り続ける ► keep up with ~（~についていく）の形で出題されることもある。

Because of her part-time job, she is struggling to **keep up** at school.

彼女はアルバイトのせいで、学校でついていくのに苦労している。

Track 145

1744 **come along**

① はかどる、進展する
② 一緒に来る
③ 〈待っていた人・ものが〉やって来る、現れる

Your oil painting is **coming along** really nicely.

あなたの油絵はとても順調に進んでいますね。

1745 **add up to ~**

① 結局~ということになる ② 合計~になる
► add up (〈金額・問題が〉徐々に大きくなる；〈話などが〉つじつまが合う) という表現も覚えておこう。

Not surprisingly, the team's hard work **added up to** a winning season.

予想通り、チームの努力はシーズン優勝という形で実を結んだ。

1746 **point to ~**

① ~を示す、表す
② ~を指摘する、~に言及する

The increasing number of job applications **points to** the poor state of the economy.

求人応募数の増加は、景気の低迷を示している。

1747 **settle down**

① 〈人・気持ちなどが〉落ち着く
② 〈事態が〉収まる、落ち着く

The substitute teacher had a difficult time getting the students to **settle down**.

代理の先生は、生徒たちを落ち着かせるのに苦労した。

1748 **dry up**

① 〈お金などが〉尽きる、枯渇する
② 〈川などが〉干上がる

Financing **dried up** during the recession several years ago.

数年前の景気後退で資金は枯渇した。

1749 **straighten out**

〈混乱・難局・問題〉を収拾する、解決する

It took days to **straighten out** the mess you caused.

あなたが引き起こした混乱を収拾するのに何日もかかったんですよ。

1750 **set aside**

① (ある目的のために)〈時間・場所・金など〉を取っておく
② ~を別にしておく、脇に置く

He **sets aside** money every month to pay for school.

彼は毎月、学費のために金を取っておいている。

1751 **turn in**

① 寝る
② 〈書類など〉を提出する（≒hand in）

It's late, so we'll be **turning in** for the night.

もう遅いので、今夜は寝ましょう。

1752 **hang onto ~**

~を（手放さずに）持ち続ける、~に執着する
► hang on to ~ の形でも使われる。

You should **hang onto** these books so your kids can read them someday.

いつか子どもたちが読めるように、これらの本を取っておくべきだ。

1753 **tear down**

〈建物など〉を取り壊す（≒demolish）

They are going to **tear down** the library and build apartments.

彼らは図書館を取り壊して、アパートを建てる予定だ。

1754 **shape up**

きちんと振る舞う、（仕事・勉強を）頑張る

If you don't **shape up**, you may lose your job.

しっかりしないと、首になるかもしれませんよ。

1755 **set out to *do***

~し始める、~することに着手する
► ふつう、計画や目標などに使う。

She **set out to** create a giant vegetable garden.

彼女は非常に大きな菜園を作り始めた。

1756 **cover up**

① 〈事実・失敗・本心など〉を隠す
② 身を包む、服を着る

The police **covered up** their involvement in the incident.

警察はその事件への関与を隠蔽（いんぺい）した。

1757 **turn away**

① （満員などの理由で）〈人〉を中に入れない；〈人〉を追い払う ② 〈人〉の目を背けさせる

They **turned away** customers when they ran out of products.

彼らは商品がなくなると客を断った。

1758 **put in**

① 〈設備など〉を備えつける
② 〈時間〉を費やす

They **put in** a new bathroom in their house.

彼らは家に新しいバスルームを備えつけた。

1759 **get into ~**

① ~に興味を持つ、はまる
② ~の中に入る
③ 〈よくない事柄〉に巻き込まれる

She **got into** robotics when she was in elementary school.

彼女は小学生のときにロボット工学に興味を持った。

1760 **act on ~**

~に基づいて行動する

Don't just blindly **act on** the advice of others.

他人の忠告にやみくもに従うだけではいけません。

1761 **kick back**

① リラックスする、休憩する
② 〈もらった金の一部〉をリベートとして返す
► kickback（(不正な) リベート）という語もある。

He spends most weekends just **kicking back**.

彼は週末はほとんどくつろいで過ごす。

1762 **stem from ~**

~に由来する

It is possible the rise in vision problems **stems from** increased computer use.

視力の問題の増加は、コンピュータの使用が増えたことに起因している可能性がある。

1763 **stir up**

① (故意に)〈論争・もめ事〉を引き起こす
② 〈感情〉をかき立てる

The mischievous boys **stirred up** trouble at their school.

そのやんちゃな男の子たちは学校で問題を起こした。

1764 **push for ~**

~を強く求める

They **pushed for** a new scholarship program to be started.

彼らは、新しい奨学金プログラムの開始を強く求めた。

1765 **carry away**

① [get carried away] 夢中になる、興奮する（≒lose control）
② ～を運び去る、取り除く

She **got carried away** at the party and drank far too much.

彼女はパーティーで浮かれて、飲みすぎてしまった。

1766 **throw up**

吐く、嘔吐（おうと）する（≒vomit）

She almost **threw up** on the roller coaster.

彼女はジェットコースターで吐きそうになった。

1767 **set down**

〈考え・経験など〉を書き留める（≒write down）
► set down roots（根を下ろす）という表現も出題されている。

The moment she gets a new idea, she **sets** it **down** on paper.

彼女は新しいアイデアが浮かぶとすぐに、それを紙に書き留める。

1768 **endear A to B**

AをBに好かれるようにする

Your behavior **endears** you **to** people of all ages.

あなたの行動は、あらゆる年齢の人々に好感を抱かせる。

1769 **pull over**

車を端に寄せて止める

He **pulled over** to check if he had a flat tire.

彼はパンクしているかどうか確かめるために車を止めた。

1770 **live on ～**

① 〈一定の金額〉で暮らしを立てる
② ～を常食とする

He could not **live on** such a low income.

彼はそんな低収入では生活できなかった。

1771 **drag out**

① ～をだらだらと長引かせる
② ～を引きずり出す

He tends to **drag out** his stories, which makes them boring.

彼は話を長引かせる傾向があり、そのせいで話がつまらなくなる。

Track 147

1772 **come down to ~**

〈問題・困難などが〉～に帰着する、集約される

The company's failure **comes down to** poor financial management.

その会社の失敗は、財務管理の不備に帰着する。

1773 **blow up**

① かんしゃくを爆発させる ②〈爆弾・建物・乗り物などが〉爆発する ► blow up at ~ で「～に対してかんかんに怒る」という意味。

She **blew up at** her boss for ignoring her complaint.

彼女は苦情を無視されたことで、上司に怒りを爆発させた。

1774 **pass up**

〈機会など〉を逃す、見送る

They **passed up** the chance to go to Bali.

彼らはバリに行くチャンスを見送った。

1775 **see about *doing***

～する手配をする

He went into the office to **see about** renting an apartment in the area.

彼はその周辺にアパートを借りる手配をするため、事務所に入っていった。

1776 **branch out**

〈事業などを〉拡大する、手を広げる

The company is trying to **branch out** into other markets.

その会社はほかの市場に手を広げようとしている。

1777 **wind up**

〈意に反して〉～することになる、最後には～に至る

He **wound up** in the hospital after a football injury.

彼はフットボールでけがをして、病院に担ぎ込まれた。

1778 **relate to ~**

① ～に共感する、～の気持ちがわかる
② ～に関連している

She had trouble **relating to** people that led such different lifestyles.

彼女はまったく異なるスタイルの生活を送る人々に共感するのが難しかった。

1778

1779 **tighten up**
□□□
〈規則・警備など〉を強化する、厳しくする

They **tightened up** security before the president's visit.
大統領の訪問を控え、警備が強化された。

1780 **spring up**
□□□
急に現れる、次々に誕生する

The new type of cafés started to **spring up** all over the country.
新しいタイプのカフェが全国にでき始めた。

1781 **contend with ~**
□□□
〈問題・困難など〉に取り組む、〈人〉に対処する
(≒cope with ~)

He had to **contend with** heavy traffic on his way to the airport.
彼は空港に向かう途中、渋滞に対処しなければならなかった。

1782 **tune in**
□□□
(局・番組などに) ダイヤル［チャンネル］を合わせる

Thousands **tune in** to her radio show every week.
彼女のラジオ番組には、毎週何千人もの人がチャンネルを合わせている。

1783 **measure up to ~**
□□□
〈期待・水準など〉に達する
► 否定文で使うことが多い。

Unfortunately, the mayor did not **measure up to** everyone's expectations.
残念ながら、市長は皆の期待に応えることができなかった。

1784 **check up on ~**
□□□
〈人〉の行動を調べる、様子を見る

He had not heard from his daughter in a while, so he called to **check up on** her.
彼は娘からしばらく連絡がなかったので、様子を確認するために電話をかけた。

1785 **turn around**
□□□
① 好転する、上向く ② 向きを変える

It seems that the economy is finally beginning to **turn around**.
景気はようやく持ち直し始めたようだ。

Track 148

1786 **want for ~**

〈必要なもの〉がない、~を欠いている

She never **wanted for** anything as a child because her family was rich.

家が裕福だったので、彼女は子どものころ何一つ不自由することがなかった。

1787 **go astray**

〈ものが〉行方不明になる、盗まれる

Her letter **went astray** and never reached its destination.

彼女の手紙は行方知れずになり、目的地に届かなかった。

1788 **cross out**

~を(線を引いて)消す、リストから外す

Let's **cross out** the names of everyone not attending.

出席していない人の名前を消しましょう。

1789 **mess with ~**

~をいじくる、~に手を出す

Please try to avoid **messing with** the program's settings.

プログラムの設定をいじらないようにしてください。

1790 **speak for ~**

〈人・集団〉の意見[気持ち]を代弁する

You should not **speak for** others without their permission.

断りもなく他人の気持ちを代弁するべきではない。

1791 **head off to ~**

~に進む、向かう

Every morning at seven, Bob **heads off to** his construction job.

毎朝7時に、ボブは工事現場に向かう。

1792 **buy out**

~の事業[株など]を買い取る

He **bought out** his partners and became the company's sole owner.

彼は共同経営者の株を買い取り、会社の単独のオーナーとなった。

1792

1793 **spell out**

① ～をはっきりと説明する
② 〈語〉を一字一字書く［言う］

He refused to **spell out** every detail of the plan.

彼は計画の細部をいちいち説明することを拒んだ。

1794 **break away from ～**

① （レースで）〈集団〉から抜け出す
② 〈政党など〉とたもとを分かつ

The horse **broke away from** the others and won.

その馬はほかの馬から抜け出し、勝った。

1795 **pull in**

〈列車が〉駅に着く、〈バスが〉バス停に着く

The train **pulled in** several minutes late.

電車は数分遅れて駅に着いた。

1796 **talk A into *doing***

～するようにAを説得する
►「～しないようにAを説得する」ならtalk A out of *do*ingと言う。

She **talked** her husband **into** getting them a puppy.

彼女は夫を説得して子犬を買わせた。

1797 **count for ～**

～の価値がある

He feels like none of his hard work **counted for** anything.

彼は、自分の努力が何の役にも立たなかった感じがしている。

1798 **wrestle with ～**

〈問題など〉に取り組む、～と格闘する

She **wrestled with** the math problem for ages.

彼女はずいぶん長い間、その数学の問題と格闘した。

1799 **kick around**

〈案・計画など〉についてあれこれ検討する

They **kicked around** ideas until they found one they liked.

彼らは、気に入ったものが見つかるまで、アイデアをいろいろと検討した。

Track 149

1800 **happen on ～**

〈もの〉を偶然見つける、〈人〉に出くわす
► happen upon ～ でも同じ意味。

They **happened on** a cute café while exploring the town.

彼らは町を探索しているときに、偶然かわいいカフェを見つけた。

1801 **give over**

～を任せる、委ねる

She **gave over** control of the team to her subordinate.

彼女は部下にチームの指揮を委ねた。

1802 **bounce back**

〈病気・打撃などから〉立ち直る、回復する（≒recover）

He **bounced back** after his short stay in the hospital.

短期間入院して、彼は回復した。

1803 **stop up**

〈パイプなど〉を詰まらせる、ふさぐ（≒block）

A large number of leaves **stopped up** the drain, which led to the flooding.

大量の葉っぱが排水口に詰まり、そのせいで水浸しになった。

1804 **bet on ～**

～に賭ける

He was **betting on** the real estate market going up when he bought the house.

家を買ったとき、彼は不動産市場が上がることに賭けていた。

1805 **get around**

〈老人・病人などが〉歩き回る、出歩く

It is hard for him to **get around** at his age.

彼の年齢になると歩き回るのは大変だ。

1806 **fall off**

〈数量が〉減少する；〈質などが〉低下する（≒decrease）

Viewers of the program began to **fall off** rapidly.

その番組の視聴者は急速に減り始めた。

1807 **round out**

～を（いい形で）締めくくる
► round off とも言う。

He **rounded out** his writing career with an autobiography.

彼は自伝で執筆活動を締めくくった。

1808 **pay off**

〈計画・努力などが〉実を結ぶ

Her work **paid off** when she got a raise.

昇給して、彼女の仕事は報われた。

1809 **go by**

通り過ぎる；〈時間が〉過ぎる（≒pass）

Many years **went by** before he saw his family again.

彼が家族と再会するまで長い年月が過ぎた。

1810 **bear with ～**

〈人〉に我慢してつき合う

It will take me a few minutes to locate the data, so please **bear with** me.

データの場所を見つけるのに数分かかるので、お待ちください。

1811 **go along with ～**

〈人・提案・考えなど〉に同意する、賛同する

She thought it was a bad idea, but she **went along with** the group anyway.

彼女はよくないアイデアだと思ったが、とにかくそのグループに賛同した。

1812 **touch on ～**

〈話題など〉に触れる、言及する（≒mention）

She **touched on** many important issues in her speech.

彼女はスピーチの中で多くの重要な問題に触れた。

1813 **come before ～**

〈人・案件などが〉（審判・検討のため）～に出る、出される

He bowed his head when he **came before** the judge.

裁判官の前に出ると、彼は一礼した。

Track 150

1814 **phase out**

～を段階的に停止［廃止］する

Our company will **phase out** this older model computer next year.

わが社は来年この古いモデルのコンピュータを段階的に廃止する。

1815 **tune up**

① 〈エンジン・機械など〉を整備する
② 〈楽器〉を調律する

The mechanic **tunes up** people's engines at lower prices.

その整備士はよそより安い値段で人々のエンジンを調整している。

1816 **head out**

出発する、出かける

It's about time for us to **head out**.

そろそろ出発する時間だ。

1817 **come off**

① （言動から）（～のように）見える、思える
② 〈ボタン・柄などが〉取れる、外れる
③ 〈計画などが〉行われる、うまくいく

She can **come off** as shy, but actually she is just quiet.

彼女は内気に見えるかもしれないが、実は無口なだけだ。

1818 **put forth**

① 〈計画・説明など〉を示す、提案する
② 〈努力〉をする、〈力〉を発揮する

She **puts forth** only her best ideas to her boss.

彼女は最高のアイデアだけを上司に出す。

1819 **branch off**

① 枝分かれする、分岐する
② 〈話などが〉脇道にそれる

Tourists love to explore the small alleys that **branch off** from the main road.

観光客たちは、大通りから枝分かれする小さな路地を探索するのが大好きだ。

1820 **hang around (～)**

（～を）ぶらつく、うろつく、（～に）たむろする

The local kids like to **hang around** the mall.

地元の子どもたちはモールをぶらぶらするのが好きだ。

1821 **narrow down**

〈範囲など〉を絞る、狭める

Before you can choose a car, first you'll need to **narrow down** your options.

車を選ぶには、まず選択肢を絞る必要があります。

1822 **spring from ~**

~から生じる、~に起因する

Her interest in art **springs from** her mother's job.

彼女が芸術に関心があるのは、母親の仕事がきっかけだ。

1823 **fill in for ~**

〈人〉の代理を務める
► fill in（〈書式・用紙など〉に記入する）という表現も覚えておこう。

Helen **filled in for** her colleague while he was on vacation.

ヘレンは同僚の休暇中、その代わりをした。

1824 **adhere to ~**

〈規則など〉を忠実に守る；〈考えなど〉を信奉する

Please **adhere to** our rules to ensure your safety.

安全確保のため、ここでのルールを守ってください。

1825 **settle for ~**

~に甘んじる、~でよしとする

Don't **settle for** anything less than you deserve.

自分の価値に見合わないものに甘んじないでください。

1826 **catch up on ~**

① 〈最新情報・人の近況など〉を知る
② 〈仕事など〉の遅れを取り戻す

He **caught up on** the news after work.

彼は仕事のあとで、そのニュースを知った。

1827 **get down to ~**

〈仕事など〉に（本腰を入れて）取りかかる

It has been fun chatting, but we should really **get down to** work.

おしゃべりは楽しかったけど、そろそろ仕事に取りかからないとね。

Track 151

1828 **put forward**

〈意見・案など〉を出す、提案する（≒advance, offer）

They **put forward** several ideas to reduce costs.

彼らは、コストを削減するためのいくつかのアイデアを出した。

1829 **lay down**

① 〈規則など〉を設定する、定める
② 〈武器など〉を捨てる

The teacher **laid down** some strict rules on the first day of class.

先生は授業の初日にいくつかの厳しい規則を定めた。

1830 **set in**

〈不快な天候・病気などが〉始まる、到来する

The cold weather used to **set in** around November.

以前は 11 月ごろになると寒い時期が始まったものだった。

1831 **fall away**

〈感情・音などが〉（徐々に）弱まる、なくなる

His anger **fell away** as soon as he saw the kitten.

子猫を見た途端、彼の怒りは収まった。

1832 **sit by**

傍観する、手をこまねいている（≒stand by）

We cannot just **sit by** and do nothing.

手をこまねいて何もしないというわけにはいかない。

1833 **eat up**

① 〈時間・財産など〉を食い尽くす
② ～を食べ尽くす

Preparing to move **ate up** a whole week.

引っ越しの準備でまる 1 週間つぶれた。

1834 **burn off**

〈カロリーなど〉を燃やす、消費する

Running outside is a free way to **burn off** some calories.

外を走るのは、カロリーを消費するためにただでできる方法だ。

1835 **cling to ~**

～にしがみつく

The child **clung to** his father's arm in fear.

その子どもは怖くて父親の腕にしがみついた。

1836 **pull off**

① 〈困難なこと〉を苦労して成し遂げる
② （一時停車のため）〈道〉からそれる、外れる
► ②の意味では pull off ～。

The race car driver **pulled off** some dangerous maneuvers.

そのレーシングドライバーは、危険な操縦をやってのけた。

1837 **go at ~**

～に取り組む

When he encounters a problem, he **goes at** it with everything he has.

彼は問題に遭遇すると、全力でそれに取り組む。

1838 **get at ~**

① ～をほのめかす、暗に言う（≒suggest）
② ～に近づく、達する

We don't really understand what you're trying to **get at**.

あなたが何を言おうとしているのか、私たちにはよくわかりません。

1839 **come through**

① （必要なもの・求められたものを）提供する、期待に応える ② 〈病気・危機など〉を切り抜ける ► ②の意味では come through ～。

He **came through** for his team by scoring the winning shot.

彼は決勝ゴールを決めて、チームの期待に応えた。

1840 **turn out**

① 〈多くの人が〉出かける、集まる
② 結局（～と）なる、（～と）判明する

People from all over the country **turned out** for the concert.

そのコンサートには全国から人が集まった。

1841 **be drawn into ~**

～に巻き込まれる

He **was drawn into** an argument between his mother and his wife.

彼は母親と妻の言い争いに巻き込まれた。

Track 152

1842 **blow over**

〈悪い事態などが〉解消される、収まる

The scandal soon **blew over**, and everyone forgot about it.

その騒ぎはすぐに収まり、みんなそれを忘れてしまった。

1843 **shove aside**

～を脇に押しやる、無視する

► shove は「～を（力任せに）押す、押しのける」という意味。

Poor people in the community are getting **shoved aside**.

社会の貧しい人々は無視されつつある。

1844 **attend to ～**

① 〈客〉の相手をする
② 〈仕事・問題など〉を扱う、処理する

She has too many clients to **attend to** alone.

彼女が一人で対応するには顧客が多すぎる。

1845 **back down**

① 引き下がる、後退する
② （言ったことを）取り消す、撤回する

He **backed down** from the deal at the last minute.

彼は土壇場でその取引から手を引いた。

1846 **pull through**

健康を回復する、何とか持ち直す

It was a risky surgery, but she managed to **pull through**.

危険な手術だったが、彼女は何とか持ち直すことができた。

1847 **stand down**

職［地位］から身を引く

► stand down as ～ で「～の職から身を引く」という意味。

He **stood down** as CEO after his scandal.

彼はスキャンダルのあと、CEO の職を辞した。

1848 **give off**

〈におい・気体・熱など〉を発する、出す

The candle **gives off** a fruity scent when burned.

そのろうそくは、燃やすとフルーティーな香りを放つ。

1849 **play up**

～を（大げさに）強調する、誇張する（≒overplay）（⇔play down, downplay）

The politician is trying to **play up** his former volunteer work.

その政治家はかつてのボランティア活動を大げさに強調しようとしている。

1850 **do away with ～**

① 〈規則など〉を廃止する（≒abolish）
② 〈不要なもの〉を始末する

It is time we **did away with** those archaic rules.

私たちは、それらの時代遅れのルールをそろそろ廃止するべきだ。

1851 **take on**

① 〈人〉を雇う、採用する
② 〈仕事・責任〉を引き受ける
③ 〈様相など〉を帯びる、呈する

Our company does not make enough money to **take on** more staff.

わが社は、これ以上スタッフを雇うほど収益を上げていない。

1852 **hand off**

～を手渡す、引き渡す

She **handed off** the documents to her boss.

彼女は上司にその書類を手渡した。

1853 **bank on ～**

～を当てにする、～に頼る（≒count on ～）

He is **banking on** being chosen for the scholarship.

彼は奨学生に選ばれるのを当てにしている。

1854 **make out**

① ～が何とかわかる、～を何とか理解する
② 〈書類など〉を（正式に）作成する、書く

It is too noisy to **make out** what anyone is saying.

うるさくて、誰が何を言っているのかわからない。

1855 **call on ～**

〈人〉を訪問する

Feel free to **call on** me any time you're in the neighborhood.

近くに来たときは、いつでも気軽に立ち寄ってください。

Track 153

1856 **sink in**

① 〈言葉・ことなどが〉 十分理解される
② 〈液体が〉 染み込む

It took a while for it to **sink in** that she would never see her dog again.

もう二度と犬に会えないということを彼女が理解するまで、しばらく時間がかかった。

1857 **brush off**

~を拒絶する、はねつける

She **brushed off** the criticisms of her new album, saying it is not meant for everyone.

彼女は新しいアルバムへの批判を一蹴し、それは万人に向けたものではないのだと言った。

1858 **get away with ~**

① 〈悪いこと〉 をして無事に逃れる
② ~を持ち逃げする

The thief **got away with** her crime without punishment.

その泥棒は、罰を受けることなく罪を免れた。

1059 **back up**

① ~を支持する、支援する ② 後退する
③ 〈データなど〉 のバックアップをとる

A scientist should not make claims without data to **back** them **up**.

科学者は、裏づけとなるデータなしに主張をするべきではない。

1860 **draw up**

① 〈文書など〉 を作成する ② 〈車が〉 止まる

She hired a lawyer to **draw up** the contract.

彼女は契約書を作成するために弁護士を雇った。

1861 **roll up**

〈そで・裾など〉 をまくる (⇔roll down)

The chef **rolled up** his sleeves before getting to work.

シェフは仕事に取りかかる前にそでをまくった。

1862 **run through ~**

① 〈本・提案など〉 をざっと調べる、目を通す
② ~のリハーサルをする

They **ran through** the important talking points once more before calling the client.

彼らはクライアントに電話する前に、もう一度重要なポイントを確認した。

1863 □□□ **build up**

① ～を発達させる、増やす ② 増大する

An internship is a great way to **build up** work experience.

インターンシップは、実務経験を積むすぐれた方法だ。

1864 □□□ **turn down**

〈音量・火力など〉を小さくする、弱める（⇔turn up）

I'm trying to study, so could you **turn down** your music?

勉強したいので、音楽の音量を下げてもらえますか。

1865 □□□ **let down**

〈人〉を失望させる、〈人〉の期待を裏切る

His mother **let** him **down** when she missed his recital.

母親は彼のリサイタルに来られず、彼を失望させた。

1866 □□□ **count on ～**

～を当てにする、～に頼る（≒bank on ～）

We cannot **count on** her help in this matter.

私たちは、この件で彼女の支援を当てにすることはできない。

1867 □□□ **get by**

① 何とか生活する
② （代用品などで）間に合わせる

He had trouble **getting by** on such a small salary.

彼はそんなわずかな給料でやっていくのに苦労した。

1868 □□□ **lay off**

（不況などで）〈人〉を解雇する

The large IT company announced it will **lay off** thousands of employees.

その IT 大企業は、何千人もの従業員を解雇すると発表した。

1869 □□□ **opt for ～**

～を選択する、選ぶ

The company **opted for** the most expensive security plan available.

その会社は、利用可能な最も高価なセキュリティプランを選択した。

Track 154

1870 **wear off** □□□

〈痛み・効果・感情などが〉薄れる、次第に消える

The effects of the drug should **wear off** in about four hours.

薬の効果は4時間ほどで切れるはずだ。

1871 **wash away** □□□

① 〈雨などが〉～を押し流す、洗い流す
② ～を水で洗い落とす

The rain **washed away** the dust that covered everything.

雨は、すべてを覆っていたほこりを洗い流した。

1872 **give in** □□□

① (要求などに) 屈する、折れる (≒yield)
② ～を提出する、渡す

The company finally **gave in** to employees' demands for more vacation time.

会社はついに、休暇を増やしてほしいという従業員の要求に折れた。

1873 **make over** □□□

① ～を作り変える、作り直す
② 〈土地・財産など〉を譲り渡す

She used the money to **make over** her entire kitchen.

彼女はそのお金を使ってキッチン全体を作り直した。

1874 **sign out** □□□

〈本など〉を署名して借り出す

The book he wanted to borrow was already **signed out**.

彼が借りたかった本はすでに借りられていた。

1875 **wave off** □□□

(手を振って)〈考え・申し出など〉を拒む、退ける

He approached the old woman to help her, but she **waved** him **off**.

彼は老婆を助けようと近づいたが、彼女は彼を振り払った。

1876 **try out** □□□

〈人・方法・装置など〉を(機能するか)テストする

The company **tried out** a new HR software.

その会社は新しい人事ソフトを試した。

1876

1877 **stumble on ~**

〈もの・人など〉に偶然出くわす
► stumble across ~ とも言う。

She **stumbled on** the book in a small used bookstore.

彼女は小さな古書店で偶然その本に巡り合った。

1878 **talk up**

〈人・もの〉を実際よりよいように説明する（⇔talk down）

She **talked up** the skills of her team.

彼女は自分のチームのスキルについて盛って話した。

1879 **scoop up**

~をすくい取る、すくい上げる

He used a measuring spoon to **scoop up** the flour.

彼は計量スプーンを使って小麦粉をすくった。

1880 **go through with ~**

〈難しい計画・約束など〉を遂行する

They decided to **go through with** their plan.

彼らは計画をやり抜くことにした。

1881 **pick over**

（数あるものの中から）~を丹念に選ぶ

She spent the whole morning **picking over** the applications for the job.

彼女は午前中いっぱいを、その仕事の応募書類を選ぶのに費やした。

1882 **scale down**

〈事物の規模・程度〉を縮小する（⇔scale up）

The company decided to **scale down** operations in many cities.

その会社は、多くの都市で業務を縮小することにした。

1883 **lift off**

〈飛行機・ロケットなどが〉離陸する、打ち上げられる

The crowd watched in awe as the rocket **lifted off**.

群衆は、ロケットが打ち上げられるのを畏敬の念を持って見ていた。

Track 155

1884 **hold down**

① 〈人〉を押さえつける
② 〈物価など〉を抑える ③ 〈仕事〉を続ける

The nurses had to **hold down** the child when they gave him the shot.

子どもに注射をするとき、看護師はその子を押さえつけなければならなかった。

1885 **clean out**

〈部屋など〉の中をきれいにする、~をからにする

It took them eight days to **clean out** the house.

彼らは家を片づけるのに８日かかった。

1886 **air out**

① 〈部屋など〉を換気する
② 〈衣類・寝具など〉を外気に当てる、干す

He **aired out** his house as soon as he got back from vacation.

彼は休暇から戻るとすぐに家を換気した。

1887 **look out for ~**

~に気をつける、注意する

Look out for wild animals when hiking in the mountains.

山でハイキングするときは、野生動物に気をつけなさい。

1888 **grow into ~**

① 成長して~になる ② 〈子どもが〉成長して〈服〉が着られるようになる

She **grew into** a very successful young woman.

彼女は非常に成功した若い女性に成長した。

1889 **close in**

① 近づいてくる、迫ってくる
② 〈天候が〉悪くなる

The tiger slowly **closed in** on the deer.

トラはゆっくりとシカに近づいた。

1890 **step up**

① ~を強化する ② 上がる、上る

We must **step up** operations to meet demand.

需要を満たすために、業務を強化しなければなりません。

1891 **cut in**

(会話などに) 口をはさむ、割って入る (≒interrupt)

Sorry to **cut in**, but could you repeat that?

口をはさんで申し訳ありませんが、もう一度言っていただけますか。

1892 **look down on ~**

〈人〉を見下す、さげすむ (⇔look up to ~)

He **looks down on** anyone who has less money.

彼は自分よりお金のない人を見下している。

1893 **pass out**

① 気絶する、意識を失う (≒faint)
② ~を配る

She almost **passed out** from standing up too fast.

彼女はあまりにも勢いよく立ち上がって気を失いかけた。

1894 **slip on**

〈服〉をさっと着る、〈靴〉をさっと履く (⇔slip off)

He **slipped on** his shoes before going out the door.

彼はドアから出る前に靴を急いで履いた。

1895 **play out**

〈出来事などが〉展開する；~を展開する

The full consequences of laying off so many employees have yet to **play out**.

非常に多くの従業員を解雇した結果の全容は、まだ明らかになっていない。

1896 **pull back**

① 手を引く、撤退する
② 〈軍隊〉を後退 [撤退] させる

She finally **pulled back** from purchasing the company.

彼女はようやく、その会社の買収から手を引いた。

1897 **skim over**

(要点をつかむために) ~にざっと目を通す
► skim は「(液体の表面から)〈上澄み〉をすくい取る」という意味。

He **skimmed over** his notes before starting the meeting.

彼は会議を始める前にメモにざっと目を通した。

1898 **tell on ~**

〈人のこと〉を言いつける、告げ口する

She **told on** her brother for taking her doll.

彼女は兄が自分の人形を取ったと告げ口した。

1899 **smooth over**

〈言い争いなど〉を丸く収める

He tried to **smooth over** the argument between his two friends.

彼は2人の友だちの言い争いを収めようとした。

1900 **pack up**

〈もの〉をかばんに詰める

Everyone **packed up** their belongings and went home.

みんな持ち物をかばんにしまい、家に帰った。

1901 **tuck in**

（シーツなどで）〈子どもなど〉を心地よくくるむ

He **tucks in** his daughter every single night.

彼は毎晩欠かさず娘に布団をかけて寝かしつける。

1902 **wash down**

① 〈大きなもの〉を洗い流す
② 〈食べ物・薬など〉を飲み下す、流し込む

He used the hose to **wash down** his daughter's high chair.

彼はホースを使って娘のハイチェアを洗い流した。

1903 **go under**

① 〈会社などが〉倒産する
② 沈没する、沈む

The company almost **went under** during the recession, but somehow it survived.

その会社は不況で倒産しかかったが、何とか持ちこたえた。

1904 **turn over**

① ~を熟考する、じっくり考える
② ~をひっくり返す、裏返す

She **turned over** the problem in her mind for a while.

彼女はしばらく頭の中でその問題について考えを巡らせた。

1905 **tip over** 倒れる、ひっくり返る；～をひっくり返す

The jar **tipped over** and fell on the ground.
そのびんは倒れて地面に落ちた。

1906 **press for ~** ～を強く求める、迫る

Many people **pressed for** the dean's resignation when the scandal came out.
スキャンダルが発覚し、多くの人が学長の辞任を迫った。

1907 **stand over ~** 〈人〉を（そばで）監視する

I can't paint with you **standing over** me all the time.
ずっとそばで見張られたら絵が描けないよ。

1908 **touch up** ～を手直しして改良する

She quickly **touched up** her makeup in the bathroom.
彼女は洗面所で手早く化粧を直した。

1909 **get in on ~** 〈活動など〉に加わる、〈市場〉に参入する

Everyone wants to **get in on** this profitable industry.
誰もがこのもうかる業界に参入したいと思っている。

1910 **put through** 〈電話・人〉を（相手に）つなぐ

I'll **put** you **through** to Ms. Chan right away.
すぐにチャンさんにおつなぎします。

1911 **shut out** ①〈光・音・景色など〉を遮る ②（場所・活動などから）〈人〉を締め出す

He bought some heavy curtains to **shut out** the sunlight.
彼は日差しを遮るために厚手のカーテンを買った。

Track 157

1912 **face off**

対決する
► アメリカ英語。

The two teams **faced off** in an epic battle.

両チームは世紀の一戦で対決した。

1913 **pick through ~**

〈場所など〉を探す
► 探されているものは for ~ で表す。

He **picked through** the trash **for** his ticket.

彼はチケットを探してごみ箱をあさった。

1914 **drive off**

〈敵など〉を追い払う

The bear **drove off** the people near her cubs.

そのクマは子グマの近くにいる人々を追い払った。

1915 **pass for ~**

~で通用する、~として通る
► pass as ~ とも言う。

Your uncle is young enough to **pass for** your brother.

あなたのおじさんは、あなたのお兄さんと言っても通るくらい若い。

1916 **hold over**

〈決定など〉を持ち越す、先送りにする

They decided to **hold over** their decision another day.

彼らはもう1日決定を保留することにした。

1917 **run down**

① 〈車・運転手が〉〈人・動物など〉をはねる
② 〈考え・人など〉をこき下ろす、けなす
③ 〈機械などが〉止まる、〈電池が〉切れる

She accidentally **ran down** a deer last night.

彼女は昨夜、誤ってシカをひいてしまった。

1918 **slip by**

〈時間などが〉いつの間にか過ぎる

So much time **slipped by** while they were arguing.

彼らが言い争いをしている間にかなりの時間が過ぎ去った。

1919 **put up with ~**

~を耐える、我慢する（≒bear）

You shouldn't **put up with** that kind of behavior.

そのような振る舞いを我慢するべきではありません。

1920 **pin down**

① 〈事実・原因など〉を知る、突き止める
② 〈人〉を組み伏せる、押さえつける

We need to **pin down** the reason for the problem.

私たちは問題の原因を特定する必要がある。

1921 **rub in**

① 〈人の嫌がること〉を繰り返し言う
② ~をすり込む

OK, you won. You don't have to **rub** it **in**.

わかった、君の勝ちだ。何度も言わなくてもわかってるよ。

1922 **clear out**

〈家・部屋など〉を（不用品を片づけて）きれいにする

They **cleared out** the house in a matter of days.

彼らはほんの数日で家を片づけて空（から）にした。

1923 **doze off**

うたた寝する、まどろむ（≒nod off）

The man **dozed off** at his desk while working.

その男性は仕事中にデスクで居眠りをした。

1924 **take up**

①（趣味として）~を始める ②〈話題・問題など〉を取り上げる ③〈時間・場所〉を占める、使う ►③の意味では take up ~。

She decided to **take up** knitting as her new hobby.

彼女は新しい趣味として編み物を始めることにした。

1925 **drive out**

〈人・もの〉を追い出す、駆逐する

The rising cost of rent is **driving out** many low-income families.

家賃の高騰により、多くの低所得世帯が住む家を追われている。

1926 **set up**

① 〈組織・制度など〉を設立する
② 〈機械など〉を設定する、準備する
③ ～をわなにはめる、陥れる

The school **set up** a new scholarship for its students.

その学校は学生のために新しい奨学金を創設した。

1927 **act up**

① 〈病気・症状などが〉ぶり返す、再発する
② 〈機械などが〉不調である
③ 〈子どもが〉いたずらをする

My allergies always **act up** at this time of year.

この時期になるといつもアレルギーが出る。

1928 **run out**

〈時間・金・忍耐などが〉尽きる、なくなる

She could not believe how quickly her savings **ran out**.

彼女の貯金は信じられないほど早くなくなった。

1929 **single out**

～を選び出す

He was **singled out** on his team for a raise.

彼はチーム内で選ばれて、昇給した。

1930 **break up**

① 〈関係・愛情などが〉終わる、〈恋人などと〉別れる ② 〈集会など〉を解散させる ③ ～をばらばらにする

The couple decided to **break up** because of their differences.

そのカップルは、意見の相違から別れることにした。

1931 **deal in ～**

① 〈商品〉を扱う、商う
② 〈問題など〉を扱う

She **deals in** antique furniture for the most part.

彼女は主にアンティーク家具を扱っている。

1932 **break out**

〈火事・戦争・伝染病などが〉急に始まる、勃発する

Everyone was surprised when war **broke out** in the region.

その地域で戦争が勃発したとき、誰もが驚いた。

1933 **water down**

～の内容を薄める、～に手心を加える

The movie version of the book **watered down** the main character's often offensive remarks.

この本の映画版では、主人公の攻撃的な言葉の多くは和らげられていた。

1934 **pass on**

① ～を渡す、伝える ② 〈病気など〉をうつす

She plans to **pass on** the antique jewelry to her children.

彼女はそのアンティークジュエリーを子どもたちに受け渡すつもりだ。

1935 **fall apart**

① （古さ・ずさんな作りのために）ばらばらになる
② 〈組織・制度などが〉崩壊する

Her old sneakers finally **fell apart** after years of use.

彼女の古いスニーカーは、何年も使って最後はボロボロになった。

1936 **settle in**

（新しい家・仕事・環境などに）落ち着く、慣れる

They **settled in** to their new home very quickly.

彼らはすぐに新しい家に慣れた。

1937 **step out**

（建物などを）出る、（乗り物から）降りる

He **stepped out** of the train to let others off.

彼はほかの人が降りられるよう電車から降りた。

1938 **mark down**

① ～を値下げする（⇔mark up）
② （記録として）～を書き留める

The store **marked down** all of their Christmas goods.

その店はクリスマス商品をすべて値下げした。

1939 **break in on ～**

〈会話〉に口をはさむ、割り込む
► break in（建物に押し入る）という表現も覚えておこう。

I'm sorry to **break in on** your conversation, but may I ask you something?

お話に割り込んで申し訳ありませんが、伺いたいことがあります。

Track 159

1940 **sit in on ~**

〈会議・授業など〉を傍聴［聴講］する

Parents are welcome to **sit in on** the class for the first few days of school.

保護者の方は、学校の最初の数日間、授業を参観することができます。

1941 **buy up**

〈土地など〉を買い占める

The company **bought up** all the land in the area.

その会社はその地域の土地をすべて買い占めた。

1942 **size up**

〈人・価格・情勢など〉を判断する、見極める

This article **sizes up** all of the candidates in the upcoming election.

この記事では来たる選挙の全候補者を分析している。

1943 **let off**

① ~を罰さない、釈放する
② 〈銃〉を発砲する、〈爆弾〉を爆発させる

They were **let off** with a warning from police.

彼らは警察からの警告だけで釈放された。

1944 **mark out**

① ~を区切る ② ~を目立たせる

They **marked out** the area where they would place the new building.

彼らは新しいビルの建設予定地を仕切った。

1945 **feed off ~**

~を食料にする、糧にする
► feed on ~ とも言う。

The small birds **feed off** tree nuts.

その小さな鳥は木の実を食料にしている。

1946 **flag down**

〈タクシーなど〉を手を挙げて止める

Unfortunately, they were not able to **flag down** a taxi.

残念ながら彼らはタクシーを手を挙げて止めることができなかった。

1947 **rise above ~**

① 〈困難など〉を克服する ② (賢明にも)〈侮辱・ゴシップなど〉を気に留めない

She **rose above** her poverty to become very successful.

彼女は貧しさを乗り越え、大成功を収めた。

1948 **figure on ~**

~を想定する、見込む

You should **figure on** about $50 in fees.

手数料は50ドルほど見込んでおいてください。

1949 **hold up**

(よい状態で) 続く、持ちこたえる

The sales team is **holding up** well under the pressure.

営業チームはプレッシャーがかかっても、よく持ちこたえている。

1950 **tell off**

① 〈人〉を叱る ② 〈人〉にどなる
► ②はアメリカ英語。

The teacher **told off** the students for disrupting the class.

教師は生徒たちが授業を妨害したと言って叱った。

1951 **live down**

〈自分の愚行・恥など〉を忘れる
► ふつう否定文で使う。

He will never be able to **live down** his embarrassment.

彼はその恥ずかしさを決して忘れることはできないだろう。

1952 **feel out**

〈状況・人の意向など〉を探る、知ろうとする

The company wants to **feel out** the market before they release another product.

その会社は別の商品を発売する前に市場の感触を探りたいと考えている。

1953 **hammer out**

(徹底的に検討して)〈結果・政策など〉を考え出す

We need to **hammer out** the details of our plan.

私たちは計画の詳細を出す必要があります。

Track 160

1954 **throw off**

① 〈服など〉を脱ぎ捨てる
② 〈束縛・習慣など〉を振り捨てる

She **threw off** her clothes and quickly got into the bath.

彼女は服を脱ぎ捨て、すぐに風呂に入った。

1955 **pass over**

〈人〉を（昇進などの候補から）外す

He was **passed over** for a raise by his boss.

彼は上司に昇給を見送られた。

1956 **pull up**

① 〈運転手が〉車を止める
② 〈いす〉を引く、寄せる

The taxi driver **pulled up** to the curb.

タクシーの運転手は縁石のところに車を止めた。

1957 **pass down**

〈知識など〉を伝える

The story of the town has been **passed down** for hundreds of years.

その町の物語は何百年もの間、語り継がれてきた。

1958 **come by ~**

① （偶然・運よく）~を手に入れる（≒obtain）
② ~に立ち寄る

A translation of the novel is hard to **come by**.

その小説の翻訳はなかなか手に入らない。

1959 **take to ~**

① ~が好きになる ② ~するようになる

Most of the students **took to** the new teacher immediately.

ほとんどの生徒がその新しい先生のことをすぐに好きになった。

1960 **head off**

① ~を阻止する、阻む
② （ある方向に）進む、向かう

They attempted to **head off** a recession by lowering interest rates.

彼らは金利を下げて不況を回避しようとした。

1960

1961 **cough up**

〈金など〉をしぶしぶ出す

They had to **cough up** an extra $100 for their overweight bags.

彼らは重量超過したかばんのために 100 ドルの追加料金を払わなければならなかった。

1962 **stop over**

(旅行の途中などに) 立ち寄る、一時滞在する
► stop off とも言う。

We **stopped over** in Toronto on our way back.

私たちは帰りにトロントに立ち寄った。

1963 **drive up**

〈価格・費用など〉を押し上げる、つり上げる

Demand is **driving up** costs in many sectors.

需要が多くの分野でコストを押し上げている。

1964 **follow up**

① 追跡調査をする
② ~のあとに行う、~に追い打ちをかける

We need to **follow up** on our satisfaction survey.

私たちは、満足度調査を追跡する必要がある。

1965 **level off**

① 成長が止まる、〈発展中のものが〉伸びが弱まる ② 水平飛行に移る

Inflation probably will not **level off** for some time.

おそらくしばらくの間、インフレは横ばいにはならないだろう。

1966 **deal out**

~を分配する (≒distribute)

The company **dealt out** small bonuses to all of the employees.

その会社は少額のボーナスを全従業員に分配した。

1967 **stick by ~**

① 〈困っている人〉を支援し続ける
② 〈決意・約束など〉を実行する

We'll **stick by** you no matter what happens.

何が起こっても、私たちはあなたを応援し続けます。

1968 **show up**

現れる、来る

She **showed up** to the party three hours late.

彼女は３時間遅れてパーティーに現れた。

1969 **write back**

（手紙で）返事を書く

He promised his mother he would **write back** soon.

彼はすぐに返事を書くと母親に約束した。

1970 **stack up**

① 〈車が〉渋滞する；〈ものが〉増え続ける ② 比べられる、匹敵する

Traffic **stacked up** behind the site of the accident.

事故現場の後ろで車が渋滞した。

1971 **tuck away**

① 〈金など〉をしまい込む ② [be tucked away] 隠れている、奥まったところにある

She keeps all of her jewelry **tucked away** in the safe in her closet.

彼女は宝石をすべてクローゼットの金庫にしまい込んでいる。

1972 **crack up**

① 〈人〉を大笑いさせる；大笑いする ② 〈車・飛行機などが〉大破する；～を大破させる

You really **crack** me **up** with all your jokes.

君のジョークはどれも本当に爆笑させてくれる。

1973 **rip off**

① ～をはぎ取る ② 〈人〉をだまして売りつける、〈人〉からぼったくる

He **ripped off** the bandage after a few hours.

彼は数時間後にばんそうこうをはがした。

1974 **scratch out**

〈名前など〉を線を引いて消す、抹消する

She **scratched out** her name from the list.

彼女はリストから自分の名前を消した。

1975 □□□

whip up

① 〈感情・興味など〉をかき立てる
② 〈ほこり・しぶきなど〉を舞い上げる

This campaign should **whip up** some interest in your movie.

このキャンペーンは、あなたの映画への関心を高めるはずです。

1976 □□□

rack up

〈人・会社などが〉〈利益・得点など〉を得る、積み重ねる

The loan has been **racking up** some serious interest.

そのローンは、相当な利子が積み上がっている。

1977 □□□

shove off

① 離れる、出ていく ② 船を押し出す
► ①は命令文だと「うせろ」という意味のぞんざいな表現になる。

She told the pushy salesperson to **shove off**.

彼女はその厚かましいセールスマンに立ち去るよう言った。

1978 □□□

bottom out

〈景気・相場などが〉底をつく

Maybe the recession has finally **bottomed out**.

不況はついに底を打ったのかもしれない。

1979 □□□

nod off

うとうとする、居眠りする（≒doze off）

She almost **nodded off** while she was driving home.

家まで車で帰る途中、彼女はうとうとしかけた。

1980 □□□

send for ~

① ~を注文する、取り寄せる
② 〈人〉を呼びに行かせる

Enter your name and address to **send for** our free seasonal catalog.

お名前とご住所を入力して、季節限定の無料カタログをお取り寄せください。

1981 □□□

stay off ~

① 〈体によくないもの〉を食べない、飲まない
② 〈話題〉を避ける

Her doctor warned her to **stay off** sugary foods.

主治医は彼女に、甘い食べ物を控えるようにと注意した。

Track 162

1982 **act out**

〈過去の出来事など〉を演じてみせる

She **acted out** the scene she saw at the supermarket.

彼女はスーパーで見た光景を演じてみせた。

1983 **fix up**

① 〈家など〉を修理［改装］する
② 〈人〉に（～を）提供する

We are planning to **fix up** the attic so that we can use it as an office.

私たちは事務所として使えるように、屋根裏を修理する予定だ。

1984 **carry through**

① （約束などを）実行する ② 〈始めたことなど〉をうまくやり遂げる（≒achieve） ► ①の意味では carry through with [on] ～ の形で使う。

We still intend to **carry through with** our plan to open an office in Singapore.

私たちはシンガポールに事務所を開設する計画をまだ実行するつもりだ。

1985 **roll in**

① 〈お金・手紙・ものが〉大量にやって来る
② （悪びれることなく）遅れて到着する
③ 〈雲などが〉広がり始める

The money came **rolling in** as soon as they launched the app.

彼らがそのアプリを発売するとすぐにお金がたくさん入るようになった。

1986 **answer for ～**

① 〈過失・行為〉の責任を取る
② 〈人・人格など〉を保証する

He will **answer for** his crimes in a court of law.

彼は法廷で自分の犯した罪の責任を取ることになるだろう。

1987 **stand up to ～**

① 〈人・組織など〉に恐れずに立ち向かう
② 〈物質・製品などが〉～に耐える、もつ

The politician promised to **stand up to** corporate greed.

その政治家は、企業の強欲に立ち向かうと約束した。

1988 **free up**

① 〈時間・空間〉を空ける
② 〈市場・経済など〉を解放する

I'll try to **free up** some time in my schedule.

スケジュールに少し時間を空けるようにしてみるよ。

1989 **weigh on ~**
〈問題・責任などが〉～にのしかかる、～を圧迫する

The thought of losing **weighed** heavily **on** his shoulders.
負けるかもしれないという考えが彼の肩に重くのしかかった。

1990 **tie up**
① 〈もの〉をしっかりくくる；〈船〉を係留する
② 〈人〉を縛り上げる
③ [be tied up]〈人が〉忙しい

She **tied up** her boat to the dock before leaving.
彼女は立ち去る前に船を波止場に係留した。

1991 **grow on ~**
〈人〉の心を引くようになる

His personality is starting to **grow on** me.
私は彼の人柄に引かれ始めている。

1992 **let out**
① ～を外に出す ② 〈叫び声など〉を発する
③ 〈学校などが〉終わる

He accidentally **let out** his pet parrot.
彼はうっかりペットのオウムを外に出してしまった。

1993 **lock A in B**
A を B に閉じ込める

His daughter accidentally **locked** herself **in** the bedroom.
彼の娘は誤って寝室に閉じ込められた。

1994 **watch over ~**
〈人・動物など〉を見守る、監視する

Her parents promised to **watch over** the kids while she and her husband were away.
彼女の両親は、彼女と夫が留守の間、子どもたちを見守ると約束した。

1995 **blast off**
〈ロケットなどが〉発進する
(≒lift off, take off)

On July 16, 1969, the Apollo 11 rocket **blasted off** into space.
1969 年 7 月 16 日、アポロ 11 号は宇宙に向けて飛び立った。

Track 163

1996 □□□ **go back on ~** 〈約束・協定など〉を破る

How dare you **go back on** your promise to me? よくも私との約束を破ったな。

1997 □□□ **lay into ~** 〈人〉を非難する、殴打する

The boss really **laid into** him about his mistake. 上司は彼のミスについてひどくなじった。

1998 □□□ **force down** ①〈飲食物〉を無理やり飲み込む ②〈飛行機〉を緊急着陸させる

She **forced down** the food even though she hated it. 嫌いな食べ物だったが、彼女は無理やり流し込んだ。

1999 □□□ **bring off** 〈難しいこと〉をうまく成し遂げる（≒pull off）

There are only a few actors in the whole world who could **bring off** such a difficult role. こんな難しい役をこなせる俳優は、世界中探しても数人しかいない。

2000 □□□ **pile up** 〈ものが〉積もる、たまる

His laundry is really starting to **pile up**. 彼の洗濯物はずいぶんたまり始めている。

2001 □□□ **ease into ~** 〈仕事など〉に徐々に慣れる

We want you to **ease into** the job slowly. あなたには仕事にゆっくり慣れてほしいと思っています。

2002 □□□ **break off** ① 急に話をやめる ②〈ものの一部が〉（折れて・欠けて）取れる

He **broke off** in the middle of his speech to check his notes. 彼はメモを確認するためにスピーチの途中で話を中断した。

2002►

2003 **hang on ~**

~次第である、~にかかっている ► 目的語なしで「(ものに) しっかりつかまる、しがみつく」「(苦境を) 持ちこたえる」という意味の使い方もある。

Everything **hangs on** whether we can get funding or not.

私たちが資金を調達できるかどうかにすべてがかかっている。

2004 **fall under ~**

~の分類に入る

Her books all **fall under** the fiction category.

彼女の本はすべてフィクションのカテゴリーに入る。

2005 **send out for ~**

~の出前を頼む

Since the meeting will run late, let's **send out for** some pizza.

会議が遅くなりそうなので、ピザの出前を頼もう。

2006 **fire up**

[be fired up] 気合が入っている、張り切っている

They **are** all **fired up** about the concert tomorrow.

彼らは皆、明日のコンサートに向けて気合が入っている。

2007 **check off**

~にチェック済みの印をつける

He **checked off** everything he had completed on his list.

彼はリストで完了したものすべてにチェック印を入れた。

2008 **gear up**

準備をする

The baseball team is **gearing up** for another successful season.

その野球チームは次のシーズンも成功するよう準備を進めている。

2009 **derive from ~**

~に由来する、~から派生する

A significant percentage of English words **derive from** Latin.

英単語のかなりの割合はラテン語に由来している。

Track 164

2010 **dream up** 〈(ばかげた) 計画・考えなど〉を思いつく

She **dreamed up** an amazing idea for a video game. 彼女はテレビゲームの素晴らしいアイデアを思いついた。

2011 **carry over** 持ち越される、残存する；~を持ち越す

His childhood trauma **carried over** into his adult life. 彼の幼少期のトラウマは、大人になっても消えなかった。

2012 **get on with ~** ①〈中断していたこと〉を続ける ②〈仕事など〉をうまくこなす

If everyone is done eating, let's **get on with** the meeting. 皆さんが食べ終わったら、会議を再開しましょう。

2013 **turn to ~** ①(助けなどを求めて) ~を頼る、~に救いを求める ②〈新しい仕事・習慣〉を始める

She **turned to** music to reduce stress. 彼女はストレスを軽減するために、音楽に救いを求めた。

2014 **make do with ~** ~で間に合わせる

We will have to **make do with** the materials we have. 私たちが持っている材料で間に合わせなければなりません。

2015 **kick in** 効果が出始める

It will take about 15 minutes for the painkiller to **kick in**. 痛み止めの効果が出始めるのに 15 分くらいかかるだろう。

2016 **pitch in** 協力する、援助する

Everyone **pitched in** to clean up after the party. 皆が協力して、パーティーの後片づけをした。

コラム 語根のイメージをつかむ 2

ここでもいくつかの代表的な語根を取り上げ、それを構成要素とするさまざまな単語の具体例をご紹介します。🔑で取り上げたやさしめの単語を手がかりに、語根のイメージをつかんでください。

▪ flu / flow / flood …「流れる」

🔑 一番おなじみなのは flow（流れる）。influence（影響）も「中へと流れ込むこと」が原義で、同語源語。

flood 洪水
fluent （言葉が）流ちょうな
influx 流入、殺到
fluid 流体
fluctuate 変動する、上下する
affluent 裕福な

▪ fin …「終わる、限界」

🔑 映画の最後に出てくる fin は「終わり」という意味のフランス語。finish（～を終える）、final（最後の）も同語源語。

define ～を定義する
finite 有限の、限りのある
indefinite 不定の、決まっていない
refine ～を洗練［改良］する
confine ～を限定する、限る
infinite 無限の、無数の

▪ gest / gist …「運ぶ」

🔑 digest（～を消化する；要約）は〈di-（分離）+gest（運ぶ）〉→「分解する」からできた語。

congestion （交通・場所などの）混雑
register （～を）登録する
ingest 〈食品・薬品など〉を摂取する

▪ ject …「投げる」

🔑 project（計画）は〈pro-（前に）＋ject〉で、「前方に投げられたもの」が原義。

inject ～を注射する、注入する
projection 予測
objective 目標、目的
eject ～を外に出す
deject ～を落胆させる
rejection 拒絶、拒否

▪ nov …「新しい」

🔑 novel（小説）は「新しい話」が原義。

novelty 目新しいもの、目新しさ
innovation 革新、（新しい事物の）導入
renovate ～を改修する
novice 新人

▪ pass / path …「（苦しみを）受ける、感じる」

🔑 カタカナ語にもなっている sympathy（共感）に含まれる path。sym- は「共に」を意味する接頭辞。

passive 受動的な、受身の
sympathetic 思いやりのある、同情的な
compassionate 思いやりのある
pathetic ひどい、情けない
empathy 共感、感情移入

Part 3

テクニカルターム

パッセージを読んだり聞いたりするときに役立つテクニカルタームをまとめました。筆記大問1で正解になった語も含まれています。

意味を正確に覚えるのが理想ですが、「これは病気の名前だった」といった記憶だけでもパッセージを読んだり聞いたりするときに大きな助けになります。試験前に何度か目を通しましょう。実際に発音してみると記憶に残りやすくなります。

生物

2017	**species** [spíːʃiːz]	名 (分類上の) 種 ► 単複同形。
2018	**mammal** [mǽml]	名 ほ乳動物、ほ乳類
2019	**primate** [práɪmeɪt]	名 霊長類
2020	**reptile** [réptl | -taɪl]	名 は虫類
2021	**vertebrate** [vɚ́ːrtəbrət]	名 脊椎動物
2022	**reproduction** [rìːprədʌ́kʃən]	名 生殖、繁殖
2023	**mating** [méɪtɪŋ]	名 交尾、交配
2024	**hibernation** [hàɪbərnéɪʃən]	名 冬眠 動 hibernate 冬眠する
2025	**carnivore** [kɑ́ːrnəvɔ̀ːr]	名 肉食動物 形 carnivorous 肉食の
2026	**herbivore** [hɚ́ːrbəvɔ̀ːr]	名 草食動物 形 herbivorous 草食の
2027	**ape** [éɪp]	名 (尾のない、または尾の短い) サル；類人猿
2028	**rhinoceros** [raɪnɑ́ːsərəs | -nɔ́s-]	名 サイ ► rhino とも言う。
2029	**camel** [kǽml]	名 ラクダ
2030	**donkey** [dɑ́ːŋki | dɔ́ŋ-]	名 ロバ
2031	**mule** [mjúːl]	名 ラバ ► 雄ロバと雌馬との雑種。
2032	**ram** [rǽm]	名 (去勢していない) 雄羊
2033	**elk** [élk]	名 ヘラジカ
2034	**reindeer** [réɪndɪ̀ər]	名 トナカイ
2035	**canine** [kéɪnaɪn]	形 イヌ科の；犬の
2036	**bark** [bɑ́ːrk]	動 〈犬・キツネなどが〉ほえる
2037	**hare** [héər]	名 野ウサギ ► rabbit より大型。
2038	**lynx** [líŋks]	名 オオヤマネコ ► 複数形は lynx, lynxes。

Track 165

2039 **lizard** [lízərd] 名 トカゲ

2040 **crocodile** [krá:kədàɪl | krɔ́k-] 名 ワニ

2041 **hump** [hʌ́mp] 名 （ラクダなどの）こぶ

2042 **burrow** [bə́:roʊ] 名 （ウサギ・モグラなどの）巣穴

2043 **owl** [áʊl] 名 フクロウ

2044 **vulture** [vʌ́ltʃər] 名 ハゲタカ；コンドル

2045 **parrot** [pérət] 名 オウム

2046 **sparrow** [spéroʊ] 名 スズメ

2047 **gull** [gʌ́l] 名 カモメ

2048 **mosquito** [məskí:toʊ] 名 蚊

2049 **termite** [tə́:rmaɪt] 名 シロアリ

2050 **moth** [mɔ́(:)θ] 名 ガ

2051 **caterpillar** [kǽtərpìlər] 名 いも虫、毛虫

2052 **earthworm** [ə́:rθwə̀:rm] 名 ミミズ

2053 **salmon** [sǽmən] 名 サケ
► 単複同形。

2054 **tuna** [t(j)ú:nə] 名 マグロ
► 複数形は tuna または tunas。

2055 **squid** [skwíd] 名 イカ

2056 **eel** [í:l] 名 ウナギ

2057 **turtle** [tə́:rtl] 名 カメ；(特に)ウミガメ

2058 **oyster** [ɔ́ɪstər] 名 カキ

2059 **blossom** [blá:səm | blɔ́s-] 名 （木・庭木などの）花

2060 **pollen** [pá:lən | pɔ́l-] 名 花粉

2061	**thorn** [θɔ́ːrn]	名 (植物の) とげ、針
2062	**pine** [páɪn]	名 マツ
2063	**maple** [méɪpl]	名 カエデ、モミジ
2064	**hemp** [hémp]	名 麻、大麻
2065	**holly** [háːli | hɔ́li]	名 セイヨウヒイラギ
2066	**walnut** [wɔ́ːlnʌ̀t]	名 クルミ
2067	**cactus** [kǽktəs]	名 サボテン
2068	**fungus** [fʌ́ŋgəs]	名 (かび・キノコ・酵母菌などの) 菌類 ► 複数形は fungi。
2069	**moss** [mɔ́(ː)s]	名 コケ
2070	**mold** [móʊld]	名 かび ► 同じつづりで「型;～を型に入れて作る」という意味の語もある。
2071	**algae** [ǽldʒiː]	名 藻、藻類
2072	**organism** [ɔ́ːrgənìzm]	名 生物;有機体 ► 微生物を指すことが多い。

医学・生理・心理

2073	**organ** [ɔ́ːrgən]	名 器官;臓器
2074	**abnormality** [æ̀bnɔːrmǽləti]	名 異常 (性) 形 abnormal 異常な
2075	**stroke** [stróʊk]	名 脳卒中、発作
2076	**cancer** [kǽnsər]	名 がん
2077	**leprosy** [léprəsi]	名 ハンセン病
2078	**measles** [míːzlz]	名 はしか、麻疹 ► 単数扱い。
2079	**scurvy** [skə́ːrvi]	名 壊血病 ► ビタミンC欠乏による疾患。
2080	**diabetes** [dàɪəbíːtiːz]	名 糖尿病 ► 単数扱い。
2081	**appetite** [ǽpətàɪt]	名 食欲
2082	**obesity** [oʊbíːsəti]	名 肥満 形 obese 肥満の

Track 166

2083 malnutrition [mæln(j)u(:)tríʃən] 名 栄養失調［不良］

2084 indigestion [ìndədʒéstʃən] 名 消化不良；不消化

2085 metabolism [mətǽbəlìzm] 名 (新陳) 代謝 形 metabolic 代謝の

2086 diarrhea [dàɪərí:ə | -ríə] 名 下痢

2087 anorexia [ænəréksiə] 名 拒食症

2088 protein [próʊti:n] 名 タンパク質

2089 inflammation [ìnfləméɪʃən] 名 炎症

2090 injury [índʒəri] 名 けが、負傷 動 injure ～にけがをさせる

2091 arthritis [ɑ:rθráɪtɪs] 名 関節炎

2092 blister [blístər] 名 水ぶくれ、火ぶくれ

2093 impairment [ɪmpéərmənt] 名 障害、損傷

2094 fever [fí:vər] 名 熱、発熱

2095 pulse [pʌ́ls] 名 脈拍、鼓動

2096 sneeze [sní:z] 名動 くしゃみ (をする)

2097 ward [wɔ́:rd] 名 病棟、病室

2098 surgery [sə́:rdʒəri] 名 外科、外科手術

2099 endocrine [éndəkrən] 形 内分泌の

2100 coma [kóʊmə] 名 昏睡(こんすい) (状態)

2101 eyesight [áɪsàɪt] 名 視力、視覚

2102 circadian rhythm [sərkéɪdiən rìðm] 名 概日(がいじつ)リズム、体内時計

2103 diagnosis [dàɪəgnóʊsɪs] 名 診断、診察；診断書 ► 複数形は diagnoses。

2104 prescription [prɪskrípʃən] 名 処方 (箋) 動 prescribe ～を処方する

2105	**pharmacy** [fɑ́ːrməsi]	名 調剤学、薬学、製薬；薬局 形 pharmaceutical 調剤［製薬］の
2106	**vaccine** [væksíːn | vǽksɪːn]	名 ワクチン 動 vaccinate ～にワクチンを接種する
2107	**antibiotic** [æ̀ntibaɪɑ́ːtɪk | -ɔ́t-]	名 抗生物質 ► ふつう複数形で使う。
2108	**hypodermic** [hàɪpədə́ːrmɪk]	形 皮下（注射）の
2109	**painkiller** [péɪnkìlər]	名 鎮痛剤
2110	**first aid** [fə̀ːrst éɪd]	名 応急手当
2111	**pregnancy** [prégnənsi]	名 妊娠 形 pregnant 妊娠した
2112	**infertility** [ìnfərtíləti]	名 不妊症
2113	**childbirth** [tʃáɪldbə̀ːrθ]	名 出産、分娩
2114	**sperm** [spə́ːrm]	名 精子
2115	**gene** [dʒíːn]	名 遺伝子
2116	**amputee** [æ̀mpjətíː]	名 切断手術を受けた患者 動 amputate〈手足〉を切断する
2117	**immunity** [ɪmjúːnəti]	名 免疫（性） 形 immune 免疫の
2118	**infection** [ɪnfékʃən]	名 感染、伝染；感染症 動 infect ～に感染させる
2119	**parasite** [pǽrəsàɪt]	名 寄生動物［植物］、寄生虫 形 parasitic 寄生の、寄生する
2120	**germ** [dʒə́ːrm]	名 病原菌、細菌
2121	**microbe** [máɪkroʊb]	名 微生物、細菌；病原菌（≒microorganism）
2122	**virus** [váɪrəs]	名 ウイルス 形 viral ウイルスの
2123	**bacterium** [bæktíəriəm]	名 バクテリア ► ふつう、複数形の bacteria で使う。
2124	**skull** [skʌ́l]	名 頭蓋骨
2125	**spine** [spáɪn]	名 脊柱、背骨（≒backbone）
2126	**rib** [ríb]	名 あばら骨

Track 167

2127	**nostril** [nɑ́:strəl | nɔ́s-]	名 鼻の穴、鼻孔
2128	**jaw** [ʤɔ́:]	名 あご
2129	**thigh** [θáɪ]	名 太もも、大腿部(だいたい)
2130	**wrist** [ríst]	名 手首
2131	**ankle** [ǽŋkl]	名 足首；くるぶし
2132	**intestine** [ɪntéstən]	名 腸 ► gut は「胃腸」を意味する一般語。
2133	**kidney** [kídni]	名 腎臓
2134	**liver** [lívər]	名 肝臓
2135	**spleen** [splí:n]	名 脾臓(ひぞう)
2136	**vein** [véɪn]	名 静脈；(一般に) 血管
2137	**artery** [ɑ́:rtəri]	名 動脈
2138	**cell** [sél]	名 細胞 形 cellular 細胞の
2139	**nerve** [nə́:rv]	名 神経 形 nervous 神経の
2140	**neuron** [n(j)ʊ́ərɑ:n | -rɔn]	名 ニューロン ► 情報を伝達する神経単位。
2141	**fiber** [fáɪbər]	名 繊維 (の 1 本)
2142	**reflex** [rí:fleks]	名 反射 (運動)
2143	**insomnia** [ɪnsɑ́:mniə | -sɔ́m-]	名 不眠症
2144	**anxiety** [æŋzáɪəti]	名 心配、不安 形 anxious 不安な
2145	**depression** [dɪpréʃən]	名 憂うつ、うつ病 ► 「(長期にわたる) 不景気、不況」という意味も重要。
2146	**manic** [mǽnɪk]	形 躁状態の ► 「うつ状態の」は depressed。
2147	**addiction** [ədíkʃən]	名 (薬物などの) 常用、中毒、依存症 名 addict 依存者、中毒者
2148	**trance** [trǽns]	名 催眠状態

No.	単語	発音	意味
2149	**ecosystem**	[íːkousìstəm]	名 生態系
2150	**deforestation**	[diːfɔ̀ːrəstéɪʃən | -fɔ̀r-]	名 森林伐採
2151	**logging**	[lɔ́(ː)gɪŋ]	名 伐採
2152	**reforestation**	[riːfɔ̀ːrəstéɪʃən | -fɔ̀r-]	名 植林、森林再生
2153	**pasture**	[pǽstʃər]	名 牧草地、放牧場
2154	**greenhouse effect**	[gríːnhaus ɪfèkt]	名 温室効果
2155	**tropical rain forest**	[trɑ̀ːpɪkl réɪn fɔ̀ːrəst | trɔ́p- -fɔ̀rəst]	名 熱帯雨林
2156	**fossil fuel**	[fɑ́ːsl fjùːəl | fɔ́s-]	名 化石燃料
2157	**carbon dioxide**	[kɑ̀ːrbən daɪɑ́ːksaɪd | -ɔ́ksaɪd]	名 二酸化炭素
2158	**carbon offset**	[kɑ̀ːrbən ɔ́(ː)fset]	名 カーボンオフセット ► 排出した CO_2 量を削減活動で埋め合わせること。
2159	**renewable energy**	[rɪn(j)úːəbl ènərdʒi]	名 再生可能エネルギー
2160	**radiation**	[rèɪdiéɪʃən]	名 放射能（≒radioactivity）
2161	**hydropower**	[háɪdroupàuər]	名 水力発電（≒hydroelectricity）
2162	**solar power**	[sóulər pàuər]	名 太陽光発電
2163	**biodiesel**	[báɪoudìːzl]	名 バイオディーゼル
2164	**acid rain**	[ǽsɪd réɪn]	名 酸性雨
2165	**Antarctica**	[æntɑ́ːrktɪkə]	名 南極大陸 形 Antarctic 南極の
2166	**biodiversity**	[bàɪoudəvə́ːrsəti]	名 生物多様性
2167	**coral reef**	[kɔ́ːrəl rìːf]	名 サンゴ礁
2168	**overfishing**	[òuvərfíʃɪŋ]	名 （魚の）乱獲
2169	**poacher**	[póutʃər]	名 密漁［密猟］者 動 poach 密漁［密猟］する
2170	**conservationist**	[kɑ̀ːnsərvéɪʃənɪst | kɔ̀n-]	名 自然［環境］保護論者

Track 168

農業

地学・気象・天文

No.	単語	意味
2171	**pollute** [pəlúːt]	動 ～を汚染する（≒contaminate） 名 pollution 汚染
2172	**pollutant** [pəlúːtənt]	名 汚染物質、汚染源
2173	**dumping** [dʌ́mpɪŋ]	名 （ごみなどの）投げ捨て；投棄
2174	**landfill** [lǽndfìl]	名 （ごみの）埋め立て（地）
2175	**soil** [sɔ́ɪl]	名 土壌
2176	**organic** [ɔːrgǽnɪk]	形 有機栽培の
2177	**compost** [kɑ́ːmpoʊst | kɔ́m-]	名 たい肥
2178	**fertilizer** [fə́ːrtəlàɪzər]	名 肥料 形 fertile 肥沃な　名 fertility 肥沃なこと
2179	**pesticide** [péstəsàɪd]	名 殺虫剤
2180	**harvest** [hɑ́ːrvəst]	名 収穫 ►「～を収穫する」という動詞の意味もある。
2181	**cereal** [síəriəl]	名 穀物
2182	**wheat** [wíːt]	名 小麦
2183	**soybean** [sɔ́ɪbìːn]	名 大豆
2184	**mineral** [mínərəl]	名 鉱物、鉱石
2185	**limestone** [láɪmstòʊn]	名 石灰岩
2186	**quartz** [kwɔ́ːrts]	名 石英
2187	**crystal** [krístl]	名 水晶
2188	**continent** [kɑ́ːntənənt | kɔ́n-]	名 大陸 形 continental 大陸の
2189	**equator** [ɪkwéɪtər]	名 赤道
2190	**tropic** [trɑ́ːpɪk | trɔ́p-]	名 熱帯地方；回帰線 形 tropical 熱帯の
2191	**volcano** [vɑːlkéɪnoʊ | vɔl-]	名 火山 形 volcanic 火山の
2192	**ash** [ǽʃ]	名 灰、火山灰

2192►

2193	**wetland**	[wétlæ̀nd]	名 湿地
2194	**seabed**	[síːbèd]	名 海底
2195	**inland**	[ínlənd]	形 内陸の
2196	**bay**	[béɪ]	名 湾、入り江
2197	**ground water**	[gráʊnd wɑ̀ːtər | -wɔ̀ː-]	名 地下水
2198	**gravity**	[grǽvəti]	名 重力、引力
2199	**subzero**	[sʌ̀bzíəroʊ]	形 氷点下の
2200	**rainfall**	[réɪnfɔ̀ːl]	名 降雨（量）
2201	**drizzle**	[drízl]	名動 霧雨（が降る）
2202	**frost**	[frɔ́(ː)st]	名動 霜（が降りる）
2203	**breeze**	[bríːz]	名 微風
2204	**gale**	[géɪl]	名 強風
2205	**tornado**	[tɔːrnéɪdoʊ]	名 竜巻
2206	**flood**	[flʌ́d]	名 洪水
2207	**wildfire**	[wáɪldfàɪər]	名 野火；山火事
2208	**astronomer**	[əstrɑ́ːnəmər | -trɔ́n-]	名 天文学者 名 astronomy 天文学
2209	**galaxy**	[gǽləksi]	名 銀河、星雲
2210	**Mercury**	[mə́ːrkjəri]	名 水星
2211	**Venus**	[víːnəs]	名 金星
2212	**Mars**	[mɑ́ːrz]	名 火星
2213	**Jupiter**	[ʤúːpətər]	名 木星
2214	**Saturn**	[sǽtərn | -əːn]	名 土星

2215 Uranus [júərənəs] 名 天王星

2216 Neptune [népt(j)u:n] 名 海王星

2217 Pluto [plú:toʊ] 名 冥王星

2218 aerospace [éəroʊspèɪs] 名 航空宇宙
► 大気圏および宇宙空間を指す。

2219 spacecraft [spéɪskræ̀ft | -krɑ̀:ft] 名 宇宙船（≒spaceship）
► 単複同形。

2220 astronaut [ǽstrənɔ̀:t] 名 宇宙飛行士

2221 atmosphere [ǽtməsfɪər] 名 大気（圏）

2222 orbit [ɔ́:rbət] 名 軌道
形 orbital 軌道の

2223 asteroid [ǽstərɔ̀ɪd] 名 小惑星

2224 comet [kɑ́:mɪt | kɔ́m-] 名 彗星（すいせい）

2225 meteorite [mí:tiəràɪt] 名 隕石（いんせき）

2226 solstice [sɑ́:lstəs | sɔ́l-] 名 至；至点
► summer [winter] solstice で「夏至［冬至］」。

物理・化学

2227 ion [áɪən] 名 イオン

2228 liquid [líkwɪd] 名 液体、流動体
► 気体と液体の総称としての「流動体」は fluid。

2229 metallurgy [métələ̀:rdʒi] 名 冶金（やきん）（術）
► 金属の採取、精製、加工。

2230 element [éləmənt] 名 元素

2231 molecule [mɑ́:ləkjù:l | mɔ́lɪ-] 名 分子

2232 hydrogen [háɪdrədʒən] 名 水素

2233 oxygen [ɑ́:ksɪdʒən | ɔ́ks-] 名 酸素

2234 nitrogen [náɪtrədʒən] 名 窒素

2235 carbon [kɑ́:rbən] 名 炭素

2236 arsenic [ɑ́:rsənɪk] 名 ヒ素

No.	Word	Pronunciation	Meaning
2237	**bronze**	[brά:nz | brɔ́nz]	名 青銅、ブロンズ
2238	**copper**	[kά:pər | kɔ́pə]	名 銅
2239	**phosphorus**	[fά:sfərəs | fɔ́s-]	名 リン
2240	**sulfur**	[sʌ́lfər]	名 硫黄
2241	**acid**	[ǽsɪd]	名 形 酸；酸性の
2242	**fluoride**	[flúəràɪd | flɔ́:-]	名 フッ化物
2243	**petroleum**	[pətróʊliəm]	名 石油、鉱油
2244	**resin**	[rézn]	名 樹脂
2245	**sulfuric acid**	[sʌlfjúərɪk ǽsɪd]	名 硫酸
2246	**zinc**	[zíŋk]	名 亜鉛
2247	**antioxidant**	[æ̀ntiά:ksədənt | -ɔ́ksɪdənt]	名 酸化防止剤
数学			
2248	**rectangle**	[réktæ̀ŋgl]	名 長方形 形 rectangular 長方形の
2249	**square**	[skwéər]	名 形 正方形（の）
2250	**cone**	[kóʊn]	名 円すい
2251	**radius**	[réɪdiəs]	名 半径 ► 複数形は radii [réɪdiaɪ]。
2252	**diameter**	[daɪǽmətər]	名 直径
2253	**equation**	[ɪkwéɪʒən]	名 等式、方程式
2254	**infinity**	[ɪnfínəti]	名 無限大 形 infinite 無限の
技術・IT			
2255	**cyberspace**	[sáɪbərspèɪs]	名 サイバースペース ► コンピュータネットワーク上の仮想空間。
2256	**decode**	[di:kóʊd]	動 〈暗号文など〉を解読する
2257	**thermostat**	[θə́:rməstæ̀t]	名 自動温度調節装置、サーモスタット
2258	**laptop**	[lǽptὰ:p | -tɔ̀p]	名 ラップトップ、ノートパソコン

Track 170

都市・交通

No.	単語	意味
2259	**sonar** [sóʊnɑːr]	名 音波探知機
2260	**electrode** [ɪléktroʊd]	名 電極
2261	**canal** [kənǽl]	名 運河
2262	**sewer** [súːər]	名 下水道
2263	**fountain** [fáʊntn]	名 噴水
2264	**clog** [klɑ́ːg | klɔ́g]	動 〈管など〉を詰まらせる
2265	**plumbing** [plʌ́mɪŋ]	名 （建物の）配管設備
2266	**janitor** [ʤǽnətər]	名 （大きな建物の）管理人
2267	**highway** [háɪwèɪ]	名 幹線道路 ►「高速道路」は（米）expressway、（英）motorway と言う。
2268	**bypass** [báɪpæ̀s | -pɑ̀ːs]	名 バイパス
2269	**intersection** [íntərsèkʃən]	名 交差点
2270	**aircraft** [éərkræ̀ft | -krɑ̀ːft]	名 航空機 ► 飛行機、ヘリコプター、飛行船などの総称。単複同形。
2271	**aviation** [èɪviéɪʃən]	名 航空
2272	**license** [láɪsns]	名 免許証
2273	**locomotive** [lòʊkəmóʊtɪv]	名 機関車
2274	**mileage** [máɪlɪʤ]	名 （走行［飛行］の）総マイル数；走行距離
2275	**navigate** [nǽvəgèɪt]	動 航行する；〈飛行機・船舶など〉を操縦する 名 navigation 航行、航海、飛行
2276	**runway** [rʌ́nwèɪ]	名 滑走路
2277	**shuttle** [ʃʌ́tl]	名 定期往復バス［列車、飛行機］
2278	**timetable** [táɪmtèɪbl]	名 （乗り物の）時刻表
2279	**toll-free** [tòʊlfríː]	形 〈通行料・通話料が〉無料の
2280	**surcharge** [sə́ːrtʃɑ̀ːrʤ]	名 追加料金

2280 ►

政治・外交

No.	単語	発音	意味
2281	**federation**	[fèdəréɪʃən]	名 連邦；連邦国家 形 federal 連邦の
2282	**Congress**	[káːŋgrəs | kɔ́n-]	名 （米国・中南米諸国の）議会、国会 ► 日本の国会は the Diet と言う。
2283	**Senate**	[sénət]	名 [the Senate] 上院 ►「下院」は the House (of Representatives)。
2284	**majority**	[mədʒɔ́ːrəti]	名 過半数
2285	**embassy**	[émbəsi]	名 大使館
2286	**ambassador**	[æmbǽsədər]	名 大使
2287	**diplomat**	[dípləmæ̀t]	名 外交官
2288	**commander**	[kəmǽndər]	名 司令官
2289	**bomber**	[báːmər | bɔ́mə]	名 爆撃機
2290	**weaponry**	[wépənri]	名 武器類（≒weapons）
2291	**arsenal**	[áːrsənl]	名 兵器庫
2292	**pact**	[pǽkt]	名 条約、協定
2293	**territory**	[térətɔ̀ːri | -təri]	名 領土、領地 形 territorial 領土の
2294	**refugee**	[rèfjudʒíː]	名 難民

経済

No.	単語	発音	意味
2295	**monetary**	[máːnətèri | mʌ́nɪtəri]	形 通貨の、貨幣の
2296	**devalue**	[diːvǽljuː]	動 〈通貨〉を切り下げる
2297	**minting**	[míntɪŋ]	名 （貨幣の）鋳造
2298	**inflation**	[ɪnfléɪʃən]	名 インフレ、通貨膨張 ►「デフレ」は deflation。
2299	**gross domestic product**	[gróʊs dəméstɪk práːdəkt | -prɔ́d-]	名 国内総生産 ► 略語は GDP。
2300	**rating**	[réɪtɪŋ]	名 評価、格付け

司法

No.	単語	発音	意味
2301	**courthouse**	[kɔ́ːrthàʊs]	名 裁判所
2302	**innocence**	[ínəsəns]	名 無罪、潔白（⇔guilt） 形 innocent 無罪の

Track 171

2303	**imprisonment** [ɪmpríznmənt]	名 投獄、収監 動 imprison ～を投獄する
2304	**probation** [proʊbéɪʃən]	名 執行猶予、保護観察
2305	**informant** [ɪnfɔ́:rmənt]	名 情報提供者；内通者
2306	**robbery** [rá:bəri | rɔ́b-]	名 強盗（罪）
2307	**trafficking** [trǽfikɪŋ]	名 不正取引、密売
2308	**gangster** [gǽŋstər]	名 ギャングの一員、暴力団員
2309	**smuggler** [smʌ́glər]	名 密輸業者 動 smuggle 〈もの・動物〉を密輸入［輸出］する
2310	**poverty** [pá:vərti | pɔ́v-]	名 貧困
2311	**brainwashing** [bréɪnwà:ʃɪŋ | -wɔ̀ʃɪŋ]	名 洗脳
2312	**manufacturer** [mæ̀njəfǽktʃərər]	名 製造業者、メーカー 動 manufacture ～を製造する
2313	**retailer** [rí:tèɪlər]	名 小売業者
2314	**auction** [ɔ́:kʃən]	名 競売、オークション
2315	**output** [áʊtpʊ̀t]	名 生産高、産出量
2316	**prototype** [próʊtətàɪp]	名 （機械などの）原型、プロトタイプ
2317	**monopoly** [məná:pəli | -nɔ́p-]	名 （事業などの）独占（権）、専売 動 monopolize ～を独占する
2318	**questionnaire** [kwèstʃənéər]	名 アンケート
2319	**respondent** [rɪspá:ndənt | -spɔ́n-]	名 回答者
2320	**conference** [ká:nfərəns | kɔ́n-]	名 （公式の）会議
2321	**pavilion** [pəvíljən]	名 （博覧会などの）パビリオン
2322	**CEO** [sí:ì:óʊ]	名 最高経営責任者 ► chief executive officer の略。
2323	**auditor** [ɔ́:dətər]	名 監査役
2324	**workshop** [wɔ́:rkʃà:p | -ʃɔ̀p]	名 研修会、セミナー

ビジネス

2325	**internship** [íntəːrnʃìp]	名 インターンの身分［期間］
2326	**bulletin board** [búlətn bɔ̀ːrd | -tɪn-]	名 掲示板
2327	**adhesive** [ədhíːsɪv]	名 接着剤 ►「粘着性の」という形容詞の意味も重要。
2328	**paycheck** [péɪtʃèk]	名 給与
2329	**pension** [pénʃən]	名 年金
2330	**recreation** [rèkriéɪʃən]	名 レクリエーション、娯楽
2331	**union** [júːnjən]	名 組合、労働組合 ► labor union とも言う。
2332	**unemployment** [ʌ̀nɪmplɔ́ɪmənt]	名 失業

歴史・宗教

2333	**dinosaur** [dáɪnəsɔ̀ːr]	名 恐竜
2334	**evolution** [èvəlúːʃən]	名 進化 動 evolve 進化する
2335	**archaeologist** [ɑ̀ːrkiɑ́ːlədʒist | -ɔ́l-]	名 考古学者 名 archaeology 考古学
2336	**excavation** [èkskəvéɪʃən]	名 発掘 動 excavate ～を発掘する
2337	**ancient** [éɪnʃənt]	形 古代の ► medieval（中世の）・modern（近世の）に対する語。
2338	**remains** [rɪméɪnz]	名 遺跡、遺構 ► 複数扱い。
2339	**shipwreck** [ʃíprèk]	名 難破船
2340	**mummy** [mʌ́mi]	名 ミイラ
2341	**millennium** [mɪléniəm]	名 千年（紀） ► 複数形は millennia, millenniums。
2342	**monarch** [mɑ́ːnərk | mɔ́nək]	名 君主 名 monarchy 君主制
2343	**ancestor** [ǽnsestər]	名 祖先、先祖
2344	**throne** [θróʊn]	名 王位、王権
2345	**aristocrat** [ərístəkræ̀t]	名 貴族 名 aristocracy 貴族政治
2346	**tyrant** [táɪrənt]	名 暴君、専制君主 名 tyranny 専制政治

Track 172

No.	Word	Pronunciation	Meaning
2347	**warrior**	[wɔ́:riər]	名 戦士、軍人
2348	**peasant**	[péznt]	名 小作農
2349	**piracy**	[páɪrəsi]	名 海賊行為 名 pirate 海賊
2350	**settler**	[sétlər]	名 入植者、移民 動 settle 定住する
2351	**slaughter**	[slɔ́:tər]	名 大量虐殺（≒massacre）
2352	**dagger**	[dǽgər]	名 短剣
2353	**cemetery**	[sémətèri | -tri]	名（共同）墓地
2354	**graveyard**	[gréɪvjà:rd]	名（教会の）墓地
2355	**tomb**	[tú:m]	名 墓；墓石
2356	**catacomb**	[kǽtəkòum]	名 地下埋葬場
2357	**coffin**	[kɔ́:fn]	名 ひつぎ
2358	**monument**	[má:njəmənt | mɔ́n-]	名 記念碑、記念建造物 形 monumental 記念碑の；歴史的な
2359	**worship**	[wə́:rʃəp]	名 礼拝、祈り ►「〈神〉を崇拝する、礼拝する」という動詞の意味もある。
2360	**morality**	[mərǽləti]	名 道徳（性） 形 moral 道徳の
2361	**sermon**	[sə́:rmən]	名（教会で行われる）説教
2362	**sin**	[sín]	名（宗教上の）罪、罪悪 形 sinful 罪深い
2363	**archbishop**	[à:rtʃbíʃəp]	名 大司教
2364	**bishop**	[bíʃəp]	名 司教
2365	**priest**	[prí:st]	名（カトリック・英国国教会などの）司祭 ► bishop の下位の聖職者。
2366	**chapel**	[tʃǽpl]	名 礼拝堂
2367	**choir**	[kwáɪər] ▲ 発音注意。	名 聖歌隊
2368	**missionary**	[míʃənèri | -nəri]	名 伝道者、布教者 名 mission 伝道

2368 ►

文化・芸術

No.	単語	意味
2369	**pilgrim** [pílgrəm]	名 巡礼者、聖地参拝者 名 pilgrimage 巡礼
2370	**publication** [pʌ̀bləkéɪʃən]	名 (本・新聞などの) 出版 動 publish ～を出版する
2371	**myth** [míθ]	名 (個々の) 神話 形 mythical 神話の
2372	**proverb** [prá:vərb | próv-]	名 ことわざ、格言
2373	**stopover** [stá:pòuvər | stóp-]	名 (旅行の途中での) 短期滞在 (地)
2374	**safari** [səfá:ri]	名 サファリ ► 東・中央アフリカでの狩猟旅行。
2375	**atlas** [ǽtləs]	名 地図帳 ► 複数の map (地図) を本にしたもの。
2376	**aroma** [əróumə]	名 芳香、アロマ
2377	**artistry** [á:rtɪstri]	名 芸術的才能
2378	**auditorium** [ɔ̀:dətɔ́:riəm]	名 観客席 ► 複数形は auditoriums, auditoria。
2379	**scenery** [sí:nəri]	名 (地方などの美しい) 風景、景色
2380	**panorama** [pæ̀nərǽmə]	名 全景、パノラマ
2381	**pillar** [pílər]	名 柱、支柱
2382	**carving** [ká:rvɪŋ]	名 彫刻 (作品) (≒sculpture)
2383	**plaster** [plǽstər]	名 石こう
2384	**collage** [kəlá:ʒ]	名 コラージュ ► 切り抜いた新聞や写真などを組み合わせて貼りつける作品。
2385	**masterpiece** [mǽstərpì:s]	名 傑作、名作
2386	**patron** [péɪtrən]	名 (芸術家などの) 後援者、パトロン 名 patronage 後援
2387	**graffiti** [grəfí:ti]	名 (壁などの) 落書き
2388	**recital** [rɪsáɪtl]	名 リサイタル、独奏 [独唱] 会
2389	**finale** [fɪnǽli]	名 終楽章、フィナーレ
2390	**rehearsal** [rɪhə́:rsl]	名 リハーサル、下げいこ 動 rehearse ～のリハーサルをする

Track 173

No.	単語	発音	意味
2391	**debut**	[deɪbjúː]	名動 デビュー、初舞台；デビューする
2392	**vandalism**	[vǽndəlìzm]	名 （芸術品などの）破壊、損傷 動 vandalize 〈芸術品など〉を破壊する
2393	**pageant**	[pǽʤənt]	名 （歴史的事件を扱った）野外劇、ページェント
2394	**fiction**	[fíkʃən]	名 フィクション 形 fictious 架空の、フィクションの
2395	**parody**	[pǽrədi]	名 パロディー
2396	**prologue**	[próʊlɔ(ː)g]	名 プロローグ、序文
2397	**paradox**	[pǽrədὰːks | pǽrədɔ̀ks]	名 逆説、パラドックス 形 paradoxical 逆説的な
2398	**metaphor**	[métəfɔ̀ːr]	名 隠喩（いんゆ）、メタファー
2399	**undergraduate**	[ʌ̀ndərgrǽʤuət]	名 大学生、学部学生 ►「卒業生、大学院生」は graduate。
2400	**doctorate**	[dάːktərət | dɔ́k-]	名 博士号（≒doctor's degree, PhD）
2401	**dormitory**	[dɔ́ːrmətɔ̀ːri]	名 （大学などの）寮、寄宿舎
2402	**nursery**	[nə́ːrsəri]	名 保育所
2403	**curriculum**	[kəríkjələm]	名 カリキュラム、教育課程 ► 複数形は curricula, curriculums。
2404	**bilingual**	[baɪlíŋgwəl]	形名 2か国語を話す（人）
2405	**sentence**	[séntns]	名 文 ►「判決」の意味も重要。
2406	**phrase**	[freɪz]	名 句
2407	**pronunciation**	[prənʌ̀nsiéɪʃən]	名 発音 動 pronounce ～を発音する
2408	**adjective**	[ǽʤɪktɪv]	名 形容詞
2409	**martial arts**	[mάːrʃəl άːrts]	形 武道、武術
2410	**referee**	[rèfəríː]	名 レフェリー、審判員
2411	**gymnastics**	[ʤɪmnǽstɪks]	名 （器械）体操 ► 単数扱い。
2412	**stamina**	[stǽmənə]	名 スタミナ、持久力

コラム 語根のイメージをつかむ 3

ここでもいくつかの代表的な語根を取り上げ、それを構成要素とするさまざまな単語の具体例をご紹介します。🔑で取り上げたやさしめの単語を手がかりに、語根のイメージをつかんでください。

■ seg / sect …「切る」

🔑 section（区画；部門）は「切ること」が原義。insect（昆虫）は「体に切れ目の入っているもの」。

segment 部分、区分
sector （事業・産業の）部門、分野
inter**sect** 交差する、交わる

■ spir …「呼吸する」

🔑 spirit（精神、霊魂）とは、「呼吸をするもの」。

a**spir**e 熱望する
ex**pir**e 期限が切れる
per**spir**e 汗をかく
con**spir**acy 共謀
in**spir**e 〈人〉を感激させる

■ tact / tach / tang / tag / teg …「触る」

🔑 一番おなじみなのは contact（接触）。さまざまな接頭辞、接尾辞がついていろいろな意味を表す。

in**tact** 無傷の
tactical 戦術の
con**tag**ious 伝染性の
in**tang**ible 触れることのできない、無形の
de**tach** ～を分離する、引き離す
in**teg**rity 高潔、完全性

■ tor / tort …「ねじる」

🔑 torch（たいまつ）は「ねじった麦わら」が原義。

dis**tort** ～をゆがめる
torment ～を苦しめる、悩ませる
torture 拷問、苦痛

■ vac …「からの」

🔑 vacation（休暇）は「からにすること」→「あることから解放されていること」が原義。

vacuum 真空
e**vac**uate 避難する
vacant 空いている、使われていない

■ val / vail …「強い、価値がある」

🔑 一番おなじみなのは value（価値）。さまざまな接頭辞、接尾辞がついていろいろな意味を表す。

e**val**uate ～を評価する
pre**vail** 〈慣習・考えなどが〉普及している
a**vail** 利益、効用
equi**val**ent 〈数量などが〉同等の
validity 有効性
de**val**ue ～を低く評価する
in**val**id 無効な

索引

この索引には、本書で取り上げた3,900強の単語と熟語がアルファベット順に掲載されています。数字はページ番号を示しています。薄い数字は、語句が類義語や反意語、派生関係の語などとして収録されていることを表しています。

単語

A

B

C

D

E

F

G

H

I

M

N

O

P

Q

R

S

T

Y

Z

熟語

A

B

C

D

E

R

S

T

W

[編者紹介]

ロゴポート

語学書を中心に企画・制作を行っている編集者ネットワーク。編集者、翻訳者、ネイティブスピーカーなどから成る。おもな編著に『英語を英語で理解する 英英英単語® 初級編/中級編/上級編/超上級編』、『英語を英語で理解する 英英英単語® TOEIC® L&R テストスコア 800 / 990』、『中学英語で読んでみる イラスト英英英単語®』、『英語を英語で理解する 英英英熟語 初級編/中級編』、『最短合格! 英検®1級/準1級 英作文問題完全制覇』、『最短合格! 英検®2級 英作文&面接 完全制覇』、『出る順で最短合格! 英検®1級/準1級 語彙問題完全制覇[改訂版]』(ジャパンタイムズ出版)、『TOEFL® テスト 英語の基本』(アスク出版)、『だれでも正しい音が出せる 英語発音記号「超」入門』(テイエス企画)、『分野別 IELTS 英単語』(オープンゲート)などがある。

カバー・本文デザイン/ DTP 組版:清水裕久 (Pesco Paint)
ナレーション:Peter von Gomm (米) / Rachel Walzer (米)
録音・編集:ELEC 録音スタジオ
音声収録時間:約 3 時間 40 分

本書のご感想をお寄せください。
https://jtpublishing.co.jp/contact/comment/

出る順で最短合格!
英検® 準1級単熟語 EX [第2版]

2023年4月5日 初版発行
2024年9月20日 第8刷発行

編 者 ジャパンタイムズ出版 英語出版編集部 &ロゴポート

発行者 伊藤秀樹
発行所 株式会社 ジャパンタイムズ出版
〒102-0082 東京都千代田区一番町 2-2 一番町第二 TG ビル 2F
ウェブサイト https://jtpublishing.co.jp/
印刷所 日経印刷株式会社

Printed in Japan ISBN 978-4-7890-1850-0